文字卷

新青年
LA JEUNESSE

张宝明 主编　张　剑 副主编

6

新文化元典
丛书

河南文艺出版社

图书在版编目(CIP)数据

新青年.文字卷/张宝明主编. —郑州:河南文艺出版社,2016.5(2025.1 重印)

(新文化元典丛书)

ISBN 978-7-5559-0345-1

Ⅰ.①新… Ⅱ.①张… Ⅲ.①期刊-汇编-中国-民国 Ⅳ.①Z62

中国版本图书馆 CIP 数据核字(2015)第 286527 号

总 策 划　王国钦
策　　划　陈　静
责任编辑　陈　静
美术编辑　吴　月
责任校对　殷现堂
装帧设计　张　胜

出版发行　河南文艺出版社
本社地址　郑州市郑东新区祥盛街27号C座5楼
承印单位　河南省四合印务有限公司
经销单位　新华书店
纸张规格　640 毫米×960 毫米　1/16
印　　张　21.5
字　　数　230 000
版　　次　2016 年 5 月第 1 版
印　　次　2025 年 1 月第 5 次印刷
定　　价　39.00 元

版权所有　盗版必究
图书如有印装错误,请寄回印厂调换。
印厂地址　焦作市武陟县詹店镇詹店新区西部工业区凯雪路中段
邮政编码　454950　　电话　0391-8373957

新青年

第八卷 第一號

上海 新青年社 印行

中華民國郵務局特准掛號認爲新聞紙類

出版说明

一、为纪念《新青年》(原名《青年杂志》)创刊100周年,本社特别策划出版"新文化元典丛书"。

二、本丛书由著名学者张宝明主编并提供稿本,由本社分"平装普及"与"精装典藏"两个版本先后出版。"普及版"以大众阅读为目标,分为"政治卷""思潮卷""哲学卷""文学创作卷""文学批评卷""文字卷""翻译卷""青年妇女卷""文化教育卷""随感卷"10卷;"典藏版"以学者研究为指归,延续了本社1998年版《回眸〈新青年〉》的版本形式,分为"哲学思想卷""社会思潮卷""语言文学卷"3卷。

三、本丛书在编辑过程中,对文章内容(包括当时特殊的语言、语法使用,习惯性虚词、数字、异体字用法,对外文中人名、地名的个性化翻译等)及作者署名均以其原貌呈现。为方便今天读者阅读,本次出版对原文中的繁体字进行了简体转换,对可以确定的技术性错讹进行了订正,对个别的标点符号用法进行了相对规范。对错讹较多的英语、俄语等外文,特邀有关专家进行了认真校订。

四、"随感卷"内容选自《新青年》原版各卷中的"随感录"。因原文发表时大部分并无标题,本次专卷出版的标题为主编所加。

五、本丛书的策划出版,也是我们对2019年"五四"运动100周年的一次提前纪念。

河南文艺出版社
2016年5月

回眸：唯以深情凝望……（代序）

张宝明

1492年10月11日，克里斯托弗·哥伦布看见海上漂来一根芦苇，欢呼雀跃地宣布了被称为"救世主"之新大陆的发现。

1915年9月，《青年杂志》创刊。这就是那个日后易名为《新青年》的月刊，她从此成为一代又一代青年人心目中拨云见日的精神新大陆。

饶有情趣的是，无论是彼岸还是此岸的"新大陆"，其发现过程都需要有敢于冒险的勇气、勇于担当的气魄、胸怀天下的责任。500年前，哥伦布想方设法说服了西班牙女王得以扬帆；100年前，陈独秀费尽口舌让出版商动心，在那出版业凋敝、萧条的时代，主编那"让我办十年杂志，全国思想全改观"的信誓旦旦背后多少有些心酸。

一个世纪过去了，重温百年历史记忆，翻阅那一页页泛黄的纸张时，我无法用编选或剪辑来保存这样一个精神存照。

作为20世纪一轮最为壮丽的精神日出，《新青年》以其鲜活的时代性入世，演绎了一台精彩纷呈的思想史专场。她已经在百年的风雨沧桑中固化为一尊灵魂的雕像、一座精神的丰碑。形而下的标本馆可以被肢解、分离,甚至拆卸为齿轮和螺丝钉,可谁若是声称复制出形而上的灵魂标本馆,我们不免顿生疑窦。因为灵魂的雕像和精神的丰碑只能内化于每一个人的心底,存贮于每一个人的心灵。

回望百年,再也没有这样的思想演绎更值得我们咀嚼了。仿佛,她就是我那无法用肉眼观看的神经末梢。岁月陶铸了文化的沧桑,年龄剪断了思想的记忆。"剪不断,理还乱。"因此,面对沧桑的文化记忆,面对凌乱的思想线团,我们无法用具象化的"编选"或"剪辑"称谓,更无法用当年文化先驱的启蒙来"普及"当下的启蒙。这里的思想静悄悄,这里的灵魂无眠,这里精神永远……我们最好的纪念就是无言面对,默默注目,深深凝望……

《新青年》,已经不是当代青年心目中的"新大陆";回眸《新青年》,无非是想通过那一代知识先驱心中流淌的文字为20世纪中国做一个有血有肉的注脚。发黄的纸张、右行竖迤的文字以及远离的先驱成为朦朦胧胧的追问,我们在回眸中分明看到了自己。我们在解读自己,也在解剖自己,更是在反省着自己。有时,我们又不能不拷问何以如此失去自己。这不是多愁善感,而是因为风雨沧桑的生命之旅招惹了我们的思绪:《新青年》不是一个尘封的历史遗存,而是一个活生生的对象,一段可以触摸的历史,更是一曲跌宕的纸上声音:说你,说他,说我……

风流,不会像诗中说的那样总被雨打风吹去。昔日的倜傥,同样可以因我们的自觉而获得立体的再现。多年之后,长征之后落定延安的毛泽东对埃德加·斯诺吐露心声说:在1916年,我和几个朋友成立了新民学会……许多团体大半都是在陈独秀主编的《新青年》的影响下组织起来的。而我在师范学校读书时,就开始阅读这本杂志了,并且十分崇拜陈独秀和胡适所做的文章。他们成了我的模范,代替了我已经厌弃的康有为和梁启超。青年时代的毛泽东,有很长一段时间都在翻阅、谈论、"思考《新青年》所提出的问题"。1918年2月,读到《新青年》的周恩来在日记中奋笔疾书:晨起读《新青年》,晚归复读之。于其中所持排孔、独身、文学革命诸主义极端赞成。恽代英从武昌写来肺腑之言,盛赞《新青年》的思想价值:我们素来的生活,是在混沌的里面。自从看了《新青年》,渐渐地醒悟过来,真是像在黑暗的地方见了曙光一样。我们对于做《新青年》的诸位先生,实在是表不尽的感激。当时在陆军第二预备学校读书的叶挺也热情洋溢地表达过对《新青年》的仰慕和膜拜:空谷足音,遥聆若渴。明灯黑室,觉岸延丰。最后并以急不可待的心情期盼着"思想界的明星"(毛泽东语)。陈独秀指点迷津:吾辈青年,坐沉沉黑狱中,一纸天良,不绝于缕,亟待足下明灯指迷者,当大有人在也。

热血的政治青年对此刊有一种天然的偏爱,在校读书的文学青年对此更是欢喜。北大学生杨振声曾这样回忆说:像春雷初动一般,《新青年》杂志惊醒了整个时代的青年。冰心也这样评论《新青年》:"五四"运动前后,新思潮空前高涨,新出的报纸杂志像雨后春笋一样,目不暇接。我们都贪婪地争着买,争着借,彼此传阅。其中我最喜欢的是《新青年》里鲁迅先生写的小说,像《狂人日记》等篇,尖锐地抨击吃人的礼教,揭露着旧社会的黑暗和悲惨,读了让人同情而震动。凡此种种,举不胜举。

热血青年如是说,引导"新青年"的当事人更是引以为豪。胡适就曾在20世纪30年代为重印《新青年》激动不已,并挥毫题词:《新青年》是中国文学史和思想史上划分一个时代的刊物。最近二十年中的文学运动和思想改革,差不多都是从这个刊物出发的。胡适为重印《新青年》的广而告之及定位,与其在1923年写给"新青年派"高一涵、陶孟等同人的信中表述一脉相承:二十五年来,只有三个杂志可代表三个时代,可以说创造了三个新时代:一是《时务报》,一是《新民丛报》,一是《新青年》。《民报》与《甲寅》还算不上。题中之意还在于:《新青年》创造了一个崭新时代,永远不会被遗忘和尘封。鲁迅作为"新青年派"的中坚,也曾在为《中国新文学大系》所作的序言中鼓与呼:凡是关心现代中国文学的人,谁都知道《新青年》是提倡"文学改良",后来更进一步号召"文学革命"的发难者。从学术"象牙塔"走向办杂志、发议论的公共空间,从学问家到舆论家,"新青年派"知识群体经历了一个艰难的选择里程。这里,我们不难从鲁迅心灰意冷的"钞古碑"到满怀激情地"听将令"之转变窥见同人们的"一斑":但是《新青年》的编辑者,却一回一回的来催。催几回,我就做一篇。这里我必得纪念陈独秀先生,他是催我做小说最着力的一个。

....

我们知道,在世界文明史上,18世纪的法国因其启蒙运动的舆论力量留下盛名,并产生了一批以伏尔泰为精神领袖的舆论之王。当作为社会良知化身的知识分子以公共面目出现时,就获得了舆论家的声誉。胡适这位现身说法的当事人这样用英文将其正名为"Journalist"或者"Publicist",而且对"意中舆论家"有这样的诉求:有"笔力"、懂国内外"时势"、具"远识",其中"公心"和"毅力"最不可或缺——这是胡适1915年1月尚在美国留学时日记中记下的夙愿。回国任职北京大学后,学问家的身份反被舆论家的名声所掩盖,他走了一条"一发不可收"的不归路。从此,思想史上的胡适而不是学术上的胡适,成为声名鹊起的一代思想骄子。

《新青年》创刊于上海,兴隆于北京,终结于广州。在这一平台上汇聚起来的"新青年派"同人,学术凹陷,思想凸显;学问淡出,舆论立言。"五四"新文化运动的天空中,最耀眼的是那一抹以"民主""科学"为主调的绚丽彩虹。舆论的彰显与张扬,拉动着中国现代性加速转型。1905年科举的终结,让传统士人走向边缘,而舆论家的身份意识和担当情怀重新将他们推向时代的浪尖和话语的中心。这里,"新青年派"同人不再是书斋里"钻牛角"、翻故纸的学术把玩者,而是一批"执牛耳"、观天下的社会现实参与者。行走于风雨故园中的时代先驱们,可以不是理性、冷静的审慎思考者,却是理想在前、激情在身的担当者。一百年后回眸《新青年》,我们可以为他们的急不择言、话不留余的语言暴力保持一份反思的态度,但毋庸置疑的是,他们留下的文本却为我们读懂20世纪以及当下的中国提供了弥足珍贵的思想路径。从这里,走进历史现场;在这里,读懂近世中国。的确,在享受这一新文化运动元典阅读快感之际,无论如何都无法阻止我们的心跳。

这里,不但有"妙手"写下的"文章",更有"道义"担当的"铁肩"。《新青年》寻求真理、坚持真理的使命感与历史同在,历历在目;新文化运动敢于担当、勇于担当的责任感与日月同辉,常读常新。听其言——陈独秀在文学革命的战车上立下过"愿拖四十二生的大炮为之前驱"的誓言,还有那振聋发聩之守护"民主""科学"的承诺:西洋人因为拥护德、赛两先生,闹了多少事,流了多少血,德、赛两先生才渐渐从黑暗中把他们救出,引到光明世界。我们现在认定:只有这两位先生,可以救治中国政治上、道德上、学术上、思想上一切的黑暗。若因为拥护这两位先生,一切政府的压迫、社会的攻击笑骂，就是断头流血，都不推辞。信誓旦旦，掷地有声。观其行——1919年6月8日，陈独秀为声援和欢迎"五四"运动中被捕出狱的学生撰写的《研究室与监狱》就是一篇激情四溢、气势磅礴的短平快舆论：世界文明发源地有二：一是科学研究室，一是监狱。我们青年要立志出了研究室就入监狱，出了监狱就入研究室，这才是人生最高尚优美的生活。从这两处发生的文明，才是真正的文明，才是有生命有价值的文明。陈独秀雄于言、力于事的个性和品格，在舆论抛出三天之后"知行合一"。被胡适誉为"一个有主张的'不羁之才'"的陈独秀，在经过三个月的监禁后，成为中国共产党的创始人。

无独有偶，作为《新青年》主力的舆论家胡适向来以性格稳健、思想"健全"著称。即使如此，他在"新青年派"同人营造的公共空间里丝毫不减锐气，文风堪称犀利直接、所向披靡。如同我们看到的那样，当《民国日报》记者邵力子以北洋政府下令"取缔新思想"之舆情发难胡适，并"三十六计，走为上计"揣测其生病住院时，当事人严正地在《努力周报》上发布公告：我是不跑的，生平不知趋附时髦；生平也不知躲避危险。封报馆，坐监狱，在负责任的舆论家的眼里，算不得危险。然而，"跑"尤其是"跑"到租界里去唱高调：那是耻辱！那是我决不干的！这就是"新青年"那一代知识先驱的共同心声和承诺。知其言，观其行。新文化运动的舆论家就是这样直面着人生、关注着社会、履行着诺言、担当着责任。胡适很早就认识到"舆论家之重要"并"以舆论家自任"。应该说，无论是陈独秀还是胡适，尽管在北京大学地位显赫，但真正"暴得大名"并在中国政治史、思想史、文化史上留下重要的影响，依靠的不是作为学问家的"学术"志业，而是以不安本分的"舆论家"起家。在《新青年》周围,一个知识群体为国家、民族的现代性演进而不遗余力地万丈激情挥洒自如。不甘于自处出世、超然的边缘,而要走向中心,有所担当的"家国""天下"情怀体现得淋漓尽致。

百年回眸,在演出那场思想史专场的新文化思想舞台上,海归们给沉寂的中国注入了前所未有的生机。陈独秀、胡适、周作人、鲁迅、李大钊、钱玄同、刘半农、高一涵、沈尹默……"新青年派"同人扬鞭策马、奋笔疾书。本来,学术是他们的安身立命之本,学问家应该是他们原汁原味的角色担当。但是,归国后面对中国的现实,让他们有一种坐不住、不安分的冲动,携带着西方文明的种子,他们很快从一身长衫的学问家华丽转身为西装革履的舆论家,成为指点江山、激扬文字的中心人物……

百年回眸,新文化元典已经走过了一个世纪。在"知识分子到哪里去了""知识分子还能感动中国吗""人文学还有存在的必要吗"之追问不绝于耳的今天,重读《新青年》是那样的情真意切。只要启蒙还没有"普及",只要"五四"先驱设计的目标还没有抵达,只要"中国梦"还在路上,我们就不能不读《新青年》!百年回眸,那是一个渐行渐远的大时代。我们只有以这样的方式默行注目礼……

百年回眸,《新青年》同人打造的"金字招牌"历历在目。当我们手捧10卷本"普及版"的时候,其实我们是在"提高"着对自我与这个时代的认知。本来,"普及"和"提高"就是一个问题的两个方面,无法化约,采用这样的划分完全是为了阅读的需要。我们深知,其中的每一卷都是一个个精神的制高点、诗意心灵的停泊站:"政治卷""思潮卷""哲学卷""文字卷""文学创作卷""翻译卷""文学批评卷""随感卷"的单打以及"青年妇女卷""文化教育卷"

的组合,都能够给读者带来无限的遐想。一杯茶,或一杯咖啡,在原汁原味的隽永文字中咀嚼、品味、思考,唯有这样的互动才能使我们徜徉于心旷神怡的天地。或浓烈,或淡雅,或遥远,或温馨,思想的滋味本来如此……

目录

西文译音私议 …………………………… 陈独秀 1
论注音字母 ……………………………… 钱玄同 7
论注音字母(续) ………………………… 钱玄同 14
应用文之教授 …………………………… 刘半农 20
汉字索引制说明 ………………………… 林玉堂 30
Esperanto(通信) ……………………… 钱玄同 37
新文学与新字典(通信) ………… 沈兼士 钱玄同 42
四声(通信) …………………… 李锡余 钱玄同 45
句读符号(通信) ………………………… 钱玄同 48
文言合一草议 …………………………… 傅斯年 50
注音字母(通信) ………………………… 钱玄同 58
中国今后之文字问题(通信) …… 钱玄同 陈独秀 胡适 61
论 Esperanto(通信) ……… 孙国璋 钱玄同 陶履恭 胡适 68
论汉字索引制及西洋文学(通信) ……… 林玉堂 钱玄同 76
致钱玄同先生论注音字母书(通信) …………… 吴敬恒 79
革新文学及改良文字(通信) ……… 朱我农 胡适 钱玄同 96
论 Esperanto(一)(通信) …………………………………
　　………………… 区声白 陶履恭 钱玄同 陈独秀 103

论Esperanto（二）（通信）				
·················· 孙国璋	陈独秀	胡适	钱玄同	111
论句读符号（通信）················· 慕楼			胡适	114
反对注音字母（通信）···················			朱有畇	117
反对Esperanto（通信）·············			朱有畇 胡适	122
补救中国文字之方法若何？············			吴敬恒	133
渡河与引路（通信）················· 唐俟			钱玄同	156
汉文改革之讨论（通信）············ 张月镰			钱玄同	160
中国文字与Esperanto（一）（通信）······ 姚寄人			钱玄同	166
中国文字与Esperanto（二）（通信）······ 胡天月			钱玄同	175
罗马字与新青年（通信）············ 孙少荆			钱玄同	177
横行与标点（通信）··············· 陈望道			钱玄同	181
新文体（通信）··················· 查钊忠			钱玄同	183
世界语问题··························			凌霜	191
Esperanto（通信）················ 周祜			钱玄同	199
Esperanto与现代思潮（通信）·········· 凌霜			钱玄同	201
英文"SHE"字译法之商榷（通信）······ 钱玄同			周作人	208
白话文的价值························			朱希祖	213
关于新文学的三件要事（通信）········ 潘公展			钱玄同	222
同音字之当改与白话文之经济（通信）·········				
···················· 陈懋治		胡适	钱玄同	229
写白话与用国音（通信）············ 郭惜黔			钱玄同	236
中文改用横行的讨论（通信）········ 钱玄同			陈大齐	240
国语的进化·······················			胡适	245
减省汉字笔画的提议··················			钱玄同	261

中学国文的教授 ………………………………… 胡适 268
注音字母的讨论 ………………… 罗国杰　吴敬恒　施见三 281
国语文法的研究法 ………………………………… 胡适 298
国语文法的研究法（续前号）……………………… 胡适 311

西文译音私议

陈独秀

译西籍,方舆姓氏,权衡度量,言人人殊。逐物定名,将繁无限纪。今各就单音,拟以汉字。举其大要,阙所不知。如下表:

单独字母译音

A 亚　B 白　C 克斯　D 德　E 厄　F 夫　G 格　H ○(凡字母必直接合母音始发音者皆缺)　I 易哀　J ○　K 克　L 尔　M 姆　N ○　O 阿　P 卜　Q ○　R 儿　S 斯　T 特　U 尤虞　V 甫　W ○　X 爱格斯　Y ○　Z 兹

拼合字母译音

Ba 巴 Da 达 Fa 法 Ga 加 Ha 哈 Ja 惹 Ka 卡 La 拉 Ma 马 Na 那 Pa 帕 Ra 喇 Sa 萨 Ta 塔 Va 伐 Wa 瓦 Ya 牙 Za 杂

Be 贝 De 兑 Fe 非 Ge 徐 He 赫 Je 热 Ke Le 雷 Me 梅 Ne 内 Pe 佩 Re 芮 Se 绥 Te 推 Ve 肥 We 微 Ye 耶 Ze 醉

Bi 比 Di 狄 Fi 费 Gi 基 Hi 兮 Ji 日 Ki 其 Li 李 Mi 米 Ni 尼 Pi 皮 Ri 律 Si 西 Ti 梯 Vi 维 Wi 威 Yi 伊 Zi 兹

Bī 拜 Dī 戴 Fī　Gī 该 Hī 海 Jī　Kī 凯 Lī 来 Mī 埋 Nī 奈 Pī 派 Rī 莱 Sī 赛 Tī 泰 Vī　Wī 外 Yī 埃 Zī 才

Bo 波 Do 多 Fo 佛 Go 哥 Ho 霍 Jo 若 Ko 苛 Lo 洛 Mo 莫 No 诺 Po

坡 Ro 罗 So 索 To 托 Vo 福 Wo 倭 Yo 约 Zo 左

 Bu Du 丢 Fu Gu 勾 Hu 侯 Ju 柔 Ku 口 Lu 路 Mu 缪 Nu 钮 Pu Ru 卢 Su 素 Tu 图 Vu 浮 Wu Yu 尤 Zu 祖

 Bü 布 Dü 杜 Fü 弗 Gü 谷 Hü 胡 Jü 如 Kü 苦 Lü 庐 Mü 木 Nü 奴 Pü 蒲 Rü 鲁 Sü—Tü—Vü 缚 Wü 吴 Yü 虞 Zü—

 Cha 查 Sha 夏 Wha 华 Gua 瓜 Qua 夸

 Che 且 She 谢 Whe 徽 Gue 桂 Que 匮

 Chi 支 Shi 希 Whi 惠 Gui 归 Qui 葵

 Chī Shī 懈 Wī 怀 Guī 怪 Quī 蒯

 Cho 却 Sho 学 Who Guo Quo 科

 Chu 丘 Shu 修 Whu

 Chü 区 Shü 虚 Whü

 Ban 班 Dan 丹 Fan 方 Gan 刚 Han 韩 Jan 然 Kan 康 Lan 兰 Man 曼 Nan 南 Pan 庞 Ran 郎 San 三 Tan 唐 Van 房 Wan 王 Yan 杨 Zan 臧 An 安

 Ben 边 Den 颠 Fen 芬 Gen 根 Hen 仙 Jen 染 Ken 铿 Len 廉 Men 门 Nen 能 Pen 彭 Ren Sen 孙 Ten 天 Ven 焚 Wen 温 Yen 颜 Zen 曾 En 英

 Bin 宾 Din 丁 Fin—Gin—Hin 亨 Jin 仁 Kin—Lin 林 Min 民 Nin 宁 Pin 平 Rin Sin 新 Tin 亭 Vin—Win 文 Yin 阴 Zin 精 In 印

 Bon 奔 Don 东 Fon 丰 Gon 龚 Hon 洪 Jon 戎 Kon 孔 Lon 龙 Mon 蒙 Non 农 Pon 朋 Ron 轮 Son 生 Ton 顿 Von 奉 Won 翁 Yon 荣 Zon 宗 On

 Chan 张 Shan 上 Whan 黄 Guan 光 Quan 匡

 Chen 陈 Shen 申 When 昏 Guen 肱 Quen 昆

Chin 秦 Shin 盛 Whin—Guin—Quin—

Chon 筜 Shon 兄 Whon　Guon　Quon 空

说明

所谓父音（Consonant，即声也），不合母音（Vowel，即韵也），不能发音者，乃言难定正音，非皆绝对无音也。例如 BR DR FR GR KR PR TR ST 之前一字母，虽不直接与母音联合，亦能独立发音。又如英德俄三国语，D F K L P R S T V Z 之居语尾者，虽其前为父音字母，亦恒独立发音。其居母音之次者，固照例发音。然其音亦为独立之音，不随其前之母音而生变化也。例如英文 Put、pot、post 三字，其中之母音虽不同，而语尾之 t 作特音则一也。

法德二语，读 E 均入灰韵，今从之。英语读 I，有易哀长短二音。此即中土古韵之哈同部之理。今从英语，以短音 i（易）属之部，以长音 ī（哀）属哈部。y 分长短二音与 I 同，故略之。法德之 I y 二音，均有短无长。其作长音读入哈部者，德为 Ei，法为 Aï，皆复母音，非单独一 I 也。中土古韵，灰齐同部，故英语读 E 入齐韵。今韵之齐相近，灰哈亦相近，变迁至为复杂。今分 E i ī 为三类，而三者源流贯通，中西一辙也。

中国现代之麻韵字，古音多在歌韵。如阿字古在歌韵，今韵歌麻二韵之音并读。山阿之阿，则读入歌韵。阿哥之阿，则读入麻韵。兹取以拟 O，乃歌韵之阿，非麻韵之阿。今江浙两省及安徽之徽州，读巴、卡、马、那、夸、查、华等字，尚在歌韵。他省皆读入麻韵，故取以拟 A 韵之音。西文中，亦有歌麻二韵相通者，例如英语之 law、was、walk、all 等字之 A，皆读与 O 同。

中国古韵，尤虞相近。今音若杜、柔、路、缪、奴、鲁、素、图、浮、祖等字，尚尤虞并读。英文读 u 音之字，尤（Pure）虞（Put）兼有。

法德读 u,只合虞韵,今二者并列。

　　复母音 Ai 同 E(灰韵),Ie 同 I(之韵)。Eu 同 u(尤音),英文,Ew 同 u(尤韵),Ou(敖)读若萧韵,Ow(敖阿)或读若萧韵,或读若歌韵。法文,Au 同 O,Ou 同 ü(虞韵),Eau 同 O,Oi 读音如 Wa,Ei 同 E。兹均从略。

　　梵文所谓随韵随鼻韵者,皆于字上加点作 M 音。今欧洲语言学者,亦多谓 M N 为半母音。证以中国江阳、先仙、真庚、东冬诸韵。其为 A E I O 诸母音,与半母音 N 相合而成一复母音也,确无疑义。兹故别为一音类。M 同 N,不另列。

　　英文读 E 入齐韵,且在语尾时,概无母音之作用。今拟 E 行之字,多为译法德文而设也。

　　B 声合华音帮母,P 声合华音滂母,D 声合华音端母,T 声合华音透母。固皆画然分别也。华音,帮、滂均属重唇,端、透均属舌头。故华译西文,B P 不分,D T 相混。然此亦不独华译为然。即西人语言,每多混乱。例如英人读语尾之 D,恒作 T 音。法人读 Paris 为 Baris,读 Palais 为 Balais,读 Station 为 Sdation。是皆 B 与 P、D 与 T 之相乱也。华译欧罗巴及法都巴黎巴拿马运河,均已沿用日久,未便改易。今后译者,B 之与 P,D 之与 T,不可无别也。

　　C 分刚柔二声,刚声同 K,柔声同 S,故不另列。

　　F V W 三声,合华音非、奉、微三母。同属轻唇,而皆有分别。旧译 V 声,不轻乱于 F,即重乱于 W。今后译 F 声必用非母之字,V 声必用奉母之字,W 声必用微母之字,始各厘然有当也。

　　J 声,德文读同 Y 声。英文固有名词中,J 声不甚多。其重要者,如 Jesus 华译曰耶稣,Jerusalem 华译曰耶路撒冷,John 华译曰约翰,Johnson 华译曰约翰生,Judea 华译曰犹太,Jordan 华译曰约旦河，Joseph 华译曰约瑟夫，皆从德音。［约旦河，希伯来音原作 Yarden。荷兰神学者 Yansen，英文作 Jansen。南美洲哥伦比亚之 Yapura 河，英文作 Japura（音读则作 Yapora）。罗马尼亚 Yäshe 城，英文作 Jässy。是译从德音者较正也。］法文固有名词中，J 声极多。故 J 声皆拟以华音日母之字，专为译法文计耳。（华音日母之字，古时多在泥母。尔、耳、二、热、日、人、染、认、儿、弱等字，今江浙两省均读在泥母。故章太炎先生作音表，以日母之字附属泥母，不另立。然证以法文 J 声，华音日母仍有独立存在之必要也。）

C 之刚声，于华音属溪母。G 之刚声，于华音属见母。均有分别。华译 C 声，多乱于 G。例如 Colombia 译曰哥伦比亚，是读 Co 为 Go 矣。K 声亦属华音溪母，与 C 之刚声同。

G 之刚声，于华音属见母开口正韵。G 之柔声，为其副韵（中国甲、加、家、假、角、街、江等字，亦均有正刚副柔二种音读）。Gu 之声，于华音属见母之合口音。C 之刚声及 K 声，于华音属溪母开口正韵。Ch 之声（以英语言），为其副韵（中国客、确、敲等字，均有正刚副柔二种音读）。Qu 之声，于华音属溪母之合口音。由是观之，G 声与 C（K 同）声虽同为牙音，而声类各别。其副韵合口之变化，亦统系分明，不容紊乱也。

法德文读 Ch 之声，等于 Sh，与英文大异。然以华音证之，亦可明其声变之例。华音牙喉二音，自来相通［章太炎先生音表（见《新方言》），分五音三类，牙喉二音，列为一类，善矣］。例如牙音之溪字，可读入喉音之晓母。牙音之疑字，可读入喉音之喻母（日本汉音、喉音之字，多读入牙音溪母，如影、香、兴、形等）。法德之读 Ch 如 Sh，犹夫华语读牙音溪母之溪（Chi）字，如喉音晓母之希（Shi）字也。（因牙喉二音相通，遂明英德读 J 声不同之理。英文读 J 如 G

之柔声，于华音属牙音之见母。德文读 J 如 y，于华音属喉音之影母。）

L N R 三声，亦易混乱。依华音，L 在来母，N 在泥母，R 则为弹舌音[佛典译者，用此译梵文 R 韵（梵文单韵九，轻重 R 居其二），于来母之字加口旁为识]。泥母属舌头音，来母属半舌半齿音，其分别盖显然也。今译 L 声者，皆用来母之字，不误。译 N 声者，间或误入来母，然大体亦均用泥母不误。惟译 R 声者，自来与 L 声无别。例如亚喇比亚 Arabia，西伯里亚 Siberia，罗兰 Rolland，莱茵河 Rhein 等是也。盖弹舌声法，不易标识，混乱久矣。今只得姑仍其旧。

译佛典者，以迦（CK）别加。（G 柔音 J）又以伽（G 刚音）别迦，（CK）以啰（R）别罗，（L）似可采用也。

I 之与 yi，音有短长。以易、伊别之。尔在日母（或泥母），以之译属于来母之 L，本不适当。今无相当之字，姑仍旧译惯例。

译字如杜、狄、戴、谷、李、雷、钮、张、陈、秦、查等，乃为译姓计也。Chi 之译支，本不适合，以支那已成定名也。Ton 之译顿尤，非是然以 Washington（华盛顿）、Milton（弥尔顿）、Boston（波士顿）、Gladstone（格拉斯顿）久有定名，只得仍其旧也。En 之译为英，Tn 之译为印，皆从英吉利印度之定名。Shan 之译为上，从上海之定名。Ki 之译其，从土耳其之定名。余仿此。

En 之音，法文多读同 An，德文读同华音先韵，英文读同真文韵。华音真文先三韵相近，故 En 行之字二者并用。

上所论列，略具梗概而已。海内宏达，倘广赐教正，使译音得就统一，未始非学者节时省力之一道也。

（第二卷第四号，一九一六年十二月一日）

论注音字母

钱玄同

一九一三年的春天，教育部开"读音统一会"，会里公议注音字母三九个，现在先把他写出来。表"母"（就是"子音"。中国向来叫做"声"，又叫做"纽"）的字母二四个：

ㄍㄎㄫㄐㄍㄑㄏㄉㄊㄋㄅㄆㄇㄈㄪㄗㄘㄙㄓㄔㄕㄏㄒㄌㄖ

表"韵"（就是"母音"）的字母一二个：

ㄚㄛㄝㄟㄞㄠㄡㄫㄤㄣㄥㄦ

表"介音"的字母三个：

ㄧㄨㄩ

这三九个注音字母，原来都是中国固有的字，取那笔画极简单的，借来做注音的符号。表"母"的二四个，单读原字的子音：像"ㄍ"字原字的音读做 Kao，现在单读他的子音 K；"ㄈ"字原字的音读做 Fang，现在单读他的子音 F。表"韵"和"介音"的一五个，单读原字的母音：像"ㄛ"字原字的音读做 Ho，现在单读他的母音 O；"ㄞ"字原字的音读做 Hhai，现在单读他的母音 Ai；"ㄨ"字原字的音读做 Ngu，现在单读他的母音 V。

这种字母的形式、取材和读法，很有人对他生一种的疑问，有的说:"既然新制音标,为什么不特造新符号,要借用古字,读他音的一半呢?"有的说:"与其借用古字,何不直取世界公用的罗马字母来标中国的音呢?"

这两种疑问,待我来答他。

答第一问:特造新符号,原没有什么不可以。不过符号的形式,很难决定。因为造新符号,在应用上固然贵乎简明,然在形式上也要求他好看,才能得多数人之认可。否则甲所做的,乙说不好看,乙所做的,丙又说不好看,丙所做的,又有丁、戊、己……说他不好看,纷纷扰扰,闹了一会子,终究还是没有结果,这是很不好的。但是形式好看这一层,却是很难用一丨丿乀这些直线笔画,三笔两笔,凑成一个符号,怎能好看?前几年,什么"快字""简字""音字"之类出得很多,没有一种是行得通的。这个缘故,固然由于做的人于声韵之学从未讲求,把制音标的事情看得太容易,然而形式不好看,难得多数人之认可,却也是一个大大的原因。现在借用古字,则形式是固有的,好看不好看,制音标的人不负这个责任,但求简明,便可应用,可以免却许多无谓的争执。据我看来,这借用古字的法子,实在比造新符号来得好。

答第二问:取罗马字母来标中国音,这是极正当的办法。但是据我个人的意见,以为中国现在应该兼用罗马字母和注音字母两种来标音。为什么呢? 因为罗马字母,已经变成现世界公用的音标。凡其国有特别形式之文字者,若要把他的语言和名词行于国外,都要改用罗马字母去拼他的音,像俄罗斯文、印度文、日本文之类,都是这样办法。我们中国向来没有纯粹的音标,现在急需新制,当然应该采用罗马字母,这是毋庸置疑的。但是中国的音标,却有两种用途:

一、记字典上每字的音和高深书籍上难识的字的音。

二、教科书、通俗书报和新闻纸之类,应该在字的右旁记他的音。

第一种的记音,自然当用罗马字母。至于第二种的记音,罗马字母却有不便利的地方。因为中国字是直行的,罗马字母只能横写。这一层,还可以想法,把中国字也改成横行。还有一层困难:因为罗马字母记音的方法,如为单独母音的字,只用一个母音字母便够了;如其备有子音、介音、母音和收鼻音的,至多的可以用到七个字母(因为子音、母音和收鼻音,有时都要用两个字母去拼它)。你想,这一个字母和七个字母,他的长短大不相同,拿了来记在字字整方的中国字旁边,那种参差不齐的怪相,可不是很难看吗?这是不能不用注音字母的了。据我看来,高等字典和中学以上的高深书籍,都应该用罗马字母记音;学生字典、中小学校教科书、通俗书报和新闻纸之类,都应该用注音字母记音(学生字典可以兼用两种记音)。假如再过几年之后,中国竟能废弃这种"不象形的字"(中国古代的字,本是象形的,但因籀、篆、隶、草的变迁,已经不象形了。现在的字,既非拼音,又不象形,这种无意义的记号,我姑且戏称他做"不象形的字"),改用纯粹拼音的字,那么注音字母当然跟了一同废弃。若在今日,则注音字母正复大有用处。

这两种疑问既已解答,于是当说明注音字母的读音和他的缺点。

现在先将注音字母中表"母"的字母二四个,与旧有的守温三六字母及罗马字母,列为对照表,如右:

守温三六字母	注音字母表"母"的二四字母	罗马字母
见 溪 群 疑	ㄍ　ㄐ ㄎ　ㄑ 兀　广	K　　　　Ch Kh　　　　Chh G, Gh　　Dj, Djh Ng(英音)　Ng(法音)
端 透 定 泥	ㄉ ㄊ ㄋ	T Th D, Dh N
知 彻 澄 娘		Ṭ Ṭh Ḍ, Ḍh Ṇ
帮 滂 并 明	ㄅ ㄆ ㄇ	P Ph B, Bh M
非 敷 奉 微	ㄈ 万	F Fh V, Vh Vv
精 清 从 心 斜〈邪〉	ㄗ　ㄐ ㄘ　ㄑ ㄙ	Ts Tsh Dz, Dzh S Z, Zh
照 穿 床 审 禅	ㄓ ㄔ ㄕ	Ṭ Ṭh Ḍ, Ḍh Ṣ Ẓ, Ẓh
影 喻 晓 匣	ㄏ　ㄒ	A E I O U Y W H Hh
来	ㄌ	L
日	ㄖ	J (略如法国读法)

（附记）这表中标"知""彻""澄""娘""微""匣"六纽的罗马字母，用亡友胡仰曾君所著《国语学草创》中所标。

论注音字母

注音字母于兼有清浊的纽，只制清母，不制浊母，因为北音浊声不很发达的缘故。但是北音也并非全无浊声。北音凡上声、去声字（北音没有入声），虽然有清无浊，然在平声，却是清浊全备，像"通"（透）和"同"（定），"千"（清）和"前"（从），分明是两个读法，这便是有浊声的确据。既然平声有浊，乃竟不制浊母，那么请问"同""前"这些字归入哪一纽呢？原来他却有个很可笑的办法：那上、去的浊声字，既然不读浊声，便硬把他改入清声。至于平声的浊声字，也把他归入清声，唤做"阳平"。像"通""同"两个字，都归入"透"纽，把"通"字唤做"阴平"，"同"字唤做"阳平"；"千""前"两个字，都归入"清"纽，把"千"字唤做"阴平"，"前"字唤做"阳平"。这种名称，非常荒谬。要知道平仄是长短的区别，阴阳是清浊的区别，两事绝不相干，岂可混为一谈？无如从元明以来，就有这种奇怪名称。到了现在，有一般人说得更妙，他道"南音的四声，是平、上、去、入；北音的四声，是阴平、阳平、上、去"。这种议论，真要叫人笑死。当读音统一会未开之前，吴稚晖先生——后来就是读音统一会正会长——做了一本《读音统一会进行程序》，早把这种荒谬名称加以驳斥。先生说道：

北方之"阴、阳平"，不能遽行援入于长短通例之内：因彼似为清浊之问题，非长短之问题。长短者，音同而留声之时间不同；清浊者，音同而所发之音气不同。粗率用一近似之比例，比之于风琴：假如同弹第一音，短乃仅按一拍子，长则按至三拍子是也。又如同弹第一音，清乃按右手靠边之一把，浊则按左手靠边之一把。一则其声清以越，一则其声闷以肆。……所以本会之结果，有预料之同意可言者，必大段不离于人人意中之"官音"，粗率即称之曰

"北音"亦可。惟决不能不商定者,即北音长短内之"入声",及关涉清浊,北人意中之所谓"阴阳",皆留不甚完全之弱点。故为一国之所有事,即不能率言标准于一城一邑之北音。

  吴先生当日早已料到这一层,恐怕读音统一会的结果仍旧留下这个弱点,所以先加以警告。然而后来竟不出先生所料,专制清母,把浊声的平声仍旧唤做"阳平"。

  于是其人想出一个补救的方法来,说:"可以仿照日本假名的办法,就在清声字母的右上加他两点,算做浊母。"

  我想这个法子,固然可行,但是这第三位的浊声,都是兼承两个清声,有些地方承第一位,有些地方承第三位。像那"群"组,有些地方读 G,是承"见"纽(K);有些地方读 Gh,是承"溪"纽(Kh)。"定""澄"诸纽,都是这样。然则应该在哪一个清声字母上加点呢?这还是待研究的问题。

  "见""溪""疑""晓"四组,都有两个字母。因为这四纽的出声,除福建、广东等处以外,其余各处,读正音(就是"开口"和"合口")和副音(就是"齐齿"和"撮口")都微有不同,所以用"ㄍ""ㄎ""ㄫ""ㄏ"四母表正音,用"ㄐ""ㄑ""ㆴ""ㄒ"四母表副音。这是因时制宜的办法,倒很不错。

  "知""彻""澄"三组,今音和"照""穿""床"三纽的三等呼读得一样。"照""穿""床""审"四纽的二等呼,今音和"精""清""从""心"四纽读得一样。("照""穿""床""审"四纽的二等和三等,出声不同,《广韵》里反切用字各分为二。清陈澧做《切韵考》说,应该分做八纽,很是。这是守温做字母时误合的。)注音字母于"知""彻""澄"三组不制字母,也用"ㄓ""ㄔ"两母去标他,这是与现在的音很对的。（"照""穿""床""审"的二等，在注音字母里，大概也用"ㄗ""ㄘ""ㄙ"三母去标它。）

"敷"纽的出声，本和"非"纽差不多。前人因为"非"从"帮"变，"敷"从"滂"变，统系不同，所以分做两纽。注音字母合做一母，也很不错。

注音字母于"娘"纽没有制母，当时误用"疑"纽副音的"ㄬ"去标他，这是很不对的。"疑""娘"二纽的出声，有喉、舌之异，断不可混合为一。但是"娘"本从"泥"变，其声颇不易读，现在各处读"娘"纽字，颇有仍归入"泥"的，像"拿""铙""赧""女""尼"这些字都是。我以为"娘"纽不必增母，也用"ㄋ"母去标他便了。

凡"影"纽的字，都是纯粹母音字，本来不应该有这一纽。因为从前做反切的人，守定用两个字标音的例，不知变通，就是纯粹母音字，上面也要配它一个字（反切两字：上字标子音，下字标母音）。守温做字母时，就把这些字标为"影"纽。现在用注音字母去改良旧切，遇母音字，只须用一个母音字母去标他，便够了。这"影"纽当然应该删除。至于"喻"纽，虽是"影"纽的浊音，究竟不能算做母音。注音字母连带删除，这却不对。我以为应该加一个标"喻"纽的字母才是。

（未完）

（第四卷第一号，一九一八年一月十五日）

论注音字母(续)

钱玄同

表"韵"和"介音"的字母一五个,与《广韵》的二〇六韵,元刘鉴《切韵指南》的一六摄,明人《字母切韵要法》的一二摄,及罗马字母,列为对照表,如下。

把韵书里母音相同的韵归纳为一,叫做"韵摄"。现存最古的讲韵摄的书,是宋杨中修的《切韵指掌图》——此书旧称司马光作,非是,——其书不但无标摄的记号,并且无韵摄的名目,称说很不便利。刘鉴的一六摄,其分摄最多。《字母切韵要法》——此书载在《康熙字典》卷首,从"证乡谈法"起至"韵首法"止,不知撰人姓名,劳乃宣说,大抵为明正德以后清康熙以前人所作——分一二摄,纯以元明以来之北音为主,与注音字母十九相同。所以兼列此两家,以资参考。

现在的《诗韵》,本于刘渊的《平水韵》和阴时夫的《韵府群玉》,其中如"鱼""虞"分〔而为〕二,而"虞""模"反合为一,"元""魂""痕"三韵并合为一"元"韵之类,于音理极为乖谬。所以此处只列《广韵》而不及《诗韵》。

论注音字母(续)　　　　　　　　　　　　　　　　　　　　　　　　15

《广韵》韵目	《切韵指南》一六摄	《字母切韵要法》一二摄	注音字母表"韵"和"介音"的一五字母	罗马字母
齐支脂之微	止	祴 模鱼虞韵皆在此摄	ㄧ	I
模	遇 鱼虞韵皆在此摄		ㄨ	U
鱼虞			ㄩ	ü
麻	假	迦	ㄚ	A
歌戈	果	歌	ㄛ	O
		结	ㄝ	E
		傀		
咍佳皆	蟹 灰韵亦在此摄	该	ㄞ	Ai
豪肴萧宵	效	高	ㄠ	Au
侯尤幽	流	钩	ㄡ	Eu
寒桓删山先仙 元覃谈咸衔添 监严凡	山咸	干	ㄢ	Au, Am
唐阳　江	宕江	冈	ㄤ	Ang
痕魂臻真殷文 谆　侵	臻深	根	ㄣ	En, In, Im
庚耕青清　登 蒸　东冬钟	梗曾通	庚	ㄥ	Eng, Ung
			ㄦ	

（附记）所记《广韵》韵目，皆举平以赅上去入。

注音字母所取的音，百分之九十九是京音——本册有吴稚晖先生的通信，说明此事——京音只有平、上、去三声，没有入声。他碰到入声，都拿来消纳到平、上、去三声之内。以前的《菉斐轩词韵》和周德清《中原音韵》里，都有"入声作平声，作上声，作去声"的话。复来李汝珍作《音鉴》，有《北音入声论》一篇，他说道：

"屋"者，韵列一屋，乃入之首也，而北音谓之曰"乌"，此以入为平矣；余如"七""发"之类，皆以阴平呼之；"十""斛"之类，皆以阳平呼之；"铁""笔"之类，皆以上声呼之；"若""木"之类，皆以去声呼之。兹分录于后，注以反切。较之周德清所论北音，略加详备矣。

注音字母对于入声的分配，大概和周李诸家相同。至于字母之音，都读平声。遇到上去的字，照旧法，于其字左上右上以圈或点作记——或用"阴平、阳平、上、去为四声"之说，阴平圈左下，阳平圈左上，上声圈右上，去声圈右下。这实在是不通的办法。说详本卷第一一页。

"ㄧ""ㄨ""ㄩ"三母，兼作"介音"用。什么叫做"介音"呢？原来子音母音相同的字，往往有可读出四种声音的，就是"开口""齐齿""合口""撮口"，名曰"等呼"。读这四种声音时候嘴的姿态，潘耒《类音》里曾说道：

初出于喉，平舌舒唇，谓之"开口"；举舌对齿，声在舌腭之间，谓之"齐齿"；敛唇而蓄之，声满颐辅之间，谓之"合口"；蹙唇而成声，谓之"撮口"。

"开口"的字，既然"平舌舒唇"，则但用子音母音拼合，便足，无须介以它音。"齐齿",则因有"举舌对齿"的姿态,中有"I"音,所以就用"丨"母作介;合口,则因有"敛唇而蓄之"的姿态,中有"U"音,所以就用"ㄨ"母作介;撮口,则因有"蹙唇而成声"的姿态,中有"U"音,所以就用"ㄩ"母作介。例如"心"纽"山"摄的字:"珊"是开口,则作"ㄙㄢ";"仙"是齐齿,则作"ㄙㄧㄢ";"酸"是合口,则作"ㄙㄨㄢ";"宣"是撮口,则作"ㄙㄩㄢ"。这个方法,倒很巧妙。

"麻"韵中"车""遮""奢""蛇"这些字,现在北音不读"A"母音,所以注音字母于"ㄚ"母之外,又制"ㄝ"母,这实在是一种方音,不是多数人能发的。我以为"ㄝ"母只能作为"闰母",为拼切方音之用——"闰母"之说,亦见《读音统一会进行程序》中。至于"ㄝ"母的音,用罗马字母应该怎样拼他,我却拼不出来,有人拼作"Eh",恐怕不很对罢!

"寒桓……"和"覃谈……",其母音后之收鼻音,本有"N""M"的不同。所以唐宋以前,这两类的字,从不通用。填词家称"侵""覃"诸韵为"闭口音",闭口的意义,就是说他收"M"。南宋以后,北方把收"M"的音也读做收"N",渐渐的中部也无了。到了现在,只有广东人读"覃""谈"韵的字,还字收"M":如三读"Sam",甘读"Kam",之类是。因收"M"的音既消灭,所以元明以来用北音讲韵讲摄的书,都把"寒桓……"和"覃谈……"并合为一。——刘氏之分"山""咸"三摄,大概只是存古,未必当时的北方还有这"Am"的音。

"真……"和"侵"的并合,与"寒桓……"和"覃谈……"的并合同例。

这并合"M""N"的收音为一,从理论上讲,本来很分别的,忽然大混合,却是不对。惟现在读"侵覃"同于"真寒"者居全国十分之八,那就只好"将错就错"了。

"庚耕清青蒸登"和"东冬钟",母音截然不同。自宋以前,从没有拿"东……"算做"庚……"的"合口"的。不知何故。明清以来,凡以北音为主的韵书,都说"东……"是"庚……"的"合口",因此注音字母也把它合成一个"ㄥ"母。我以为不合于古,还没有什么要紧,若和现在的声音相差太远,却是不可。这"东冬钟"诸韵,还宜别加一个字母才是。

至于《广韵》又把"庚耕清青"和"蒸登"分为二类,刘鉴亦分为二:"庚耕清青"为"梗"摄,"蒸登"为"曾"摄——这大概和"东""冬"的分别相类,或者是古音不同之故,现在无从考证。且与造注音字母为应用之资者全不相干,可以不必去论他。

注音字母里造得最奇怪的,就是"ㄦ"母。造这字母的时候,因为"支""脂""之"诸韵中"儿""耳""二"等字,其母音似与"羁""奇""宜""题""离""皮"诸字不同,于是异想天开,说他的母音不是"一",仿佛是"儿",因此造了这个"ㄦ"母。殊不知"儿"音在西文中,是"L"或"R",断断不能说他是母音。若因其母音不像"一",则如"知""摘""驰""诗""时""贽""雌""疵""斯""词"诸字,其母音也不像"一",仿佛就是劳乃宣说的那个"餮师"(读成一音)的母音。岂不是还要加一个母音字母,才算完备吗?

殊不知"儿""知"这些字的母音,实在是"一"。不过舌齿间音,读成"齐齿",往往不能清晰。其实"知"的音确是"ㄓ一","儿"的音确是"ㄖ一",因为读得不清晰,于是"知"字的音,好像只有子音"ㄓ","儿"字的音,又好像别有一个"打弯舌头"的母音"ㄦ"了。

综观这三九个注音字母,因为全以北音为主之故,所以删浊音,删入声,而如"ㄓ""ㄔ""ㄕ"诸母,则存而不删——此诸母能发其正确之音者，全国中不过十之三四——此等地方，不可谓非制字母时之疵点。平心而论，现在国中南北东西语言绝异之人相见，彼此而操之"普通话"，其句调声音，略类所谓"官音"。"官音"与"京音"大同小异——似乎以北音为主，亦非全无理由。但是既为国定的注音字母，当然不能专拿一个地方的音来做标准。所以我对于注音字母，虽极愿其早日施行，而在此未曾施行之短时期内，尚欲论其缺点，希望有人亟起讨论，加以修正。那么这注音字母的音，真可算得中华民国的国音，并不是什么"京音""官音""北音"了！

（本期通信栏内，有作者答吴稚晖先生一信，可与此参照。）

（完）

（第四卷第三号，一九一八年三月十五日）

应用文之教授
——商榷于教育界诸君及文学革命诸同志
刘半农

钱玄同先生，说过要做一篇关于应用文的文章——他拟定的题目，已忘却了——由本志发表。我眼巴巴地等到今天，尚未看见只字，若换了肉麻滥调家，少不得要说声"千呼万唤不出来"，或说些"望眼欲穿""望穿秋水"的套语来填凑篇幅了。

无已，还是我来先开口。

但是钱先生所要说的是应用文之全体，我所说的是应用文之教授。题目既有大小，说话就各不相同的了。

应用文与文学文，性质全然不同，有两个譬喻：（1）应用文是青菜黄米的家常便饭，文学文却是个肥鱼大肉；（2）应用文是"无事三十里"的随便走路，文学文是运动会场上大出风头的一英里赛跑。

说到前辈先生教授国文的方法，我却有些不敢恭维。他们在科举时代做"獬狖王"的怪现状，现在不必重提。到改了学校制度以后，就教科书、教授法两方面看起来，除初等小学一部分略事改良外，几乎完全在科举的旧轨道中进行，不过把"老八股"改作了"新八股"——请看近日坊间所出的某杂志和某某等书，简直是"三场闱墨"的化身——实行其"换汤不换药"的敷衍主义便了。

"新八股"便是钱先生所说的"高等八股"。若将文学改良问题撇开不说,则此种"新八股",亦未始不可视为一种近乎正当的玩意儿。即使"造了假古董"全无用处,还尽可与"著围棋""射文虎""打诗钟"等末技共同存在。然而我要问问——

第一,现在学校中的生徒,将来是否各个要做文学家?有无例外?

第二,与"著围棋""打诗钟"价值相等的"新八股",是否为人人必受之教育?

这两个问题,如能完全"可决",我这篇文章,尽可不做。谓不幸而犹有万分之一之"否决"之余地。则还要问问——

第一,现在学校中的生徒,往往有读书数年,能做"今夫""且夫",或"天下者天下之天下也"的滥调文章,而不能写通畅之家信,看普通之报纸、杂志、文章者。这是谁害他的?是谁造的孽?

第二,现在社会上,有许多似通非通、一知半解学校毕业生:学实业的,往往不能译书;学法政的,往往不能草公事、批案件;学商业的,往往不能订合同、写书信;却能做些非驴非马的小说、诗词,在报纸上杂志上出丑。此等"谬种而非桐城,妖孽而非选学"的怪物,是谁造就出来的?是谁该入地狱?

唉,老哥!别怪我说得太激烈,这一等人,我已亲眼看见了不少。当知无论干什么事,总须走清路头,方有优美的成效。譬如一个人,天天不吃饭,专吃肥鱼大肉,定要害胃病;小孩子不教他好好走路,一下子便强迫他赛跑,定要跌断四肢,终身残废。

我从前也做过一年半载的教书先生,那时口讲指画,津津有味的,便是"新八股"。前文说了一大批骂人话,若没有什么人肯领教,肯赏收,便由昔日之我,完全承认了罢。

去年秋季,我又做了教书先生了。那时因文学革命诸同志之所建议,及一己怀疑之结果,又因所教的学生,将来都不是要做文学家的,我便借此绝妙机会,为教授应用文之实验。虽将来成绩是好是坏,目下全无把握,而"头脑不清"之病,却勉强可以不犯了。

我在教授之前,即抱定一个极简单的宗旨,曰:

不好高骛远,不讲派别门户;只求在短时期内,使学生人人能看通人应看之书,及其职业上所必看之书,人人能作通人应作之文,及其职业上所必作之文。更作一最简括之语,曰"实事求是"。

既抱定此宗旨,故于授课之第一日,即将从前研究文学与现在研究应用文不同之点,列一简明之表格,以示学生,且一一举例证明之。今仅录表格如下,例从略。

	昔之所重而今当痛改者	昔之所轻而今当注重者
字法	1. 用怪僻费解之字。(如用古字,及古物名之类) 2. 借用不适当之字。(如字之通用,及强以虚字作实字,实字作虚字之类) 3. 用不合义理之典故。	1. 无论虚字实字,一一研究其正确之意义;作文时勿乱用,读书时勿任其滑过。 2. 字在句中,力求位置妥协,意义安适。
句法	1. 讲骈俪。 2. 讲古拙。} 弊之所极,必至不合文法。 3. 语意含混,无一定之是非可否。 4. 不合论理学。	1. 骈散一任自然,务求句之构造,不与文法相背。 2. 句句有着实之意义与力量。 3. 造句时,处处施以论理学上之分析。

章法	1.（措辞）摹仿古人。 2.（立意）依附古人（即所谓"文以载道"及"代圣贤立言"也）。	1.（措辞）说理通畅，叙事明了。 2.（立意）以自身为主体，而以古人（或他人）之说为参证，且不主一家言。

又列一更简之表如下，使学生知应用文与文学文之各有所重。

$$\text{研究文学应用之功夫}\begin{cases}\text{甲项}\begin{cases}\text{字义}\\\text{文法}\\\text{论理学}\end{cases}\text{具此三者，始可称之曰"通"。}\\\text{乙项……修辞学}\begin{cases}\text{文采（非滥用辞头之谓）}\\\text{老练（非节省虚字之谓）}\end{cases}\end{cases}$$

（应用文）甲＞乙

（文学文）乙＞甲

"＞"表"重于"之意，非谓研究甲项者即不必研究乙项，研究乙项者即不必研究甲项，特与"等于"＝不同耳。

以上是教授应用文的"开宗明义章第一"。以下可分作两项：

第一项是选讲模范文章，这是蚕吃的桑叶，吃不着他，固然要饿死；吃了坏的，也要害瘟病。今分选的方面与讲的方面，各别言之：

选的方面。

1. 凡文笔自然，与语言之辞气相近者选；矫揉做作者，不选。

2. 凡骈俪文及堆砌典故者，不选。

3. 凡违逆一时代文笔之趋势，而极意模仿古人者——如韩愈"平淮西碑"之类——不选。

4. 凡思想过于顽固，不合现代生活，或迷信鬼神，不脱神权时代之习气者,均不选。

5. 凡思想学说,适于现代生活,或能与西哲学说互相参证者选;其陈义过高,已入于哲学的专门研究之范围者,不选;意义肤浅,而故为深刻怪僻之文以欺世骇俗者,如《扬子法言》之类,亦不选。

6. 卑鄙龌龊之应酬文干禄文,一概不选。

7. 谀墓文不选。其为友朋或家属所撰,确有至性语者选。

8. 意兴枯索,及故为恬淡之笔,而其实并无微辞奥义者,不选。

9. 小品文字,即短至十数言,而确能自成篇幅者,亦选。

10. 文章内容,与学生专习之科目有关系者选。

11. 记事文同一题目,而内容有详略或时代之不同;论辩文同一题目,而内容有全部或一部分之反对;或题目虽不同,而所记所论,可以互相参证者,酌选一篇为主篇,余为附篇,用较小一号之铅字排印。

12. 凡长篇文字,仅选一节者,即以此节为主,其余为附。用字体分别,庶无任意割裂,首尾不完之弊。

讲的方面。

1. 选定之文,均用西式句学符号。且分全文为若干段,每段后分为若干小节:眉目明晰,便于学生之预备及自习。

2. 每讲一文,先命学生自行预备,上课时,仅就3~7五条仔细解释之。

3. 作者所处时代之文学趋势如何;此时代之文学,优点如何,劣点如何;作者在此时代中,其文字之价值如何;所讲之文,能否代表其一生所作文字之全体。

4. 艰深之字义,费解之典故,均探求其来历及出处。其用于本文中之当与不当,与作文时能否仿用,亦详细说明。

5. 古奥之文句,依文法剖析之。且说明其合与不合,及作文时能否仿造。

古人用字用典及造句,尽有谬误百出,万万不宜盲从者,故于4、5两条,尤为注意。

6. 所讲之文,如与学生专习之科目有关,则命学生自为比较的研究;如与西哲学说——普通的而非专门的——可以互相参证或攻辩,则兼述西哲学说之大要,命学生为比较的研究。

7. 前后所讲各文,有内容上、性质上、文体上之类似或反对,一一比较研究之。

8. 讲述左列各条——并非逐句讲述——既毕,学生如于不讲处有未能明白者,许其自由发问。但一人发问,即以所问者向全体学生细讲之。

9. 文中如有引证或相关事实之过于冗长,必兼阅他书始能明白者,即指出书名,令学生自向图书馆借阅,以促其自动之机能。

10. 将逐日所讲之事项,另编"注解"一份,与"选本"分订,仿"Key"之办法,于每学年之末,发给学生。

第二项是作文,这比选讲尤为重要。因为研究文学文的,尽可读了一世书,自己半个大字不做,尚不失为"博古通今"的"记丑之士";至于研究应用文,着手第一步,便抱了"要能作应用文"的目的,故前文所说的选讲两方面,其实都是个"作"字的预备而已。

学生作文之前,我定了十二个注意事项,令其每次作文,取来阅看一遍。

1. 题目要认得清楚。其主要处,尤须着意。

2. 文宜分段。文中意义,当依照层次说出。

3. 下笔时应先将全篇大意想定,勿做一句想一句、做一段想一段。

4. 时时注意字义安适与否、文法妥协与否、意义与论理学相悖与否。

5. 作文要有独立的精神,阔大的眼光。勿落前人窠臼,勿主一家言,勿作道学语及禅语。

6. 勿用古字僻字。字义有费解,或未能了解其真义者,宜多查字典,或以习见字之相当者代之。字有古义已失者,宜用习用之今义。

7. 不避俗字俗语,即全用白话亦可。要以记事明畅、说理透彻为习文第一趣旨。

8. 勿打滥调,勿作无谓之套语,勿故作生硬语。实用文最宜明白晓畅,凡古文家、四六家、八股家之恶习,宜一概避去。

9. 引证当记明出处,如某书某节或某页。引用西书,当并列译文及原文。

10. 实用文取迅速主义。篇幅不逾五百字者,限两小时完篇;过五百字及有特别情形者,可酌量延长。

11. 篇幅不论长短,自一二百字至一二千字均可。要以不漏不烦,首尾匀称,精神饱满为合格。

12. 字体以明了为佳,亦不必过求工整,免费时刻。

这都是对学生说的话,在教授上,则分为出题、批改两方面。

出题的方面。

1. 出一记事文或论文题目,由学生自由作文。(这是老法)

2. 说一段文字,令学生笔述,不许增损原义。

3. 译白话为文言,或译文言为白话。

4. 化韵文为散文。（如古诗及白香山纪事诗,均可改作散文,兼采辞曲。）

5. 以"讲的方面"第6条研究之结果,令学生撰为论文或笔记。

6. 以一段长冗之文字,令学生删繁就简,作一短文,其字数至多不得逾原文三分之一。

7. 就其专习之科目,出种种应用题目,令学生实地研习。（如记载实验、解析学理、辩论、批牍、商业通信、订立合同等,各视所专习之科目定之。）

8. 以一段文字,抽去紧要虚字,令学生填补之。

9. 以一篇不通之文字,或文理不通而意义尚佳之小说、杂记等,令学生细心改订,不许掺入己意。

10. 以一篇文字,颠倒其段落字句,令学生校订之。

11. 以一段简短之文字,令学生演绎成篇。

12. 预先指定一书,或一书之一部分——其篇幅以一万字至三万字为限,且文义不宜高深,要以学生能自行阅看、全无窒碍为度,令学生阅看,即提纲挈领,作一笔记,或加以论断,字数不得逾千。

批改的方面。

前辈先生批改学生文字,大约不出三途:

一种是专拍学生马屁,不问通与不通,"把密密的圈儿圈到底",再加上个很肉麻、很恶心的腐败批语;

一种是老气横秋的插烂疴,在文卷上画了无数的"单杠""双杠""枷儿""靴子""瓜子肉""蚂蚁骨头",末了孝敬"不通"二字,便算办完公事;

一种是认真得无谓,他把学生的原作,改得体无完肤,面目全变,学生看了,却是莫名其妙。

今欲补救其失，每作一文，必批改二次，讨论一次，其手续为——

1. 初次批改，只用种种记号，将文中"毛病"，逐一指出。已定之记号，凡二十四种：

× 虚字不妥	※ 用典不当	⊗ 无谓套语,大可不说
一 语气不贯	＊ 字义未安	＋ 无理
△ 全句意义不明	く 中有夺字(或有应补字)	∧ 句未完全
⌐ 误写	＃ 不合文法	≷ 滥调当去
|? 有误写否?	※ 不合论理学	⇔ 琢句未善
∣ 不可解	⁰⊓ 应行另起一行	↑ 语气未完
⊥ 上文无照应	⌒ 不必另起一行	‖ 此字尽可不用
⊤ 下文无照应	⫪ 句太生硬	⪉ 句太软弱

各记号皆记于字右，遇记号不敷用时，则于字左加一直，而以"眉批"说明其理由。

2. 初次批改后，以原卷发还学生，令其互相研究，自行改正。有不能改，或虽有符号指出其毛病，而仍不能知其所以然者，许其详细质问。

3. 学生自行改订后，另卷誊真，乃为第二次之批改。此次不用记号，竟为涂抹添削，至评判分数，则折中于初作二作之间。

4. 第二次批改后，学生有不明了处，仍准质问。

我把学生作文应行注意的十二事和二十四种记号，合刻一本小册子。其空白处，填了些古人成语，亦颇有趣味，如：

"才学，便须知有着力处；既学，便须知有得力处。"——王守仁

"习于见闻之人，则事之虽非者，亦莫觉其非矣。"——薛瑄

"识度曾不畏人，或乃竟为僻字涩句，以骇庸众，断自然之元气，斯又才士之所同蔽，戒律之所必严。"——曾国藩

此外尚拟编辑"文典讲义"一部，以为读文、作文之补助，其主

要材料为——

甲、"助字"用法。

乙、字类通用法。如"名词"借作"动词","动词"借作"形容词"之类,即昔人所谓"虚字实用,实字虚用"也。

丙、浅近之修辞学——即字义是否适当,两字或数字连接是否妥洽,琢句是否明白干净之类。

丁、浅近之论理学——示以用字造句必须斟酌之要点,使不至有"自相矛盾"之弊。

戊、依西洋文法之前例,编"句法图解"若干节。

我所主张,且已施诸实行之应用文教授法,如是如是。虽不敢如陈独秀所说"其是非甚明,必不容反对者有讨论之余地,必以吾辈所主张者为绝对之是,而不容他人之匡正",然使有人与我为"根本上之反对",我必正色告之曰:

"我苟消耗青年学子之光阴于无用之地,我必入地狱,诸君速速预备登天堂可也!"

此文所举种种办法,有一部分得诸沈尹默先生之匡助,书此志谢。

(第四卷第一号,一九一八年一月十五日)

汉字索引制说明

林玉堂

汉字索引制者，检字之一新法也。旧有字书，因仍不改者二百有余年。而检法迂缓，隶部纷如，不适今用。当此普及教育之世，检字必有一简便捷速之新法。使学者尽知字典之用，而后自修有道，且检字不至于费时也。

本制检字之法，取字之首先笔画，名之曰"首笔"。而以汉字中所有首笔，会集成表，定其位次，别其先后。欲检一部首，即以是部之首笔检之。部中检字，以余部之首笔检之。同首笔者，既极少数。得首笔，即并得本字也。

例如"鲤"字：先检"ク"于部首中，即得"鱼"部；复于"鱼"部中检"冂"则得"鲤"。

又如"胜"字：旧例属于"力"部，学者所难检得。新法先检"冂"，得"月"部。复于"月"部中检"八"，则得"胜"字。

新制既以首笔检字，首笔犹部首也。学之者必先知首笔之次序。首笔分为横、直、撇、点、钩五种，皆视其第一笔为例：横起者"一"居先，直起者"冂"次之，撇起者"ク"又次之，以此类推。同第一画首笔，其中分序，亦以第二笔之横、直、撇、点为准，适如英文aa、ab、ac、ad之例。计得首笔二十八种，如下：

汉字索引制说明

$$\begin{cases}点点、\\点撇\text{ソ}\\点直丬\\点横亠\end{cases}$$ 　　撇点 乂
　　撇挑 厶

$$\begin{cases}撇钩 丿\\撇点 乂\\撇撇 彡\\撇直 亻\\撇横 ㇀\end{cases}$$ 　　$$\begin{cases}斜点 丶\\斜撇 厂\\斜直 厂\\斜横 二\end{cases}$$

直角 乚 　　$$\begin{cases}直点 卜\\直撇 亻\\直直 刂\\直横 卜\end{cases}$$

$$\begin{cases}横角 ㄱ\\横撇 ナ\\横捺 フ\end{cases}$$ 　　$$\begin{cases}横钩 乛\\横点 ㇀\\横直 十\\横横 二\end{cases}$$

故明以上之表，即明本制之用法。例如"首"字，属于点撇"ソ"，求"ソ"，斯得"䒑"部矣。"笔"字属于撇横"㇀"，求"㇀"，斯得"竹"部矣。

首笔原是母笔所合而成。计汉字中，凡有十九母笔，如下：

右左　点捺　斜斜斜斜　直直直直　横横横横横横
钩钩　　　　点挑撇笔　折角钩挑笔　钩角撇捺挑笔

汉字笔画、写法结构，皆有不同。"韋"首笔，可谓直横丨一，亦可谓横直一丨，此写法之不同也。同此二画而有"交""接""离"之

异；十TT、日门接笔又有"外""内"之分：冂丁、凵日此结构之不同也。是又不可无所以规一之者。上表所列，仅至第二笔而止。再举其常见者而增广之，至第三第四笔，使于表中各有规则之位置。学者知所指归，检查自无疑难矣。增广首笔表如下：

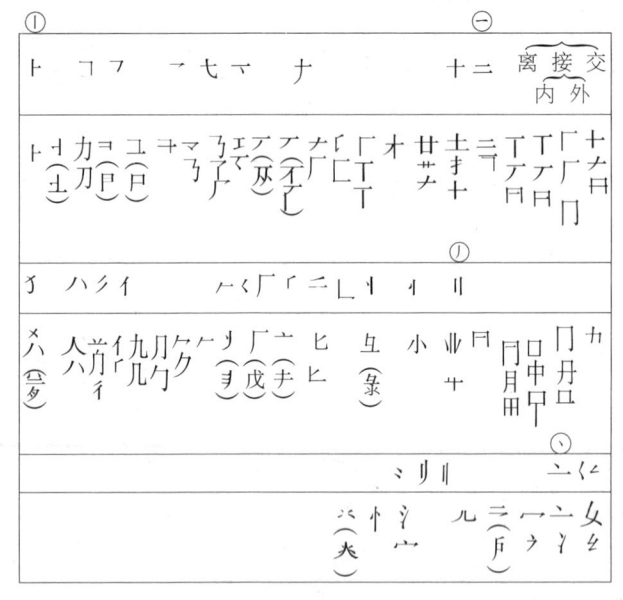

按：此法检字，比之旧法，似有数点优处：（一）旧法检字，须详全字数画，新法则一见可知字之首笔。（二）检算画数，常属难定。首笔则皆于表中有一定之位置以规一之。（三）旧法部首次序，至难记忆，必赖目录之助。新法惟须记忆"横""直""撇""点""勾"位次而已。（四）旧法分部，绝无纯一之例以贯通之，学者无所根据，游移莫决。新法惟以字之起先首笔为部首，明白了当，绝无疑义。（五）旧例同部同画字中，及辞书之同首字者，绝无所准以为先后。新法即无一字不有一定逻辑之位置。（六）旧法不能用于短篇人物之表，如教员课堂中用之学生名单，新法则易为之。（七）旧法合于程度既高,读书有年者之用;而新法则小学学生及普通人民,皆易通晓。(八)此实验言之,新制检字,较于旧制,可速三倍至五倍不等,而其最高速率,五分时检三十七字,乃旧法所不能达到之点。

新制之作,应社会一需要。作者既深感其事之难,又极望同志之助。倘蒙赐之匡正,借供切磋,使此制得成完璧,则幸甚矣。

附:蔡孑民先生序

凡文字皆具形声义三者,故部类文字而训释之者,亦有三种。以义为部者,《尔雅》《广雅》《释名》之属是也。以声为部者,如《经籍籑诂》用今韵,《说文通训定声》用古韵之属是也。以形为部者,如《说文解字》依据六书,《康熙字典》及《新字典》标准画数之属是也。三种之中,便如检阅者,以形部为较便。而今隶点画,多异小篆,检字者又不尽通六书,故《说文解字》又不如《字典》之便。顾《字典》便矣,而同一画数之部首,无所准以为先后。在一部中,同一画数之字,又无所准以为先后。不惟此也,点画错综之字,其部居有未易猝定者。甚矣,检字之难也!西文由 a、b、c、d 等字母缀合而成,其编字典也,以 ab 及 ac 及 ad,或 aba 及 abb 及 abc 等为先后,序次井然,一检可得。因推而用之于图书之目,人物之名,其易检也,亦犹是焉。我国之字典既不易检,而电话簿、会员录之类,不立部首,专计画数者,其难检更甚。林君玉堂有鉴于是,乃以西文字母之例,应用于华文之点画,而有"汉字索引"之创制:立十九"母笔"以为华文最小之分子。其两分子或三分子之接触,则更以"交笔""接笔""离笔"别之。而接笔之中,又别为"外笔""内笔"二类。以此为部,则无论何字,第取其最初三笔之异同,而准之以为先后,其明白简易,遂与西文之用字母相等,而检阅之速,亦与西文相等。

苟以之应用于字典、辞书,及图书名姓之记录,其足以节省吾人检字之时间,而增诸求学与治事者,其功效何可量耶!或以破坏字体不合六书为疑。然今隶之形,固已取小篆而破坏之。《字典》之分部,不合于六书者多矣。吾人所以沿用之者,为便于检阅计,不得不如是也。林君之作,何以异是?若乃精研小学,则自有《说文解字》之旧例在,于林君之作,又何疑焉?

(民国)六年,五月,九日,蔡元培叙

附:钱玄同先生序

西文衍声,中文衍形。衍声,故英法诸国之字典,以字母之先后为顺序;衍形,故许慎《说文解字》之部居,始"一"终"亥",据形系联。

然衍形文字,组合极为复杂,书写至不便利,故秦汉以后,解散古文籀篆之体,作为隶楷,期便书写。于是古之象形文字,至此但略具匡廓,已为众所共喻,不必复求酷肖其实物之本形。此就应用之便利上言之,固为文字之进化。惟隶楷对于古篆之笔画,既多省矣,则依造字初形分部之字典,自不适于翻检,此所以魏晋以后韵书大盛也。

韵书原不能遽目为字典,然为翻检计,实较《说文解字》为便利。故徐锴作《说文篆韵谱》,以隋唐以来韵书之部居,排比《说文解字》之九千余字。宋元以降,至有改《说文解字》始"一"终"亥"之次为始"东"终"甲"者,以韵书之据音分部,易《说文解字》之据形分部,无非图翻检之便利而已。

盖隶楷虽非拼音,然其字形,已成为一种无意识之符号,不能复以六书相绳:就《说文解字》之部居,以求形体省变之文字,甚为困难，反不若就字音求之为易。字音虽古今南北不能尽同，而大致尚不甚相远。故虽谓韵书为《说文解字》之代兴物可也。

若中国文字之分部如韵书，则与西文之以"A、B、C、D"顺者，其用意固相似；而尤与日本之字典以"イ、ロ、ハ"次序排比汉字及和文者同一法则。

然而近代字典尚不能据韵书分部者，则亦有故。

其故惟何？曰：中国无适当之标音记号。昔之韵书，标"声"——即子音，标"韵"——即母音，借用汉字，无明确之读音。彼宋明之世所以觉韵书之便于翻检者，以其时诗赋盛行，韵书为属文之士所熟记也。故不知字音者，韵书即无从翻检。

虽然，据音分部，实是一法。玄同尝谓"注音字母"今已草创，异日倘能修正颁行，凡中小学校之教科书及杂志、新闻纸之类，悉以"注音字母"附记字旁。则此后字典，可用注音字母之"ㄍ、ㄎ、ㄫ"为顺，师韵书之成法，仿英法日本字典之体例，岂不甚善？

顾其法今尚难行。今日之字典，惟有依据楷书之点画分部，最为适当。因用此法，则无论识与不识之字，皆易于检寻也。

林君之"汉字索引制"，其法即如此。观此说明书，知其立法简易，用意周到。蔡孑民先生谓其"足以节省吾人检字之时间，而增诸求学与治事者"，因叹其功效之大，诚至当不易之评论。玄同复何用多赘？

惟玄同以为林君既发明此法，则尚有一事当注意者，即字体之画一是也。楷书字体，自唐石经、宋版书以来，渐归一致。明清时代刻书用之"宋体字"及今世之铅字，字体画一者，固居百分之九十九，然字形歧异者，亦尚有百分之一：即如林君所举之"勝"字，其右旁之首笔，林君属之于"八"，然亦有作"ソ"者；又如"全""俞"诸字,其上或作"人"形,或作"入"形。此等地方,苟不求画一之法,则于检寻上尚有窒碍之点。不审林君已有善法以处此否?

至于满清之《康熙字典》及现在坊间出版之《新字典》等等,其分部之法,最无价值。貌似同于《说文解字》,实则揆之造字之义,触处皆是纰缪。若谓图检查之便利耶,则如"才"入"手"部,"尹"入"尸"部,"年"入"干"部,"冀"入"八"部,"求"入"水"部之类,皆令人百思不得者。如此而云便于检查,则尤堪发噱。故其书于"探本""便查"二者,两无是处。林君谓其"合于程度既高读书有年者之用",其实彼乌足以当此!

玄同常谓字典分部,亟宜改良。今见林君此作,深喜海内研究此事者今已有人。因略述愚衷,拉杂书于其后。

钱玄同　一九一八年一月五日

(第四卷第二号,一九一八年二月十五日)

Esperanto(通信)

钱玄同

孟和先生：

本志三卷六号，有先生给独秀先生的信，对于玄同提倡 Esperanto，加以驳难。这是玄同最欢迎的。玄同以为中国人对于 Esperanto，简直不知道它是个什么东西：

提倡的，是上海一班无聊的人物。他所说的学了 Esperanto 的好处，就是能够和各国的人通信。我以为若是 Esperanto 的用处只有这一件，那么 Esperanto 真是要不得的东西。

反对的，是洋翰林。他是不喜欢用 ABCD 组成的文字有如此容易学的一种。因为学 ABCD 愈难，他那读了十年"外国八股"造成的洋翰林的身份，愈觉名贵。

先生的反对 Esperanto，按之有故，言之成理，自然不可与洋翰林同年而语。即玄同之提倡 Esperanto，自谓亦有几分可资讨论的理由，决不是专想学了 Esperanto 和外国人通信。

玄同要答复大札之语，有为独秀所已说者，有为独秀所未说者，现在一一述之如下：

（1）先生谓各国语言有民族性，Esperanto 为人造的，无民族性（此隐括大札之意，不列举原文之语，谅之），以此判其优劣。关于此层之答复，玄同与独秀之意全同，即抄独秀之言曰："Esperanto（原文作"世界语"，今改）为人类之语言，各国语乃各民族之语言，以民族之寿命与人类较长短，知其不及矣。"又曰："重历史的遗物，而轻人造的理想，是进化之障也。"

（2）先生谓将来之世界，必趋于大同。今日之科学思想，及他日人类之利益，皆无国家可言，惟绝不能以惟一之言语表出之。关于此层之意，玄同最不敢苟同。玄同以为文字者，不过一种记号。记号愈简单，愈统一，则使用之者愈便利。且学习简易文字之时间，必较学习艰深文字之时间能缩短。假如学习艰深文字，非十年不能毕业，而学习简易文字，则仅需四年而已足，如此，则人类舍却艰深文字而学简易文字，便可少费六年之时间。苟人人以此六年之时间在社会上做公益之事业，与人人以此六年之时间劳精疲神于记诵干燥无味之生字，两者相较，其利害得失，固不待言而可喻。科学与人类利益既无国界可言，则人人皆知学问应为公有，人类必当互助。公心既如此发达，则狭隘之民族心理及国民性，自必渐归消灭，此一定之理也。玄同以为世界上苟无人造的公用文字，则各国文字断难统一。因无论何国，皆不肯舍己从人。无论何国文字，皆决无统一世界之资格也。若舍己国私有之历史的文字，而改用人类公有之人造的文字，则有世界思想者殆，无不乐从。因此实为适当之改良，与被征服于他种文字者绝异也。

（3）先生以 Esperanto 中多采英法德意之语，而绝不及东方之文字，因谓不足以当"世界语"之名。玄同以为"世界语"之名词，本非 Esperanto 原字中所有之义，乃是日本人转译之名。十年前吴稚晖李石曾诸君在法国所办之新世纪周报，又译为"万国新语"。要之"世界语"与"万国新语"，皆非适当之名词，我们不过随便取用便了。言其正称，直当曰 Esperanto 而已。——倘曰"爱斯不难读"，则真荒谬绝伦之名称矣。——但"世界语"三字之意义，大概是说世界公用的语言，并非说此种语言尽括世界各种历史的语言在内。故此三字之名词，亦未必便是绝对的不适当。——惟终不如直称原名之善，故玄同自此信始，即改称为 Esperanto——至于不采东方文字而云可为世界公用的语言，此则骤看似有未合。然玄同个人之意见，以为此事并无不合，东方之语言，实无采入 Esperanto 之资格：所谓东方语言，自以中国为主。中国之字形，不消说得，自然不能掺入拼音文字之内。中国之字义，含糊游移，难得其确当之意义，不逮欧洲远甚，自亦不能采用。中国之字音，则为单音语，同音之字，多且过百，此与拼音文字最不适宜者。且所谓兼采各国语者，谓其寻常日用之字耳。若现代学术上之专名，则本非东方所有，即在东方文字中，亦以采用西名为当：如章行严君主张论理学当称"逻辑"，经济学当称"依康老密"之类，此则在 Esperanto 中更无采中国语之理。夫寻常日用之语，中国语既以字义含糊，字音混同而不能采。现代学术上之专名，中国语又以本无此名而无从采。故鄙意 Esperanto 中不采中国文，字并无不合。然中国文字，却有一小部分应该加入 Esperanto 中者，则古代历史学术之名词是也。此等字，与人名地名相同，随时可加，加亦不难——因其总是译音也——一旦在中国之 Esperanto 发达，有用 Esperanto 译述之中国历史书、中国哲学书，则此等名词，在 Esperanto 中自然完备矣。除此一部分以外，只有中国文中应采入之欧语，并无 Esperanto 中应采入之中国语也。

（4）先生谓文人哲士之伟著，读其译本，终不若读其原书。此说固然不错，然此与 Esperanto 之提倡并无冲突。假使一旦世界人类各将其本国文字完全废弃，共操 Esperanto，则无论何人所著，无论科学哲学文学之书，皆用 Esperanto 写出，Esperanto 即其原文，固无问题可生。若在共操 Esperanto 之后，而读语言未统一以前之书，则浅尝者即读 Esperanto 之译本，亦可得其大概。欲深求者，则各国原文之书俱在，学其原文，自能得之。盖彼时应用之语言文字虽为 Esperanto，而今日英法德俄中国日本之文字，彼时自必有学问专家去研求，犹今日欧洲各国之课希腊、拉丁，中国之讲求小学也。

（5）先生谓各国之地名人名，应依其国之书法读法。律以"名从主人"之义，此说固无可驳。然在事实上，恐已有做不到之处。因欲比例完全实行，则如埃及、巴比伦、希腊、印度、俄罗斯、契丹、女真、蒙古、西藏等之地名人名，亦宜各书其原字，方为允当。写以中国之译音字，及欧洲某一国国语中所用之名称，固然不合。即用罗马字母拼其原音，亦已非其本真。故此写原文之事，必难一一做到，即使可以做到，然读书者势必不能尽识各种文字，则反为窒碍矣。玄同以为人名地名，本是一种无意识之记号，非如学术上之名词，尚有确当不确当之可言，但求统一，便算了事。此统一之事，不能以其原文为标准，非今人以最通行之字体，最通行之音读拼法统一之不可。故谓比利时当作 Belgujo，希腊当作 Grekujo。玄同之意，且以为即改中华为 Hinujo，孔夫子为 Konfucio，亦无不可。

以上所说，知先生阅之，必多不以为然之处。祈再赐教，幸甚幸甚。

写到这里，重把先生的信和这封复信读了一遍，觉玄同与先生根本上不同之点，即先生以为文字不能由人为的创造，世界语言文字不求其统一。玄同则反是，以为进化之文字，必有赖乎人为，而世界语言，必当渐渐统一。因玄同对于文字之观念，以为与度量衡、纪年、货币等相同，符号愈统一，则愈可少劳脑筋也。

然玄同亟亟提倡Esperanto之意见，尚不在此。玄同之意，以为中国文字，断非新时代所适用。无论其为象形文字之末流，不足与欧西诸国之拼音文字立于同等之地位。即使一旦改用罗马字拼中国音，而废现行之汉文字体。然近世之学术名词，多为我国所无，即普通应用之新事物，其新定之名词，亦多不通——如自来火、洋灯、大菜之类——诚欲保存国语，非将欧洲文字大大掺入不可。惟掺入之欧洲文字，当采用何国乎？是一至难解决之问题也。鄙意Esperanto中之学术名词，其语根即出于欧洲各国，而拼法简易，发音有定则，谓宜采入国语，以资应用。此为玄同提倡Esperanto惟一之目的。先生于此事，或更不以为然乎？俟得明教，当再详论。

    钱玄同　一九一八年一月十三日

（第四卷第二号，一九一八年二月十五日）

新文学与新字典（通信）

沈兼士　钱玄同

玄同吾友：

　　文学改良，已习闻兄及胡陈二君之论矣。弟现于新文学之基础建设上，稍稍有所主张，其说如下：

　　应用之文，必须用俗语。文学之文亦可用俗语，固为吾人之所公认。惟其为文之性质不同，故其用字之范围广狭，亦宜因之而有区别。

　　应用之文，说理叙事，期于易知易能，故用字宜采狭义的标准字。今拟标准字典之编法大纲如下：

　　（一）采方言中之流行较广者，每一义只载一字，其余"转注"之字，一切不录。

　　（二）字形须合于六书之义。凡方言有本字而俗不知者，考出之。

　　例如负举为"竭"，揉屈为"殻"。

　　有本字而俗借他字为之者，考证之。

　　例如"一叧"作"一会"，"瘕病"作"毛病"。

　　有本字而别造俗字者，附俗字于本字之下。

　　例如"叏"作"抛"，"迦"作"卡"。

皆须注明古今音变。

（三）不合六书之俗字，其本字不可考见而必须用者，别附录之。

文学中如"诗""词""曲"等，多有格律音叶之限制，若专用一种标准字，恐有拘滞牵强之弊，故其范围宜稍加广，以资通融调剂。今拟文学字典之编法大纲如下：

（一）凡合于今之方言者，悉载之，不限于一义一字。

（二）同标准字典。

（三）同标准字典。

（四）不合于今之方言，而《说文》所载，古籍常见之字，别附一篇，以资考古。

弟对于国语之主张，大致如上所说，意在"求是""致用"二者兼顾。惟病中属思欠周密，又不能动笔，不能多言，特请人粗写其大要如此。故引证说明，多不详晰，兄当能谅其意也。如有不妥处，尚祈赐教，并望于"国语研究会"中代弟发表之，以供同人讨论。

此外尚有"文字上之中国古代社会进化观""象形及指事字之解剖研究""新尔雅"三个拟题，兹不复详其体例，病愈再当就正也。

沈兼士

惠书敬悉。足下所拟新字典择字的标准，玄同很为赞成。但鄙意以为考求本字的最大目的，是要明白这字的意义和这字音读的沿革变迁，所以在字典上，必须考证确当，详细说明。至于在应用一方面，只可拿现在的声音来做标准。例如某本字，在文言里现读甲音，白话里应该用这个本字的地方也读甲音，这类本字，自然应该采用。又如某本字在文言里虽读甲音，而白话里应该用这个本字的地方，却读了乙音，那就只可写一个和乙音相同的假借字了。本来"假借"一书，所包甚广。小学家所谓"同音假借"者，固然有许多是写别字，但是也有并非别字，因音变而不得不借用的。音变而别造一字的，就是"转注"；音变而不造字，借用同音字的，就是"假借"。像那"老"字，由 Lao 音变为 Khao 音，后来造"考"字，这就是"转注"。然"考"字未造以前，借用同音的"丂"字（钟鼎里有这样写的），这就是"假借"。所以鄙见以为像"癏病"写成"毛病"，正和"老"字写"丂"字一样。在字典上，必须讲明"毛病"本作"癏病"——不然"毛"字的意义便不可通——而在应用上，则只可写"毛病"——因为现在"癏"字不读做"毛"——庶几不至和现在的声音不合。尊见以为然否？祈更赐教。

钱玄同

（第四卷第二号，一九一八年二月十五日）

四声（通信）

李锡余　钱玄同

玄同先生大鉴：

　　生慕先生之名久矣。曩于《新青年》屡诵大著，深喜先生以声韵大家，提倡改良文字，风声所播自必懦立顽廉。今更得负笈相从，获益宁有涯涘？然生尚有疑者，愿因先生决之。先生谓"广东平上去入，各分清浊，遂有'八声'之名。然声之分类，宜以平上去入为准。虽其间尚有清浊之异，要不能出此'四声'范围"。生以为"四声"之与"八声"，其为不辞等耳。夫声者，发音之始，平上去入，纵各不同。若同一发音，即不能异其声类，故同一声类之字，以清浊分为二声者固非，而以平上去入分为四声者，又岂便是耶？今求正名之道，惟有名为"音类"。盖平上去入，虽可同出一声，而断不能归于一韵。声同而韵异者，其音亦异，更名"音类"，庶免凿枘之诮乎！抑"音类"之分，不限于平上去入而已。平上去入之中，清浊既异，韵亦岂能强同？然则"音类"不独四者明矣。若夫广东之音，实有九类：平上去入，更分清浊，共有八类，诚如先生所云，顾犹有一入声（此"声"字姑从旧说），既不归清，又不归浊，而为先生所未知者。生为粤人，不可不为先生言之，今举其例如下：

	平	上	去	入
清	钟	肿	众	竹
				捉
浊	○	○	重	浊
清	刚	讲	绛	○
				觉
浊	○	○	○	○
清	○	○	○	○
				朴
浊	篷	○	○	○

上表入声凡九，但有"竹""捉""浊""觉""朴"五字。其中"捉""觉""朴"三字，非清非浊，盖介乎二者之间。至"捉"字，或读同"竹"，然多数读法，异于"竹""浊"二字。此等非清非浊之入声字，即在广东，亦殊不多，方言又各不同，故字之有无，不可一概。然其有是音，则了无疑义也。粤音既有九类之多，言"音类"者，自以广东为最完备。至于"音类"二字，或嫌太繁，则省称"九音"，亦无不可。此虽略倍于"逻辑"，然胜于"四声"之名多矣。生于声韵之学，向未研究。特广州为生长之地，其间音读，尚能辨析无讹。惟"九音"之名，究属当否，不能不质之大雅耳。兹假《新青年》余白转达，盖非徒请教于先生，并以求海内君子之商榷焉。

　　　　　　　　　生李锡余敬白　六，十二，二

四声（通信）

惠书诵悉。"声"字最初之义，本言自然之音。在声韵学中，则为"子音"之专称。古人称子音相同之字为"双声"，是其证也。至于平上去入称为"四声"，此"声"字之义，又与"双声"不同。来书以为宜称为"音"，固可。盖四声者，谓一音有此长短四读。惟竟名为"音类"，则有未安。"音类"之名，略同"韵类"。——"音""韵"二字，其实有异："音"即英文之 syllablc，"韵"即英文之 vowel。然"韵"固可单独成音，故"音""韵"二字尚可通用。——一个韵类，犹言一个母音，不能以此名加于"一音之长短"也。至来书又谓平上去入，断不能归于一韵。此亦未尽是。旧韵书虽平上去入分而为四，其实同一母音，非不可合为一韵也。又云，清浊既异，韵亦岂能强同。此尤不然。一韵之中，喉舌齿唇各声俱有，况于一声之清浊，讵有分为二韵之理？且自来韵书，从无以声之清浊而分为二韵者。来书所说，无乃犹惑于"阴平""阳平"之论欤？仆意四声称"四音"，微嫌不习惯。古有"长言""短言"之名，即指平入二声，似可称为"四言"。然"四声"之称，已历千有余年，习呼既久，似不至与"声类"相混。揆以荀子"约定俗成谓之宜"之义，则"四声"之名，似不烦改作也。九声之说，向亦闻人道及，今得来书证明，仆于是益知广东音读之完备矣。

钱玄同

（第四卷第二号，一九一八年二月十五日）

句读符号(通信)

钱玄同

记者足下：

　　本志从二卷以来，改良旧日不论句读一概用"。"的法子，为以"。"表句，以"、"表读。近来同人觉得""""、"两种，还是不够。从四卷以来，有几个人的文章采用西文句读符号，这固然是很好。但是同人主张，各有出入，所以四卷一号里所用，未能划一。玄同对于同人各种主张的去取，现在奉告如下：

　　采用繁简二式。

　　(甲)繁式　用西文六种符号：,读／;长读／:冒或结／·或。句／?问／!叹

　　(乙)简式　仍照以前用句读两号：、读／。句

　　甲式中应该说明的：西文于"·"号之后，必空一格。汉文如其亦空，自当用"·"；如其不空，可改用"。"，以期醒目。这是胡适之先生的主张，玄同颇然其说。或疑五种都用西号，就这一种改用中号，似乎不伦不类。其实不然。我们采用西号，碰着不适用于汉文的地方，自然应该变通办理。像西文引号的""''，因为不适用于直行，就依日本改用『』「」，这就是变通办理的前例。

　　乙式中应该说明的：碰着该用";"":"的地方，或用"。"，或用

句读符号(通信)

"、",像那《大学》里的:

所恶于上,毋以使下;所恶于下,毋以事上;所恶于前,毋以先后;所恶于后,毋以从前;所恶于右,毋以交于左;所恶于左,毋以交于右:此之谓絜矩之道。

这"使下""事上""先后""从前""交于左"底下的";",和"交于右"底下的":",都可以用"。"。又像"《诗》云""子曰"等字底下的":",可以用"、"。至于"?""!"两种,在乙式中或用,或否,可以随便。

甲式既然完备,为甚么又要有乙式呢?因为有人不主张用西号,且嫌符号太多了,记起来麻烦,那就可以暂用乙式,以趋简易。

又有将西文中";"":"二号别造一中号去代它的。像适之先生从前主张以"△"代";",以"、"代";"(见《科学》第二卷第一号),现在又主张以"⁀"代";",以"、"代":"。胡彬夏女士和陈独秀先生均以"、"代";",而":"号则废弃不用。(胡女士用的,见《妇女杂志》第二卷)。我以为这样办法,若自己圈点古书,原无不可,至于排印新书、杂志之类,"△""⁀""、"三号皆为铅模所无,与其定铸,不如全用西号了。

以上为玄同个人对于今后的《新青年》所用句读符号的意见。请同人赐教,幸甚幸甚。

钱玄同　一九一八年一月五日

(第四卷第二号,一九一八年二月十五日)

文言合一草议

傅斯年

文辞远违人情,语言切中事隐,月前著文,抒其梗概,今即不复赘言。废文词而用白话,余所深信而不疑也。虽然,废文词者,非举文词之用一括而尽之谓也。用白话者,非即以当今市语为已足,不加修饰,率尔用之也。文言分离之后,文词经二千年之进化,虽深芜庞杂,已成陈死,要不可谓所容不富。白话经二千年之退化,虽行于当世,恰合人情,要不可谓所蓄非贫。以白话为本,而取文词所特有者,补苴罅漏,以成统一之器,乃吾所谓用白话也。正其名实,与其谓"废文词用白话",毋宁谓"文言合一",较为惬允。文言果由何道以合一乎?欲答此题,宜先辨文词与言语之特质,即其特质,别为优劣,取其优而弃其劣,夫然后归于合一也。切合今世语言(下文或作语言,此作白话或作俗语,同是一词)之优点。其劣点乃在用时有不足之感。富满充盈,文词之优点。其劣点,乃在已成过往。故取材于语言者,取其质,取其简,取其切合近世人情,取其活泼饶有生趣。取材于文词者,取其文,取其繁,取其名词剖析毫厘,取其静状充盈物量。本此原则,制为若干规条,将来制作文言合一之文,应用此规条而弗畔,庶几预于事前,不致陷咎于事后也。

难者曰,文言合一,自然之趋向,不需人为的指导,尤不待人为的拘束。故作为文言合一之词,但存心乎以白话为素质,而以文词上之名词等补其阙失,斯已足矣。制为规条,诚无所用之也。予告之曰,文言合一之业,前此所未有,是创作也。凡创作者,必慎之于事前。率尔操觚,动辄得咎。苟先有成算,则取舍有方,斯不至于取文词所不当取,而舍其不当舍;舍白话所不当舍,而取其不当取。文言合一,亦不易言矣。何取何舍,未可一言断定。与其浑然不辨,孰若详制规条,俾取舍有所遵率。精于方者成于终,易于始者蹶于后。谓此类规条为无用,犹之斥世间不应有修词业也。

此类规条,说之良非易易。以蒙孤陋,于此安所容喙。虽然,一得之愚,容有一二可采,姑拉杂写成一时所见到者,求正于高明也。

(一)代名词全用白话。"吾""尔""汝""若"等字,今人口中不用为常言。行于文章,自不若"你""我""他"等之亲切,此不待烦言者也。

(二)介词位词全用白话。此类字在白话中无不足之感(代词亦然),自不当舍活字而用死字。

(三)感叹词宜全取白话。此类原用以宣达心情与代表语气。一个感叹词,重量乃等于一句或数句。以古人之词表今人之心情与语气,隔膜至多,必至不能充满其量,而感叹之效用,于以丧失。如曰"呜呼",不学者不解其何谓也,学者解之,要不亲切。不能直宣声气,犹待翻译,一经翻译,效用失矣。"哀呀"虽不可与道古,用于当今,差胜于"呜呼"。一切感叹词皆如是观,不待一一举列。

(四)助词全取白话。盖助词所以宣声气,犹之感叹。以宣古人声气者宣今人,必不切合。"焉""哉""乎""也"等,全应废弃,宜以"拉""了""么""呀"等字代之。

（五）一切名静动状，以白话达之，质量未减，亦未增者，即用白话。曰"食"不如曰"吃"，曰"饮"不如曰"喝"，曰"嬉"不如曰"玩"也。俗语少小所习，入人者深。文辞后来所益，入人者浅。故吾人聆一俗语，较之聆一同义之文言，心象中较为清楚。谈书时不能得明确之意象，聆人言语即不然，亦此理也。此语言之特长，应保持勿失者也。

（六）文词所独具，白话所未有，文词能分别，白话所含混者，即不能曲徇白话，不采文言。"今言道义，其旨固殊也。农牧之言'道'（即白话）则曰'道理'，其言'义'亦曰'道理'。今言'仁人''善人'，其旨亦有辨也。农牧之言'仁人'则曰'好人'，其言'善人'亦曰'好人'。更文籍而从之，当何以为别。里闾恒言，大体不具也。"（章太炎先生《訄书》"正名杂义"）

世有执"大体不具"之说，菲薄白话者。白话之不足应用，何能讳言。不思所以补苴，并其优点亦悍然斥废，因噎废食之方耳。文言合一，所以优于专用白话者，即在能以文词之长，补白话之缺。缺原可补，又焉能执其缺以为废弃之口实也。

（七）白话之不足用，在于名词，前条举其例矣。至于动静疏状，亦复有然。不足，斯以文词益之，无待跨踌也。例如状况物象之词，用文词较用俗语为有力者，便用文词。如"高明""博大""庄严"等，倘用俗语以代之，意蕴所存，必然锐减。盖中国今日之白话，朴素已极。此类状况之词，必含美或高之德性，非素质者所蓄有。一经俗语代替，便大减色也。

（八）在白话用一字，而文词用二字者，从文词。在文词用一字，而白话用二字者，从白话。但引用成语不拘此例。

中国文字，一字一音，一音一义，而同音之字又多，同音多者，几达百数。因同音字多之故，口说出来，每不易于领会，更加一字以助之，听者易解矣。如唐曰"有唐"，夏曰"有夏"，邾曰"邾娄"，吴曰"句吴"，皆以虚字助之，使听者易解也。三代秦汉，多用双声叠韵之字，又有重词、骈词，尽可以一字表之，乃必析为二者，独音故也。然则复词之多，单词之少，出于自然，不因人之好恶。今糅合白话文词，以为一体，因求于口说手写两方，尽属便利。易词言之，手写出来而人能解，口说出来而人能会。如此，则单词必求其少，复词必求其多，方能于诵说之时，使人分晓。故白话用一字，文词用二字者，从文词。白话用二字，文词用一字者，从白话。如文词曰"今"，白话曰"现在"，舍"今"而用"现在"。文词曰"往"，白话曰"过去"，舍"往"而用"过去"。"今""往"一音之字，听者易混。"现在""过去"二音之词，听者难淆。此孙卿所谓"单不足以喻则兼"也。然引用成语，不拘此例。如曰"往事已非"，不必改"往"以就"过去"，既是成语，听者夙知，又有他字助之，更不易淆也。

（九）凡直肖物情之俗语，宜尽量收容。此种词最能肖物，故最有力量。《文心雕龙》云，"'灼灼'状桃花之鲜，'依依'尽杨柳之貌。'杲杲'为出日之容，'瀌瀌'拟雨雪之状。'喈喈'逐黄鸟之声，'喓喓'学草虫之韵。'皎'曰'嘒'星，一言穷理，'参差''沃若'，两字穷形。"此均直有物情之字。《诗经》之文所以独贵者，善用斯品即其一因。"灼灼"等在今日为文言，在彼时为白话。以古例今，凡俗语中具此性质者，宜不避俚俗，一概收容。例如"乒乓""叮当""飘飘""遥遥"之类，无论雅俗，皆不可捐。又如"软""硬""快""慢""粗""细"等，其声亦有物情。"软"字发声较柔，"硬"字发声较刚，"快"字发声疾，"慢"字发声迟，"粗"字发声粗，"细"字发声微。此种直效物情之字，最为精美（此所举列数字，以言语文字学之眼光观其变迁之迹，各有其转化之历史。今俱存而不论，但就今人口中发音之情形论之，毋庸执诂训以衡吾言也），万不可以相当之文言代之。若"依依"等字，今世俗言虽已不用，而酷肖物情，蔑以复加，偶一采纳，固不患人之不解也。

（十）文繁话简，而量无殊者，即用白话。文词白话文法有殊者，即从白话。出词贵简，简则听者读者用力少，用力少故生效大。又贵次叙天然，次叙天然则听者或读者用力少，用力少故生效大。人心之力，用于聆读时，为量有限。先之以繁言絭叙，彼将用其心于解译文句，又焉能分费精神，会其概观。文简语繁之时，何所取舍，此条中姑不置论。若当文繁语简之际，自宜从语会文。又文词中之文法，在古人原为自然，在今人已成过往，反似人造，不如语言中之文法，切合今世人情。故舍彼就此。

以上所举，乃一时率尔想到。不尽不详，尤恐不当，更不合论理的排列。将来续有所悟，再补益之也。

凡各条例，原本于一，即取白话为素质，而以文词所特有者补其未有，是也。此语言之极易，行之甚难。本篇略举数端，以见百一。苟为条贯之研究，充盈其量，可成一部文言合一的修辞学。

此外尚有八事，愿与谈文言合一与制定国语者一榷商之。

第一，文言合一，趋向由于天成，设施亦缘人力。故将来合一后之语文，与其称之曰天然，毋宁号之以人造也。有人造之迹，斯不妨以最近修辞学言语学上所发明要理加之使入，以成意匠之文。夫然后有尚之价值，视今之文辞白话二端，均有特出者（此言其可加入。若有与中国文法不能相容之处，不可勉强以成文离之象）。

第二，文言合一者，归于同之谓也，同中而异寓焉。作为论学论理之文，不能与小说戏曲同其糅合文词白话之量。易词言之，论学论理，取资于白话者较多，小说戏曲较少。有其异，不害其为同；有其同，不应泯其异。然则合一后遣词之方，亦应随其文体以制宜。论者似未可执一道而强合之也。

第三，钱玄同先生曰："选字皆取最普通常用者，约以五千字为度。"所谓选字，蒙意以为似不紧要。逐一选择，其道至难。纵使竟成，作者未必尽量率由，不或离畔，是用力多生效少也。但求行文之时不从僻、不好奇、不徇古，悬之以为严规，万无违于通俗之理。陈其方而已，无待举数也。

第四，采用各地语言，制成标准之国语，宜取决于多数。如少者优于劣者，亦不妨稍加变通，要须以言语学修辞学上之原则为断，不容稍加感情于其间。

第五，将来制定标准国语，宜避殊方所用之习语成辞。今所通行之官话，无论北京杭州，优点均在逐字逐句之连成，全凭心意上自由结合，绝少固定之习语成词掺杂其间。反观方言，习语最多，其弊有四。学之甚难，一也。难则不能求其迅速普及，二也。各地有其成词习语，不能相下，三也。思想为成语所限，宣达不易自由，较之为古典故事与一切文学上之习用辞所限制者，厥弊惟均，四也。广东人到北京，学语三四个月，便可上口。北人至广东，虽三四年不能言也。此盖社会上通用之官话。（此与通行于北京土著之北京语有别。北京语仍是方言，多用习语，吾等自外省来北京，于此不刻意摹仿，另操一种南北可以互喻之语。此种互喻之语，不专取材于一城一市，乃杂合各地平易之语以成。虽有偏重北方之质，要其混合的性质可采。）此吾所谓社会上通用之官话（其性质另有详论），原为各省人士混合以成。乃言语之纷地，绝少习语成词，故学之甚易。此为统一行远语言之特质，将来制为国语，此点不可忽也。

第六，制定国语之先，制定音读，尤为重要。音读一经统一，自有统一之国语发生，初不劳大费精神。今使荆蜀滇黔之士，操其普通用语与北人谈，有可喻者，有不可喻者，令其写出，无不解会。可知殊方言语之殊，殊在质料者极少，殊在音读者转多（闽、粤等当别论）。又音读划一，稍事取舍，便成统一之国语。又制定统一音读，尚非至难。所应集思筹策者，将由何法使殊方之人，弃其旧贯，而遵此人为之统一音读也。

第七，统一音读，只论今世，不可与沿革上之音读混为一谈。顾亭林云："圣人复起，必举今日之音而反之淳古。"是岂可行之事。章太炎先生谓："统一语言，于'侵''谈'闭口音，宜取广东音补苴之。"此种闭口音，自广东外，无能发者。令廿一省人徇一省，无论理有未惬，即于势亦有所不能行。故在古人为正音，在今人为方音者，宜迳以为方音，不以入于国语。

第八，较易统一者，国语之质料耳（即有形象辞之语）。若夫国语之意态，即无形象之声气。全随民俗心理为转移，樊然淆乱，差异尤甚于质料，一难也。质料制定，尚易遵循，至于语气，出之自然，虽加人为的制限，即不易得人为的齐一，二难也。就现在异地方言之意态论之，蓟北（北京永平以东）语气锐利，其弊哀嘶。中原（直隶南部及黄河沿岸）语气凝重，其弊钝迟。吴会风气流丽，其弊靡弱。闽粤语气复繁，其弊结屈。此不过略举数端，悉言乃不可胜数。今强之趋于一统，理势恐有未能。即其未能而安之，则作为文词，所用虚字，随方而异，又与统一国语之原旨违矣。果由何道生其殊点，愿持制作标准语之论者加之意也。

上来所说,乃一时兴到之言,率尔草就于一夜。咎谬良多,更何待言。尚祈明达进而教之。

(第四卷第二号,一九一八年二月十五日)

注音字母(通信)

钱玄同

稚晖先生：

惠书敬悉。

玄同对于注音字母之意见，敬为先生陈之。

注音字母之作，实欲定一种全国公有之国音，而其开会之结果，乃过偏于北音，此为玄同所未能满意者。故略述鄙见，作《论注音字母》一篇，分载于本志四卷一、三两号，既以供国人之讨论，尤希望高才硕学如先生其人者提议修正，以期完全无缺，可以早日施行。

玄同之不满意于北音者，非因其不古也，亦非因其不能具备全国之音也。以为既以制定国音为务，当然不是叫人专"打官话"，其于全国音声之去取，必有一种标准，即所去者为奇诡之音，仅极少数人能发者，所取者为平易之音，必大多数人所能发者，而苟有某种平易之音，为大多数人所能发，惟极少数人不能发者，则宜强极少数使从大多数，是也。使此标准而不谬，则北音实未可完全采用。因如"入声""浊音"二种，全国多数皆有之。若因北部一隅之不发达，遂完全消灭，牺牲大多数以利极少数，似有未可。

若谓消灭此二者，利者虽利，而牺牲者实亦无害，故即牺牲之亦未尝不可。如是，则凡此有而彼无之音，皆当从删，如"ㄓ""ㄔ""ㄕ""ㄖ"诸母，中南两部发之极为困难，亦当删去。又如"ㄬ""ㄗ"二母，及"ㄋ"母之音，亦北人所不能发者，亦以删去为宜。——杜亚泉先生即主此论者，曾在《东方》杂志第十三卷第五号中撰有《论国音字母》一篇，其中有言曰：

欲统一读音而设定字母，则此字母之音，必使全国之人皆能读之，故必取全国皆有之音以为准。若其音为某处所无，则强其发此音，在势为不可能，即孟子所谓"日挞而不可得"者。故凡甲有而乙无，甲分而乙合者，宜从乙，勿从甲。依此主张，则浊音之诸母固可去。即齿头音之诸母，半舌半齿之"ㄖ"母，亦宜去之；而四声之入声，可并于他三声中。AEO之高音低音，亦可并合。

鄙意以为必如此办法，始足以昭平允。否则甲有而乙无者则删之，乙有而甲无者则存之，似乎未得其平矣。

又先生对于官音，以为"出于口而言者以为滑熟，入于耳而听者以为适当"，又有"文人学士以纸上之清浊，作南北之杂腔，亦复无形中自惭其为'蓝青官话'"之说。此意玄同尚未敢苟同。彼中南两部之人打起官话所以不免于"蓝青"者，实缘出于口考未能滑熟也。玄同，浙人也，居北方已将五年，所见乡人之北来者，其学北京话最感困难之点，即为浊音之改变，如读"群""亭""瓶"三字为Djhün、Dhing、Bhing，十人之中读准者，不过二三人而已。又舌上，正齿，诸音亦难学准，而北人之往南者，亦以浊音之改变为最苦。曾有天津友人至上海归，告我曰："上海人呼'钱'音如Tong-tien。"我告之曰："非也，其音实为Dong-dien。"此友强学数次，终不能肖。以是知南北最异之点，实在于是。北人读西文，于此亦多不准，所见读 B、D、G 等字如法音之 P、T、K 者，比比然也。故谓人人以官音为滑熟为适当之说，于事实上恐未必如此。

至于"蓝青官话"，玄同则以为毫无可"惭"。俗人以"蓝青"为可"惭"者，正犹以"不伦不类"为不合耳。其实凡由此而变为彼，其中必须经过介乎彼此之间之一阶级。此一阶级，即"不伦不类"也，即"蓝青"也。故由"官话"而变为"国语"，必有"蓝青官话"为其过渡之物。玄同且以为自津浦铁路交通以后，南人往北、北人往南者，日有其人。南人固不得不打"蓝青"之"官话"，而北人亦不得不就其纯粹之"官话"中搀入几分"蓝青"之质料，以期通行于南部。彼亦一"蓝青"，此亦一"蓝青"，吾侪定国音制国语者，取此各种各样之"蓝青官话"而定于一，斯即非南，非北，非"蓝青"，而为国音国语矣。——Esperanto，即杂取欧洲各国之语而定为一种人造的公用语言。窃谓中国之古文，犹欧洲之希腊拉丁语也；今之各省方言，犹英、法、德、意、西、俄诸国之国语也；综合各省方言而制成一种民国的新国语，犹 Zamenhof 之杂取欧洲各国国语而制 Esperanto 也。Zamenhof 不能即用俄语或法语等为"国际语"，可知吾侪不能即用北京话为国语。

以上所论，略贡其愚，希再赐教，幸甚！幸甚！

先生又有论舌齿间音诸语，精当绝伦。玄同于"ㄐ""ㄑ"诸音，向来颇觉疑懑，今得先生之教，始恍然大悟，铭感无既。

钱玄同　一九一八年二月十八日

（第四卷第三号，一九一八年三月十五日）

中国今后之文字问题(通信)

钱玄同　陈独秀　胡适

独秀先生：

先生前此著论，力主推翻孔学，改革伦理，以为倘不从伦理问题根本上解决，那就这块共和招牌一定挂不长久（约述尊著大意，恕不列举原文）。玄同对于先生这个主张，认为救现在中国的惟一办法。然因此又想到一事：则欲废孔学，不可不先废汉文。欲驱除一般人之幼稚的野蛮的顽固的思想，尤不可不先废汉文。

中国文字，衍形不衍声，以致辨认书写，极不容易，音读极难正确。这一层，近二十年来很有人觉悟。所以创造新字，用罗马字拼音等等主张，层出不穷。甚至于那很顽固的劳玉初也主张别造"简"字，以图灭省识字之困难。除了那选学妖孽、桐城谬种，要利用此等文字，显其能做"骈文""古文"之大本领者，殆无不感现行汉字之拙劣，欲图改革，以期便用，这是对于汉字的形体上施攻击的。

又有人说：固有的汉字，固有的名词，实在不足以发挥新时代之学理事物。于是有造新字者，有造新名词者，有直用西文原字之音而以汉字表之者，如"萨威棱帖""迪克推多""暴哀考脱""札斯惕斯"之类，有简直取西文原字写入汉文之中者。种种办法，虽至不同，而其对于固有的汉字和名词认为不敷用之见解则一，这是对于汉字的应用上谋补救的。

以上两种见解,固然都有理由,然玄同今日主张废灭汉文之理由,尚不止此。

玄同之意以为汉字虽发生于黄帝之世,然春秋战国以前,本无所谓学问,文字之用甚少。自诸子之学兴,而后汉字始为发挥学术之用。但儒家以外之学,自汉即被罢黜。二千年来所谓学问,所谓道德,所谓政治,无非推衍孔二先生一家之学说。所谓《四库全书》者,除晚周几部非儒家的子书外,其余则十分之八都是教忠教孝之书。"经"不待论,所谓"史"者,不是大民贼的家谱,就是小民贼杀人放火的账簿,如所谓"平定什么方略"之类。"子""集"的书,大多数都是些"王道圣功""文以载道"的妄谈。还有那十分之二,更荒谬绝伦,说什么"关帝显圣""纯阳降坛""九天玄女""黎山老母"的鬼话。其尤甚者,则有"婴儿姹女""丹田泥丸宫"等说,发挥那原人时代"生殖器崇拜"的思想。所以二千年来用汉字写的书籍,无论哪一部,打开一看,不到半页,必有发昏做梦的话。此等书籍,若使知识正确、头脑清晰的人看了,自然不至堕其玄中;若令初学之童子读之,必致终身蒙其大害而不可救药。

欲祛除三纲五伦之奴隶道德,当然以废孔学为惟一之办法。欲祛除妖精鬼怪、炼丹画符的野蛮思想,当然以剿灭道教——是道士的道,不是老庄的道——为惟一之办法。欲废孔学,欲剿灭道教,惟有将中国书籍一概束之高阁之一法。何以故?因中国书籍,千分之九百九十九都是这两类之书。中国文字,自来即专用于发挥孔门学说,及道教妖言故。

但是有人说:中国旧书虽不可看,然汉文亦不必废灭,仍用旧文字来说明新学问可矣。此说似是而实非。既不废汉文,则旧学问虽不讲,而旧文章则不能不读。旧文章的内容,就是上文所说的"不到半页,必有发昏做梦的话"。青年子弟,读了这种旧文章,觉其句调铿锵,娓娓可诵,不知不觉,便将为其文中之荒谬道理所征服,其中毒之程度,亦未能灭于读《四书》《五经》及《参同契》《黄庭经》诸书。况且近来之贱丈夫动辄以新名词附会野蛮之古义,如译Republic为"共和",于是附会于"周召共和"矣;译Ethics为"伦理学",于是附会于"五伦"矣。所以即使造新名词,如其仍用野蛮之旧字,必不能得正确之知识。其故有二:(1)国人的脑筋,异常昏乱,最喜瞎七搭八,穿凿附会一阵子,以显其学贯中西。(2)中国文字,字义极为含混,文法极不精密,本来只可代表古代幼稚之思想,决不能代表Lamark、Darwin以来之新世界文明。

至于有人主张改汉字之形式,即所谓用简字罗马字之类,而不废汉语,以为形式既改,则旧日积污,不难洗涤。殊不知改汉字为拼音,其事至为困难。中国语言文字极不一致,一也;语言之音,各处固万有不同矣,即文字之音,亦复分歧多端,二也。制造国语以统一言文,实行注音字母以统一字音,吾侪固积极主张。然以我个人之悬揣,其至良之结果,不过能使白话、文言不甚相远,彼此音读略略接近而已。若要如欧洲言文音读之统一,则恐难做到,即如日本之言文一致,字音划一,亦未能遽期。因欧洲文字,本是拼音,日本虽借用汉字,然尚有行了一千年的"五十假名"。中国文字,既非拼音,又从无适当之标音符号,三十六字母,二百〇六韵,闹得头昏脑涨,充其极量,不过能考证古今文字之变迁而已,于统一音读之事,全不相干。今欲以吾侪三数人在十年八年之内,告成字音统一之伟业,恐为不可能之事。又中国文言既多死语,且失之浮泛,而白话用字过少,文法亦极不完备,欲兼采言文,造成一种国语,亦大非易事。于此可见整理言文及音读两事，已甚困难。言文音读不统一，即断难改用拼音。况汉文根本上尚有一无法救疗之痼疾，则单音是也。单音文字，同音者极多，改用拼音，如何分别？此单音之痼疾，传染到日本，日本亦大受其累。请看日本四十年来提议改良文字之人极多，而尤以用罗马字拼音之说为最有力，然至今尚不能实行者，无他，即"音读"之汉字不能祛除净尽，则罗马字必难完全实行也。吾以为改用拼音，至为困难者，此也。

即使上列诸困难悉数解决，汉字竟能完全改用拼音，然要请问，新理新事新物，皆非吾族所固有，是自造新名词呢，还是老老实实写西文原字呢？由前之说，既改拼音，则字中不复含有古义，新名词如何造法？难道竟译 Republic 为 Kung－huo，译 Etnics 为 Lun－li－hsüh 吗？自然没有这个道理。由后之说，既采西文原字，则科学哲学上之专门名词，自不待言。即寻常物品，如 Match、lamp、ink、pen 之类，自亦宜用原文，不当复云 Yang－huo，Yang－teng，yang－meh－shue，yang－pih－teu；而 dictator、boycott 之类，应写原文，亦无疑义。如此，则一文之中，用西字者必居十之七八，而"拼音之汉字"不过几个介连助叹之词，及极普通之名代动静状之词而已。费了许多气力，造成一种"拼音之汉字"，而其效用，不过如此，似乎有些不值得罢！盖汉字改用拼音，不过形式上之变迁，而实质上则与"固有之旧汉文"还是半斤与八两，二五与一十的比例。

所以我要爽爽快快说几句话：中国文字，论其字形，则非拼音而为象形文字之末流，不便于识，不便于写；论其字义，则意义含糊，文法极不精密；论其在今日学问上之应用，则新理新事新物之名词，一无所有；论其过去之历史，则千分之九百九十九为记载孔门学说及道教妖言之记号。此种文字，断断不能适用于二十世纪之新时代。

我再大胆宣言道：欲使中国不亡，欲使中国民族为二十世纪文明之民族，必以废孔学、灭道教为根本之解决，而废记载孔门学说及道教妖言之汉文，尤为根本解决之根本解决。至废汉文之后，应代以何种文字，此固非一人所能论定。玄同之意，则以为当采用文法简赅、发音整齐、语根精良之人为的文字ESPERANTO。

惟Esperanto现在尚在提倡之时，汉语一时亦未能遽尔消灭，此过渡之短时期中，窃谓有一办法，则用某一种外国文字为国文之补助。此外国文字，当用何种，我毫无成见。照现在中国学校情形而论，似乎英文已成习惯，则用英文可也，或谓法兰西为世界文明之先导，当用法文，我想这自然更好。而国文则限制字数，多则三千，少则二千（前于三卷四号中致先生一书，云"以五千字为度"，今思未免太多），以白话为主，而"多多夹入稍稍通行的文雅字眼"（此是先生答玄同之语，见三卷六号）。期以三五年之工夫，专读新编的"白话国文教科书"，而国文可以通顺。凡讲述寻常之事物，则用此新体国文；若言及较深之新理，则全用外国文字教授。从中学起，除"国文"及"本国史地"外，其余科目，悉读西文原书。如此，则旧文字之势力，既用种种方法力求减杀，而其毒焰或可大减。既废文言而用白话，则在普通教育范围之内，断不必读什么"古文"发昏做梦的话，或可不至输入于青年之脑中。新学问之输入，又因直用西文原书之故，而其观念当可正确矣。

以上为玄同个人主张废灭汉文之意见，及过渡时代暂行之办法。

此外尚有一法，则友人周君所言者，即一切新学问，亦用此"新体国文"达之，而学术上之专名，及没有确当译语，或容易误会的，都用 Esperanto 嵌入。这个意思：一层可以使中国人与 Esperanto 日渐接近；二层则看用"新体国文"编的科学书，究竟比看英法原文的容易些。我想此法亦好。此法吴稚晖先生从前也主张过的，其言曰：

中国文字，迟早必废。欲为暂时之改良，莫若限制字数：凡较僻之字，皆弃而不用，有如日本之限制汉文。此法行，则凡中国极野蛮时代之名物，及不适当之动作词等，皆可屏诸古物陈列院，以备异日作"世界进化史"者为料之猎取。所有限制以内之字，则供暂时内地中小学校及普通商业上之应用。其余发挥较深之学理，及繁赜之事物，本为近世界之新学理新事物。若为限制行用之字所发挥不足者，即可换入万国新语（即 Esperanto），以便渐换渐多，将汉文渐废，即为异日经用万国新语之张本。（《新世纪》第四十号）

这个废灭汉文的问题，未知高明以为何？如愿赐教言，以匡不逮。如以为然，尤愿共同鼓吹，以期此事之实行。本社同人，及海内志士，关于此问题，如有高见，不论赞成与反对，尤所欢迎。

钱玄同　一九一八年三月十四日

吴先生"中国文字，迟早必废"之说，浅人闻之，虽必骇怪而循之进化公例，恐终无可逃。惟仅废中国文字乎？抑并废中国言语乎？此二者关系密切，而性质不同之问题也。各国反对废国文者，皆以破灭累世文学为最大理由。然中国文字，既难传载新事新理，且为腐毒思想之巢窟，废之诚不足惜。（康有为谓美国共和之盛，而与中国七相反,无能取法,其一即云:"必烧中国数十之历史书传,俾无四千年之风俗,以为阻碍。"在康氏乃故作此语,以难国人。在吾辈则以为烧之,何妨?)至于废国语之说,则益为众人所疑矣。鄙意以为今日"国家""民疾""家族""婚姻"等观念,皆野蛮时代狭隘之偏见所遗留,根底甚深,即先生与仆亦未必能免俗,此国语之所以不易废也。倘是等观念,悉数捐除,国且无之,何有于国语?当此过渡时期,惟有先废汉文,且存汉语,而改用罗马字母书之;新名悉用原语,无取义译;静状介连助叹及普通名代诸词,限以今语。如此行之,虽稍费气力,而于便用进化,视固有之汉文,不可同日而语。先生谓为"还是半斤与八两,二五与一十的比例",恐未必然也。至于用西文原书教授科学,本属至顺。盖学术为人类之公有物,既无国界之可言,焉有独立之必要?先生及读者诸君以为如何?谨复。

独秀

独秀先生所问"仅废中国文字乎?抑并废中国言语乎?"实是根本的问题。独秀先生主张"先废汉文,且存汉语,而改用罗马字母书之"的办法,我极赞成,凡事有个进行次序。我以为中国将来应该有拼音的文字。但是文言中单音太多,决不能变成拼音文字。所以必须先用白话文字来代文言的文字,然后把白话的文字变成拼音的文字。至于将来中国的拼音字母是否即用罗马字母,这另是一个问题,我是言语学的门外汉,不配说话了。

适

(第四卷第四号,一九一八年四月十五日)

论 Esperanto（通信）

孙国璋　钱玄同　陶履恭　胡适

可敬之记者：

　　顷读《新青年》四卷二号钱玄同先生之 Esperanto 通信一则，因更翻阅陶先生之信，并三卷四号钱先生之信，以及独秀先生之答语数则。余均一一重视之（会当译示东西友人并各报社）。余且认《新青年》为确有革新及改造中国少年之价值。谨先掬诚祝贵记者万岁！并次第述其意见如下。

　　（一）陶先生之信　与十年前之欧洲怀疑派同为应有之辩论。而欧人中尤以英人为排斥最力（但据吴稚晖先生告我，略谓伦敦公园中，现且附有世界语传习所云）。盖彼邦人士，每自诩日光烛处，无不有英人之足迹，大有国际语舍英语其谁之概（正与康有为辈欲以中文为世界通用文字，同一偏见）。然国际语之当采用中立的人造语，世界学者早已公认之矣。诸君疑吾言乎？请证诸：

　　一九一五年各国代表会于 Bonlogne‐sur‐Mer（法国）时有"……Char en la unua tempo neniu esploranto en la tuta mondo jam dubas pri tio, ke Lingvo internacia povas estinur lingvo arta……""……国际语之必为人造语。举凡现时曾经探讨者莫有疑之……"之宣言。

陶先生如以其为人造的而轻忽之，试问世界各民族之文字，哪一种是天授的而非人造的？所谓历史，多几篇古体文而已。

所谓特质，吾国南北且不同，更何论乎各民族。

译本之不若原本，岂独世界语为然？惟世界语所读Shakespear莎士比亚之杰作 *Hamleto*《韩列德皇子》(一八九四年译出，全书价现合华银约只六角)，据英国文学家言，是书之它国译本，无有能及世界语译本之佳者(见Hachette黑许的书目提要)。是可证明世界语文学上之价值矣。

至于功用一层，事实昭彰，不容疑惑。即就战时而论，如德之战事官电，法意之蓝白皮书，红十字会之指南书以及俘虏交通社等，均实用世界语。曩年波斯某名人(因其为外人名字，不易记忆，故遂忘之)游英伦时，颇受三岛文人学士之欢迎，其演说中有"吾东方国家，与西方政治不同，宗教不同，社会不同，思想不同。欲谋沟通东西，非世界语不为功"云云。然则又何尝不宜于东方。一九〇九年前后，吾国留法学生所办之《科学与文学的杂志》，用世界语与中国文对译者，有云"世界语出世，是诚天授中国人以研究西学之利器"等语。而从事此志之编辑人，亦多法国之有名人物。嗟乎！吾人不自谋而他人助之，他人助之而自贼之，吾人其真欲自外于世界欤？

至谓意大利排斥世界语，又与事实不符。记得一九一四年三月至十一月，意大利在Genora开国家航海博览会，其说明书且用世界语译成，更印行一种纪念明信片，上独标以世界语。此种国家的事业，岂有自相矛盾若此乎？况世界语之语尾有数种与意文相同外(陶先生正以世界语未采入东方文字为憾，岂有各国人反病其相同之理)，其百分之七十为法文字。更何得谓为与意大利国语相肖似。

陶先生其或因轻视人造语而并未研究及此欤？其种种怀疑，即欧人较有价值之评论，亦大都已成陈迹。谓予不信，请读一九〇五年各国代表会之宣言。

"……kaj lingvo efektive finita, chiuflanke elprovita, perfekte vivipova kaj en chiuj kilatoj pleje tauga montrighis nur unu sola linguo Esperanto, tial la amikoj de la ideo de ling vointernacin, konseiante ke teoria disputado konpukos al nenio kaj ke lacelo povas esti atingita nurper laborado praktika, jam de longe chiuj grupighis chirkau la sola lingvo Esperanto kaj laboras por ghia disuastigado kaj richigado de ghia literaturo.""……事实上已得结束。多方试验，有完全生活之能力。各种关系，均属适用者。只此惟一之世界语。凡表同情于国际语（普通名词）者，熟知理论上之争辩，全将消灭。而实力经营，目的自达。故久已合谋所以推广之而发展其文学者。"

虽然，中国人盲从者多矣，与其盲从无宁抗争。盖事理以愈辩而愈明也。（世界语在中国尚多不明真相者，辩之为宜。）我且谢谢陶先生。不有陶先生之一信，更何从得钱先生有力之争，及独秀先生通人之论也。幸陶先生尚有以教我。

（二）钱先生之信　亦尚有商榷之处。先生之意，既以为专名词写原文，必难办到（原书里长句亦长。读者可以覆按）。何独于已通用之"世界语"三字而弃之。必欲于华文中用 Esperanto 原名耶？我以为写在那一种文字中，就从那一种文字写去。此等专名词，有何通不通之研究。译音译义，所谓已非本真矣。敢以先生之矛，刺先生之盾。未识先生以为何如？

再有一句话，要代为呼冤者。上海人（我非上海人，但常在上海,知之较悉)提倡世界语之不得法。第一在教法不好,第二在受它种主义之利用。所谓仅仅提倡用世界语通信者,尚非事实。

(三)独秀先生之答语 有"暂置世界语而习法文。通法文者,习世界语甚易易也"云云。先生最明通,是以中国国语比世界语。譬如外人学中国语,应先学各地方之土白耶?抑宜先学明了之官话乎?吾友胡敦复君及亡友杨曾诰君等,均主张小学生宜先读世界语,然后再各依其志愿进求他种文字,亦正与先生等极端赞成加入世界语于高等小学,同一意也。

记得昔年罗森堡拉丁学校校长有同样之意见。略云:"人类之性灵,不好学者多。然因为学校所强迫。故无论不热心于学问,或反对学问者,均能获得有用之知识。吾世界语之前途亦然,若欲文明各国,无一人不知此语。余可断言之曰。"

最适宜之场所……全球各学校。

最适宜之时间……各学生已读本国语而未读外国文之前。

又曰:"余尝见一书,颜曰'不下泪之拉丁文'。今世界语,不仅使学外国语者不下泪而已,且为学语言之桥梁,能渡学者由本国语以至外国语也。"

先生等于此事既经说出,岂有不望其实行之理,但须有切实易行之办法,方不致空言无补。今姑拟其切要者如下。

第一,先加入师范学校,俾得有多数之世界语师资。

第二,宜特别注意于女子学校,因世界语于女子之短时期求学最为适宜。

第三,学校每藉口部章,宜由发起诸君请求教育官厅,于学校课程,先行修正。

第四,凡得有世界语教习者,一律改习世界语。但视地方情形，仍得授他种外国文。

第五，编订合宜之世界语教科书两种：(甲)师范用本，(乙)高小用本。

第六，另编汉译之世界语字典一种。

以上关于世界语者。

(四)《新青年》之内容　殊足当中国文学革新及传布新思想之一大好机关。但国人知识幼稚，犹之办学，须先得一地方之信仰。此种杂志，信仰者必多。吾爱《新青年》，吾尤望《新青年》之能安全达到其目的也。

(五)《新青年》之体例　有人主张将文字横列。然第一步，正宜表示一种改良文字之程式，使大多数之文件(如公牍、报章、教科书等)易于学步。即以现今通行之直行文字。先加以一定之文法上记号，就习用之圈点(钱先生所谓简式)，加以问号及呼号已足。总之事事从真实上做去方收效果。质诸记者以为何如？

匆遽不尽。敬颂著安。并祝《新青年》万岁！

孙国璋拜启

中华民国七年三月八日 北京大学教员宿舍七号

先生所说的推行 Esperanto 的方法，我条条都赞成。以为凡主张提倡 Esperanto 者，当就其力之所能而依此行之也。至玄同主张直称 Esperanto 而废"世界语"之名者，并无深意，不过觉得新学名词，用汉文译义总是不甚适宜。(玄同系主张废汉文者，本期内有致独秀先生一书，详论此事。)况这"世界语"三个字系日本人所译。日本人以前虽译此名，而近来已改用译音，作"エスヘラント"(日本人不特此名改用译音，凡新学学者现亦渐渐改用译音，其故总因汉字与新文明不能相接合也），是此名日本人亦已废弃矣。若云"写在那一种文字中，就从那一种文字写去"，则此 Esperanto 一字，吾知在英法德文之中，亦写原名，不加译改。英法德人用原名，日本人用假名译音，中国人又何必定须译义，作"世界语"三字乎？若谓中国亦可译音，斯固亦成一说。惟汉字译西音，不但不准，且笔画繁多，书写累赘，未可以日本之假名为例。并且已有妄人，竟于译音之中，异想天开，别含一种可笑之意，曰"爱斯不难读"矣。"爱斯不难读"固荒谬，即"世界语"亦不妥洽，且嫌多事，故鄙意以为直当称为 Esperanto。至玄同所谓"专名词写原文必难办到"者，以其字形难识，音读难知也。若 Esperanto，则我侪既主张提倡，自无不可写原名之理。且必用原名，方见正确。鄙说前后并无矛盾，敬答先生。玄同诋上海地方教 Esperanto 之人为仅仅提倡用 Esperanto 通信，先生既熟知此辈，"代为呼冤"，则玄同之说或有过当。但此辈之教 Esperanto 不特无远大之眼光，亦且无积极之办法。玄同以为吾侪学中国以外之别种文字，不外乎三种目的。（1）要学了这别种文字去研究中国以外的新学问。（2）要学了这别种文字到外国去。到外国去的有两种人。一、学生，这种人的目的还是与第（2）种一样。二、外交官。（3）觉得汉文不甚适用，因此想研究别种文字来做汉文的代兴物。学 Esperanto 的目的，若讲到（1）与（2），则其现在之用处，恐尚不能及英法德文。玄同以为最切要之目的实在（3）。而上海之教 Esperanto 者，恐未必怀此种目的。然犹可曰："这是钱玄同一个人的目的，不能概诸人人。"然则上海人之提倡 Esperanto，其目的或不在（3）而在（1）矣。顾又未见设一 Esperanto 之图书馆。且据"世界语会消息"中所列，亦未见云"世界语新出有某科学书，某哲学书，某文学书"也，则输入新学一事，似乎又非上海诸公之目的矣。（我渴望学 Esperanto 者数年，渴望由 Esperanto 而得读新学新理之书者亦数年。而翻中国关于 Esperanto 之报告，从无道及新出书籍者。去秋晤区声白君，始得见莫斯科之 Esperanto 书店目录，始知确有用 Esperanto 译著之书籍。）究竟上海诸公提倡 Esperanto 之目的何在乎？"我只见可与数十国人士通信"等语时时触于我目，故云"提倡通信"耳，率复。余不白。

钱玄同　一九一八年三月十三日

半年前，我曾写信攻诋世界语。独秀、玄同两先生都有辩辞。近又见有孙国璋先生在《北京大学》日刊上驳诘我昔日所论之点。孙君是以传播世界语为己任的，所论自然极有价值。世界语之功用，在今日文明诸邦，已过讨论之时代。而吾辈今犹以宝贵之光阴，讨论此垂死之假言语。这正是中国文化思想后于欧美之一种表象。现以事忙，不能畅所欲言，只说二三点。

一、伦敦公园，我都到过，并未曾看见有世界语传习所。若谓英人自视其国语为国际语，凡曾到过英国者，调查其外国语教授所，便知此语之诬。英人提倡世界语者，推"评论之评论"主笔 W. T. Stead 君。世界语之书籍，多在其社出版。昔余每日到学校必经其门。自 W. T. Stead 遇难于 Titanic 舰上，世界语界中遂失一好奇之老古董！

二、现在不学英文，而必欲读莎士比亚之译本，不知其意何居？敢问现代欧美诸大文豪、大诗家、大剧作家，亦皆有世界语之译本否？今日欲研究学问，至少必通两国文字，多则英法德意俄日（此为吾国人言）六国文字，皆当有诵读之知识。近来外国语教授法进步。学外国语，并无烦难。玄同乃谓须费十年，此乃教授者之不得法耳。未曾学过外国语者，不能示以外国语中之新天地也。

三、世界语之功用，焉能仅据世界语代表大会之言以为定？卖药者未有不夸赞其药之灵验者。吾之位置，是绝对的不信世界语可以通用，不信世界语与世界统一有因果之关系，（中国方言不同，与欧洲国语之相异不能同视）不信世界语为人类之语言。（人为与人为不同，各民族之国语不是一天造成的，必经过千百年之淘汰乃成现存之语言。世界语成于一旦与人民之真生命相隔阂，不能成为一种应用的言语。）谓余不信，请再俟五十年视世界，语之运命果为何如？

陶履恭　三月十五日

适按。孙先生信中有几句易于使人误会的语，不可不替他指出。他说，"即就战时而论，如德之战事官电，法意之蓝白皮书，等等，均实用世界语。"这并不是说德国的官电和法国意国的蓝白皮书，全是用世界语做的。不过战争各国都要想把他们的事实理由叫天下人都知道，所以用各种语言译出，分送各国。内中却也有译成世界语的。但是内中却也有译成中国文字的。如德国的白皮书，居然印成中文，由政府盖印，寄与在美国的许多中国学生。这是战争时代各国政府收买人心的手段，与世界语是否通行的问题，其实并无甚关系。

胡适

（第四卷第四号，一九一八年四月十五日）

论汉字索引制及西洋文学(通信)

林玉堂　钱玄同

玄同先生足下：

　　前于《新青年》第四卷第二号，鄙人粗著一篇《汉字索引制说明》的论，得先生高明指教，感激得很。先生说到划一字体，以便检查。这个问题，兄弟意思，现在的法子，只靠着"首笔"来做使用，算还容易。因为这几个"首笔"，就带着"增广首笔表"所列的，算也不过一百的数目，就中有甚么点画不一，也是屈指可算的，都可以在表中注明好了，不怕什么。即如先生所说，"勝"字首笔有"八""ソ"两种的不同，表中早已注明"䒑"系属"八"的。这层大概不足为患罢？（表中注明以外，尚有十几个字，首笔难定的，都已列入《首笔疑似表》去，以备参考。）

　　兄弟有本书，不日就要出来了。内中排好七千多字，做个模样，并且有几条凡例，略略说明。出版之后，拟要寄本给足下，望足下笑纳。有甚么不当之处，还求足下指正。

　　现在要讲到文字革命了！兄弟觉得，近来对于这个问题的讨论，有一方面，尚未能十分注重未能十分发挥。其于此问题上已占之地位，与其当然应有的地位，已受之注意。与其应受的，似不相当。这个意思并不是甚么新奇的，也用不了几句话去说明，只是很为要紧，所以趁此机会想同足下讨论讨论。就是我们文学革命的大宗旨。实在还只是个形式的改革（用白话代文言之谓也）。兄弟每读西书，随便甚么稍稍读书的人做的，大半都是论理精密，立断确当，有规模有段落的文字。其一种有名的讲学说理之文，如 Huxley, Buckle, Mathew arnold, William James, 其用字的适当，段落的妥密，逐层进论的有序，分辨意义的精细，正面反面的兼顾，引事证实的细慎，并且其文的好处，西人叫做 Lucidity（清顺），Perspicuity（明了），Cogency of thought（构思精密），truth and appropriateness of expression（用字精当，措词严谨），我们一点也不像。——都使读的人有一种义理畅达，学问阐明的愉快。这都是我们新文学还没达到的工夫。我读他们随便哪一个大学教员所做的书，觉得在学问价值上，胜过我们的诸子万万。所以心里焦急，想我们文学革命必定须以这种文字做我们至高最后的目的。倘或我们国人看见这种文字的流行，那就是中国民智复生的日子。我找来找去，只看见秋桐君的著作，可以与他们比较（如秋桐君的文字，可谓能够完全代表西文的佳处。近来人想讲到西文，或是新文学，必定是要想一句做一句，支支节节的做出来。我真为西文抱不平，并为白话抱不平），以外却是很少。兄弟意思应该注重的，就是这种。

　　我现在对足下说，是有两层缘故。一则，我们既然以文学革命提倡，而吾国人尚未曾看见西文的好处到底是怎样，自然该负那做个榜样，唤醒国人心目的责任。应该以此为我们的大义务。对于此点，应该下全力着手。虽是现在《新青年》所刊的自然皆是注重老实有理的话。其趋向，自然是对的。但弟的意思，是要为白话文学（白话当文用，后来自有白话文学）设一个像西方论理细慎精深，长段推究，高格的标准。人家读过一次这种的文字，要教他不要崇拜新文学也做不到了。这才尽我们改革新国文的义务。

　　自然，文生于情，须要与情感题目相配才好。凡文不必皆是义理讲得深奥，因其应用不同：写信有写信的体，谈论有谈论的体，讲学有讲学的体，科学专门有科学记事的体；西人亦分 familiar style, conversational style, style of scientific reports, oratorical style, etc。这都是要做的。但是这讲学说理的一种（essay style），应该格外注意。二则，白话为吾人平日所说的话，所以其性质，最易泛滥，最易说一大场无关着落似是而非的老婆话。我们须要戒用白话的人，不要胡思乱写，没有去取。虽是形式上，正如胡适君所说："宁可失之于俗，不要失之于文。"（记不清是一君说的不是）而意义上，决不容有此毛病也。

　　我实在不懂甚么，不过照我所觉得的，说给足下听听，足下想对不对？

林玉堂　一九一八年三月二日

　　惠书敬悉。我上次跋《汉字索引制说明》时，未曾看见大著，故对于字体的划一，略略说了几句。现承来书说明，乃知大著于此等地方早已计划得非常精密，很为佩服。承示大著出版之后，要见赐一部，现在预先道谢。西人文章之佳处，我们中国人当然要效法的。我们提倡新文学，自然不单是改文言为白话，便算了事。惟第一步，则非从改用白话做起不可。因为改用白话，才能把旧文学里的那些死腔套删除，才能把西人文章之佳处输到汉文里来。否则虽有别国良好之模范，其如与腐臭之旧文学不相容何？所以本志同人均以改白话为新文学之入手办法，高明以为何如？

钱玄同　一九一八年三月十三日

（第四卷第四号，一九一八年四月十五日）

致钱玄同先生论注音字母书(通信)

吴敬恒

　　吴稚晖先生这封信,于本年一月下旬登在上海《时报》中,只登了三次。玄同审其语气,似乎未曾完结,但迟至二月中旬,尚未见续登,以为下文的确没有了,因即抄下,转载本志第四卷第三号通信栏,并附答语。现在接到吴先生寄来全信,才知道登在《时报》上的只有十分之三,还有十分之七改登上海《中华新报》。玄同前此因为没有看见,以致转载未完。此信后半,精义尤多,实能发前人之所未发,因此再把全信录登于此,以供研究注音字母者之参考。

钱玄同

玄同先生执事:
　　读先生大著《论注音字母》篇(见《新青年》四卷一册),欣喜无量。此事若多经通人引论,其发达之速,必能别出意外。大著平允精核无伦,虽犹未卒读,于要点已见多所抉正。自三十年以来,外人之著作勿论外,国人之从事于此事者,有数十家,任择一家而用之,二五犹之一十,均可合用,当日王小航劳玉初两先生之所作,尤近适当。若早经政府社会合而欢迎,则今日普通教育,已久有利器矣。无如一事之创起,虽属毛细,必经千回百折,由于应当审慎者半，由于彼此未谋者亦半。此事言其简单，固简单已极，言其纷杂，而纷杂亦甚。在学问范围之内，旧则有古音学家、韵学家、词曲家等，新则有发音学家、外国语言学家、符号创制家、通俗教育家等。彼此不同研究遂亦不同见解。范围之外，普通一般人又有或"神奇"，或"怪诞"，或"肤浅"，或"僭妄"等之批评。所以民国二年，教部遂有开会讨论决于法律性质之手续，即得先生所论之三十九母，对以审定八千字之音，其实犹夫诸家之旧，特就其异同而整理之而已，惟取所较当，与诡其合理，皆当日会中同人之志也。然教部所以迟迟未发表，会中编理其结果之人迟迟未将全案清缮者，即正欲将会中所经历，如何而公决为较当，如何而群认为合理者，略报告于多数学者，并以语于普通之国人。其条理纷错，叙述较迟之故也。去年复经范静生先生长部时郑重催促，当去发表不远矣。今就大著半篇所及可以略说者，先承教于下方：

　　八千字之音，虽由三十九字母而审定，实则三十九字母，为此八千字音所产生（审定之字虽八千，而同切者可类推；准而用之，无不可取得其音也）。今即舍无字之音，仅言有音之字，合古今南北不同之字音，非此三十九字母所能概括而尽，故浊音无母，"喻"纽无母等，皆必然之数矣。字母之数，止对其全国统一及现行之字音而定，为凡用字母国之所同，虽注音与造字异其趣，而准于所需之音俾莫或阙赘，则一也。

　　八千字之音，何等之音耶？曰，所谓"官音"是也。虽不必有《北史》李冲其人，指帝言为正，然八千字中百分之九十九，又所谓"京音"者也。盖出于口而言者以为滑熟，入于耳而听者以为适当，有莫知其所以然，此即古今字音所以成变迁。故每一时期，必有一种特殊之音声，积渐而著，莫反其初，非人力所能制止而矫正之也。

汉魏之音，虽不同于殷周，而论者以为犹未若齐梁间变古之甚。齐梁方标其音韵之盛轨，迨陆法言综厥成，行至唐末，即受攻驳。宋元间，刘阴方以并韵为适时，而周德清辈之《中原音韵》，已借曲韵而崭露其头角，乐宋因以造《正韵》，虽增《中原音韵》之部十九为二十二（二十二部，谓若平上去之每类），文学界与之相持，似《正韵》于五百年间不显功能，实则潜势力之增长至于今。而注音之韵母止剩十有四（"儿"母特别，未数），"江""阳"固并，"麻""遮"固分，而又"支""齐"莫辨，"萧""爻"无别，"真""寒""删""先"并而为二，且吸"侵""覃""监"而入之矣。故古音虽经卫古之士时时争持于纸上，而节节失败于口中。今所谓咬字甚清，音正腔圆，作西皮二簧之"剧评"者，固不足道，其如实际正相承认之，何哉？且文人学士以纸上之清浊，作南北之杂腔。亦复无形中自惭其为"蓝青官话"，则又何哉？盖今日八千字之官音，即古今流变中一段之音将取用于现时，以为齐一全国之用，固应时之骄子。殷周莫可如何于汉魏，汉魏莫可如何于齐梁，齐梁宋元莫可如何于明清以来者也。

以上言"韵"耳，而"声"亦有然。孙叔然固未示其声系，同时李登虽有所作，今亦徒存《声类》之名词。残辑之稿，莫能审其类也。直至陆氏《切韵》，存其例法于《广韵》之中，经最近陈兰甫氏考定为四十类。至舍利造字母，谬并为三十；守温复增其六，乃为三十六母，沿用于《切韵指掌图》《七音略》《四声等子》《五音集韵》《切音指南》诸书，至于今而似犹确定。殊不知"门法"等方增繁于元世，而元吴澄等已辗转不慊于"知""彻""澄""娘"等之独立。自明以来，张位兰廷秀方以智等之二十母，复大慊心，贵当于时人。樊腾凤李汝珍之徒，且以把持于一般流俗之社会，势力伟大不可言（李母虽三十三,实则十九,正二十母之嫡系)。近代新化邹叔绩,通人也,犹拜倒于二十母下,张目甚力,可谓异矣。然何异哉？注音字母之结果,其声母名虽二十四,若以"ㄐㄑㄒㄓ"四母依常法复之,固刚刚二十耳。辗转必入其玄中,此莫可引避者也。

故若音之存于纸上者,高之而求先秦之音部,自郑庠六部以迄今日章太炎先生之二十三部。侈敛,阴阳,对转,极古音之奇观,精之而推等韵之母数,由舍利之三十母,而复至于今日劳玉初先生之五十八母,统"清浊"而辨"戛透轹捺",又尽声纽之能事。然此正皆为音学界谈说名理,研精古籍之所资,决非可以圆满之理论,造一美备新语,强群不熟于其耳之人而使容易出口者也。故先生大著引及当日会中之论述,以为于"平仄""清浊"等,颇望有所矫正,此实有之,恒亦其中之一人。然迄今详思而博考之,而知经典主要之声韵,尚莫能返古。则晚近美例,又何妨略多变除。劳玉初先生,即深致此忠告者也。

即如"知彻澄"与"照穿床",先生亦已允许合并,为此大牺牲矣。若详加讨论,不惟古音"知彻澄"合于"端透定",而"照穿床"包括"精清从",我国学子固斤斤分别；即日本采用吾文,"知彻澄"之字与"端透定"皆在"夕"行,"照穿床"之字与"精清从"尽列"サ"行不相混也。况以发音状态而言,北方能读"知彻澄",以"照穿床"合并之也；其读法,以舌尖略略返抵上腭,音之感觉在舌叶(叶,谓近舌尖之面),不在舌尖。感觉于舌尖,则为不规则之"端透定"矣。中部能读"照穿床"(遍于全中部,否则未深考),以"知彻澄"合并之也；其读法,以舌尖平抵龈后上腭之边脊,音亦感觉于舌叶。若感觉去舌尖稍近,则为不规则之"精从清"矣。以理想言,如混合中北两部而各存一系,岂非将于三十六母可无所缺？然而群不属意于此者，非以此一问题为较浑，而别有问题为较画，浑则可任其吞并，画则当出力保存欤？然浑画之间，正未易定其程量也。

"知""照"等音，南部闽广皆合并于注音字母"ㄐㄑ"诸母之中，论者称其即为"知""照"等之古音。"ㄐㄑ"诸母，不属于牙音之齐齿，另当独立，乃断然可决。昔日部中吾乡杨奂之先生曾言之矣。今以"ㄐㄑ"诸母之发音状态而言，当舌尖略着于下齿之背，以舌前（舌前者，谓舌面中部略前之处）抵上腭之深处，其出声与牙音各母音出舌根者固不同，即与北中两部读"知""照"等舌出于舌叶者亦不同。于古既"知彻澄"之与"端透定"，"照穿床"之与"精清从"，可相出入。"端"等音出舌尖，"精"等近舌尖，若微缩而成舌叶音，有是理矣，深入舌面腹部，不应有此理。以恒揣想之，南部读"支"如"几"，必如中部人读"支"之状态，舌忽下垂，而音之感觉则移诸舌前，成为"ㄐㄑㄒㄧ"一系之舌前独立音；北中两部人牙音之齐齿亦读于此系者，齐齿韵母"一"字之势力在舌前，其声母"ㄎ"字之势力在舌根；闽广人能加多舌根之势力，故齐齿字犹读在牙音本系；而北中两部人之发音，为舌前韵母之势力所胜。故遂变入"ㄐㄑ"诸母之系矣。惟《释名》云："天，显也，以舌腹言之。"若舌腹正如舌前之部分，则"显"同"ㄒ""ㄐ"，或果曾为"端""知"之古音矣。且西方对于"ㄐ""ㄑ"，本有以为以"ㄉㄊ"连结"ㄒ"音而成也。

"知彻澄"之与"照穿床"，其较浑者；而母之清浊，与声之阴阳，则较画。然"阴阳"也，"清浊"也，"长短"也，"高下"也，"广狭"也，"缓急"也，"轻重"也，"快慢"也，"小大"也，"尖圆"也，"钝锐"也，"强弱"也，诸如此类之词类，皆为谈音家所惯用。实则有时而若绝有界限，迨有时一生连带之关系，则又彼此融晕而相入。虽声为长短，母为清浊，如此之辨别，至今吾意犹然，且不得不然——因无此分别标定之名词，则将穷于言说而莫可形容。惟年来反复穷思，其不妨假借之观念日积增强，亦有足为先生告者。

（一）四声究以何者为标准乎？今不知出诸当日周彦伦沈休文等之口者何如。若取今日所可质论者而论之：除每地之四声，或则递高一等，或则递下一等，无有恰相符合者勿论外；又除变声之字，单读则副其标向，复读则其意为动为静，其位则为上为下，皆可变倒其声格，亦勿置论外（他如闽广等有七声八声，大都合清浊而累数之，尚未发见其有价值之研究。近日伦敦大学讲师英人阿猛斐尔氏著一《普通发音学》，据粤东吴君之说以"分""粉""困""焚""奋""份"为六声之分别，谓系大发明，即此类也），即四声自身之长短，向有两派。甲为考古派。《音论》以平为最长，上次之，去次之，入又次之。古音去入相变，秦陇则去声可为入；梁益则平声可似去，皆其明证。其读去声，皆主不甚着力。解"去"字之意，大约即谓其声将去而不留。今日南北主此读法之地甚多，而北方更溥。乙为通俗派。则以去为最长，平次之，上次之，入又次之。神珙所引《元和韵谱》，谓"平声哀而安，上声厉而举，去声清而远，入声直而促"；《玉钥匙歌诀》谓"平声平道莫低昂，上声高呼猛烈强，去声分明哀远道，入声短促急收藏"，皆此派之所本。其读去声当清，则与不着力为相反，曰"远"，曰"哀远道"，则延长可知。是彼解说"去"字，盖谓送其声而远去。吾郡即如此读法也。

（二）入声果当于四声之分配乎？今日读入声而最明晰者，为长江流域之中部。然其收声，概含西方 H 母，故西人译我入声，即一概殿以 H 母为讫事。此非齐梁以来之故物，则不可译。盖东邻之音，传自六朝唐宋，无论"吴音""汉音"，其入声例有语尾，如"屋沃烛觉药铎陌麦昔锡职德"之字则用K，"质术栉物迄月没曷末黠辖屑薛"之字则用T，"缉合盍叶帖洽狎业乏"之字则用P；返而证之于《音韵阐微》序例等之所论，今日粤人等口中之所说，正复相同。然则"屋""质""缉"等之用K、T、P收其声，与"东""真""侵"之以NG、N、M收其声又何以异？且"东""真""侵"等所含之音母，与"屋""质""缉"等所含之音母，在西方十八九统以为"短音"，又相同也。然则胡为"东""真""侵"等之鼻音有平、上、去三声可分，而"屋""质""缉"等独无之乎(试就入声一字，而以平、上、去读之，似无人不能造其区别也)？故若谓周德清辈以入声分隶于平、上、去为不合古音，似矣。而谓入声自亦可有其平、上、去，必非无一论之价值，盖以"东""真""侵"等为一团，"屋""质""缉"等为一团。

复以"东""真""侵""屋""质""缉"等所自出之，"支脂之微鱼虞模齐佳灰皆咍萧，肴宵豪歌戈麻尤侯幽"为本团。

三团皆有其平、上、去，非较周、沈等之分别为善乎？近世北方即有如是之倾向，惜"支脂"等皆西方所谓"长音"，而北人读"屋""质""缉"等同之，终为美中不足耳。(然平、上、去之分别，恒亦非敢认为"天经地义"。如按音理而细分，恐决不止于三阶；若仅适于声歌词章，似长言短言而已足，即所谓"平仄"是也。前有浮声，后有切响，齐梁发明四声诸字，其功用亦止于此。惟宋元词曲家有云："上去不可无辨。"其然，岂其然乎？)

（三）北方之"阴、阳平"果何自来乎？大概言之，"群定澄并从床"等六声母，平则通于"溪、透"等而为其阳声，仄则通于"见端"等而同为阴声(虽江慎修等有异论，而事实则然也；至"疑"等十二母，别论于后)。故分配母之清浊自来不一其见解，有以"见群"为配者，有以"溪群"为配者；近时劳玉初先生则坚主"见群"为配，而谓"溪"亦自有其浊音，特中国缺之耳。恒略考之，两配皆在，未尝有缺。玄应所引《大般涅槃经》"比声"二十五字中，可具此证。当时钱竹汀、陈兰甫诸先生意不属此，故未注音。不然，"阴、阳平"之为物，早略有着落矣。今取其舌根声五字，复以英人梵文注音并列之，自灼然可见：

迦　呿　伽　啹　俄
K　KH　G　GH　NG
见　溪　群　奇　疑

姑取"奇"字以为配"溪"之阳平，则"见群"一对，"溪奇"一对，合南北而分配之，自无所缺也。西方发音家呼"见溪"为"气子"，"群奇"为"声子"。"见群"为狭类气子、声子之一对，斯惠脱氏谓法兰西之子音皆狭类是也，如 K 读"格"，正即"见"母。"溪奇"为广类气子之一对，斯氏又谓英国之子音皆广类是也，如 K 读"克"，正即"溪"母。所谓狭类者，发音紧；广类者，发音舒耳。如英、法等，或广或狭，皆止有其一类；而我国之于"气子"，南北皆兼有广狭，斯为异征。惟于"声子"，北方仍有广而无狭，南方亦有狭而无广。

（四）阳平之广狭果归一律乎？十八浊母之性质，以发音状态而审测之，固彼此各异其趣，"群定澄并从床"者"断子"，"奉微邪禅喻匣"者"续子"，"疑泥娘明来日"者"流子"也。惟"断子"之阳声，南狭而北广；至"续子"六阳声，似南北皆广；因"非敷心审晓"之音，其价值等"溪"（"影"则杂有母音，其子音擦颤之状态难于吐发，参详下文《"影"母之子音》条）。如是则"奉微邪禅喻匣"等之音，价自然亦等于"奇"；此因此类"续子"，每由擦颤而成，音气啴涣，不易狭读之故也。其"流子"六阳声，似南北皆狭；此六母者，自周德清以至樊腾凤，皆有阳而无阴，与南方之有浊无清为相应，仅执阳声浊音以相求，殊不易定其广狭。惟自李汝珍辈定为阴阳兼有，王润山先生之《国音检字》因之，由所谓阳平若"声欧尼浓摩蛮隆来戎茸"等求之，其音价自等于"见端"。阴而清者如此，则其阳而浊者若"挨昂倪农糜曼龙雷"等，亦将等价于"群定"，此因"流子"有半母之性质，易广亦易狭也。（惟"流子"六母，在南固纯粹似狭，若北方则不能断其甚纯，因北方于狭浊，本有倾向于广浊之势，且"流子"之狭量，决不能比"断子"，故以"疑泥"较"群定"，即南人口中，狭量亦自有差别，所以等韵家亦以"群定"为全浊，"疑泥"为次浊。如是，或北方于此六母，大半为狭，少半为广欤？惟其阴平，似南北皆绝无广音；倘北方果于阳平杂有广狭，而广无所配，亦一特例也。）

仅举上陈四端而审量，似周、沈在齐梁时之定四声，亦止为一种之分配，而条理其当日之现状，非不有不可动摇之界画，足以范围古今，使尺寸不可逾越也。故以"阴、阳平"与"上、去、入"为"五声"之阶系，是杂衡系于纵系，自多可议。但既浊音仅异其广狭，而实际存在，而"上、去、入"之名称，依然无恙，则五声者见其为五声，四声者见其为四声，能各满所愿以去，"阴、阳平"即"阴、阳平"可矣（且南方于"奉微邪禅喻匣"诸母，亦有阳平也）。

况吾人所以今日犹必致谨于"四声""五声"者，于单文只义之字，视此每略减其郑重。惟质有精粗谓之"好上恶入"，心有爱憎辨为"好恶皆去"，当体则云"名誉去"，论情则曰"毁誉平"，南北学者皆计较之必审。是四声五声，功用如一。即或因四五之异同，而致称别之混淆，又将为说经家所容许，因此等无谓之区分，古无其事，不过萌芽于汉代，渐盛于葛洪、徐邈以来耳。

昔人不明"支脂"等为 A、E、I、O、U 之一团,"东""真""侵"等为尾音当加 NG、N、M 之一团,"屋""质""缉"等为尾音当加 K、T、P 之一团,援入声于四声,叙述宜其周章,考诸经传而入声独立,不与三声相混,有清诸儒以为足当一声之据。殊不知彼之不相混,乃与"东""真""侵"等之不相混于"支脂"诸韵同一理由。"支脂"诸韵,因发音宽广,而字数较多,有其平、上、去。"东""真""侵"等之音尾为"流子",有半母性质,而发音尚舒,其字数亦多,亦有平、上、去。惟"屋""质""缉"等之音尾为"断子",发音迫促,字数既少,平、上、去亦不易分别,遂若与"支脂""东真侵"等异其趣,为"团"者降为"声"矣;亦与"阳平"之本为"音类"者变为"声类",沈休文固与周挺斋同一不求甚解也。(入声或细按经传,自其不相混用者而分别之,可得"平屋""上屋""去屋",亦未可定;惟"支脂""东真侵"等,经传尚平、上、去多其混用,则"屋质缉"等止有少数之字,其混用愈可知;然则欲得古人入声之平、上、去,殊不为易事,且古人似亦本无平、上、去也。)顾亭林氏首先质疑,有"入为闰声"之说,其杌陧于其分配乎四声,情态如见;复于四声相配之法,亦不以《广韵》等诸韵书为然。恒则以为陆氏等韵书之配法,与顾氏等古音之配法,两各有当:陆氏等则以含有音尾者与含有音尾者相配,且分配适均,惜其见解能达此点,竟未悟入声之为一团,是时世为之。顾氏等则以配于彼此有语尾者,后以配于所含之音。双配之法,尤合三团一贯之理,在学理为较陆氏等为进步,惜既仍未悟入声为一团,其分配亦不完整(就中似以江慎修为最当,然与宋元等韵家之双配法大同小异,未甚改良也)。

　　段玉裁谓古无去声;江晋三则谓古音有去无入,平轻去重,平引成上,去促成入(江氏所知之四声长短法,似即吾郡之通俗法,用以谕古,不免扞格)。上入之字,少于平去,职是故耳。北人语言,入皆成去,至今犹旧。按二说似异而实同:段则入转去,江则去转入耳。段所据者,经传多去入相变之字,最为其所注意。惟入之变去,乃"屋质缉"等失其音尾,变入"支脂"等耳,与"雱"之并韵于"东""侯""寅"之两谐于"真""支",为"东真侵"等失其音尾,转入于"支脂"等,正相同也。故去、入转变之说,不足为去、入惟一之关系。入之变去者固多,其变而为平、上者,亦未为少,如"祝"可为"州","蒲"可为"亳",殆难悉数也。至江氏并以北人语言入皆为去援为去促成入之证,则疏谬殊甚。北人入声之转变,略以《中原音韵》迄于《李氏音鉴》诸书所载者考之,大约等韵正清之字变为上声,次清正浊之字变为阴、阳平,次浊诸母之字方变为去声,何尝入皆成去乎?惟段江之是非,不在今日讨论范围之内,姑可从略。恒所以引其说者,彼等认许四声可增减,如陈季立所谓"上、去仅轻重之间"云云,其意皆有足取者。恒辗转以思,约有如下之概念,然仅附论于同志之通信,聊当剧谈耳,决非敢提议有所改作也。吾意入声则自为一团,与"支脂""东真侵"等并立为三团。于古、于今之北方,其实皆止有"长短言":"长",即谓"平";"短",即谓"仄"。求入声平、仄之法,即以经传中入之韵于平、上、去者推类求之,可也,或如今日注音字母,实际已失去音尾,转入"支脂"等,即照《中原音韵》等之法,分隶于平、上、去而求之,亦可也。今惟就"支脂""东真侵"两团而论其平、仄,则周颙、沈约等当日之分上、去无异。即周德清等之分阴、阳平,何也?周、沈"上"其名,实即古之"阴阳","去"其名,实即"阳仄"而已。试为表于下以明之:

平见—阴平—狭	上见—阴仄—狭
平溪—阴平—广	上溪—阴仄—广
	上群 ╲
平群—○○—狭	去见—阳仄—狭
	去群 ╱
平奇—阴平—广	去溪—阳仄—广

说明上表者,即刘士明等谓"北方读浊上似去",是其重证也。虽江慎修等争之,此与钱竹汀言"'影'母之字引而长之则为'喻'母",陈兰甫亦力辩其非。而西方发音家则言Ⅰ母引读太长,起舌腭间之擦颤,则成 J 子,是"影"母引长,确可成为"喻"母。先儒不以发音状态为要,故多拘执。浊上挟其峻促之势,若以广声子之法读之,固不成散短,不能不变而为去。即以狭声子之法读之,亦必弛而莫保其上声之音价。今于实际,固以狭声、子声法读之者也,无如其已似于去。就是以推,考古派与今日北方之去声,皆主弛短,则清去浊去,虽勉强与外来之浊上同以狭气子、狭声子之法读之。弛且短,声带即不能无颤,适皆成为狭声子矣。上声次清,因峻促而保有其广气子之音价;若去声次清,吐发尤弛,遂以广气子之资格适成为广声子矣。细审其转变之结果:上声适成为广、狭两气子,去声适成为广、狭两声子;上声为阴仄,去声为阳仄者也。而尤可援以证明者,即北方入声正清变为上声,其次浊变为去声,清浊对待,正是阴、阳仄而何上、去之有?故五声之法,非特阴、阳平为音系而不为声系,即上、去两声亦为音系而不为声系也。若辄以吾郡通俗派之四声长短法律之,鲜有不极诧者。然追迹于先秦"长、短言"之时代,又正有可讨论者焉。

又:先生郑重于三十六母之存废,谓"影"非声母,"喻"不可缺,其论固精核矣。惟三十六母自身之分类,实有其不尽当者,先生之所发见,则为"ㄐㄑㄒㄑ"当独立于三十六母之外,复以发音状态纠之,似"心邪""审禅"与"精清从""照穿床"同列,"非敷奉微"与"帮滂并明"相配,均不合法。当日会议之时,惟汪怡安先生颇持精要,而劳玉初先生向日之著作,亦多所变改,惟喉、鼻、舌、齿、唇之音类仍依旧法,则迁就"戛透轹捺"太过,分法遂失其自由。今姑以自然者分类之表于后,自见其得失也:

声门音……续子一对:晓、匣(黑等)

舌根音……断子两对:见、群、溪〇(格克等) 流子一对:〇、疑(兀等)

舌根兼唇音……续子两对:影、喻,晓、匣(乌呼等)

舌前音……续子一对:影、喻(伊等)

舌前兼唇音……续子一对:影、喻(迂等)

舌腹音……断子两对:见群溪〇(几溪等) 续子一对:晓匣(希等) 流子一对:〇疑(睨等)

深舌叶音(甲) 断子两对:知澄彻〇 流子一对:〇娘

深舌叶音(乙) 断子两对:照床穿〇 续子一对:审禅

浅舌叶音……断子两对:精从清〇 续子一对:心邪

舌尖音……断子两对:端定透〇 流子一对:〇泥

伸舌之边音……流子一对:〇来

翘舌之边音……流子一对:〇日

唇齿音……续子一对:非奉

唇音……断子两对:帮并滂〇 续子一对:敷微 流子一对:〇明

所谓舌腹音者,当稍前于舌前一几微。然舌前"伊"之浊音,与舌腹"希"之浊音,即甚不易分,惟能心知其意而已。"舌腹"之名,即因《释名》"显为舌腹"言之,借以名焉。

发音家论轻唇字，在英文为唇齿，在日文为唇，今似中国之"非敷奉微"，当分属两类。"非""敷"两气子究应谁属，则不可说。李安溪以"非奉""敷微"为配，敷樊、腾凤则作"敷奉""非微"。姑从李氏以见意耳，"非敷"之字已相混淆，不可理而当也。惟"奉"则必属于唇齿，"微"必属唇。两声子之关系有可言者，北方"微"皆归"喻"，即为同是唇音而互变。日人读其"ヌ"母，有时若我国南方"无"，亦此关系之所致。（若谓古音"并奉""明微"相对转，此乃轻重唇转变之关系："奉"以唇齿与"并"相交涉，而"微"以同在唇者与"明"就近相交涉，皆无害其为各分音系也。）"非敷奉微"为续子，中国续子皆非若断子之兼有广、狭，则"非"母万无必以与"帮"母相当之理也。胡仰曾先生为我国知音巨子，其注"微"母等西音，皆极精当，先生故皆依之。

发音家之论子母，如"乌"字发音在舌根，而唇虽近于密合，不起擦颤者，母音也；唇上起有擦颤之感觉，则子音矣。其论"伊""迂"亦同："伊"之擦颤起于腭，而"迂"亦在唇。故"影"母不当列母音，为正当之论断。且吾人不能读"乌""伊""迂"为次清之音，以配"喻"之广子，仅假借母音读若狭子，尤与"非奉""敷微""心邪""审禅""晓匣"等之同宗系者相乖迕。"影"之一母位，殊与余之三十五者不相当，惟在其位上，当有一子音，则又事实之所不可缺，不得已借母音当之，乃图适于施用，无可于何而已。而"喻"母既为"影"母之浊声，当然与其他浊母同为阳平之牺牲物矣。

实际字母之数当存在者，就上表断子十有四对、续子十对、流子七对而言，即对于北方广浊不为之地，去其空圈，亦应有独立之母四有十八；而旧日之三十六母，固为不甚完好之分类也。如此则迁就保存之意，又无妨稍冷淡也。

终之，音声之学，亦与诸科学相类，积今日之人智而日昌，故即吾国"古音""韵学""等韵"诸学，亦必有推求日密之观，将来著作之富，应千百倍于向有之卷数。惟学问则必有论争不定之音，而国语则期其及今可行，疏密之异势，盖有无可如何者也。

故如代表音母之笔画，尤为微末。不加深察者，往往看作郑重。前年闻国会中曾有山东某先生欲专为笔画之讨论，列作议案。其实除采用西母，或另采简易速记术等之字，甚难分别，不适于通俗教育者外，如其止仿日本"假名"之体式，采用汉字偏旁，终与今之采用最少笔画之字毫无异同，徒失却附带而得之历史的价值也。试取各家偏旁之字母详细比较之，自可见矣。故先生亦于"答第一问"中深切言之，谓"借用古字，实比新造符号为好"。恒之意，且以为但以所定之简易古字便于浅学记认者作为基本，行之已久，其笔势欲趋于简单，自可由美术上之工巧成之。如日本之"平假名"，如彼其累赘，尚能书以狂草，使飞速有致，则何有于所定注音字母之本较简约乎？至于行之域外，可仿日本之法，拼用罗马字母对照为之，诚如先生所书"应读兼用"者也。但恒视世界之趋势，罗马字母亦将与我国《说文》等早晚必为博物院之陈列品。盖一个符号止代一个之音，为今日发音学家之定论；限于二十六母，一字必将如先生所虑"或需七母"，此岂新世界应得存在之物乎？今日改良之音符，普通者已有两种：一为万国发音会之所定，沿罗马字母而修改之者也，用此音母注读各国文字之势日盛一日，将来第一步之改良字母必或以此为代用。当时世界语因迁就时好，所用字母，尚多可议，异日亦必迫而修改。一则为发音学祖师佩尔氏之音字，依发音状态而成，在实际尤为美善；惜以习惯上之关系，佩母终将止用于专门学术中，不易即成为代用罗马字母之一物也。但罗马字母决不为惟一之通用品，则或承认此说者已多。然则我国注音，且取我国固有之简易字而用之，恒亦与先生同意也。欲就商榷者不尽百一，惟愿先生常常教之！

这封信才录完，又得吴先生信，对于本卷第二四五、二四六两页的拙著又有见教。现在把这信节录于后。又：玄同对于吴先生的信，还有要请教的地方。等回信写成，尚拟附录于本志之通信栏中。

钱玄同

（一）我邑于"支微齐佳灰"之北方 EI、AI 两音，皆读长 A，并无 I 之余韵。而北方"车""遮"之母，代表以"ㄝ"，似确系英国 E 之短音，寻常字典作 E 者也。时汪怡安先生论为"后中母"，弟现在略审其音，似为前母。古无"ㄚ"音，姑从众说。然虽无"ㄚ"音，必有 AI（即"ㄞ"音）。如是，"麻"之一韵读"ㄚ"者，AI 失去 I 字；读"ㄝ"者，EI 失去 I 字；或未可定。或者"车""遮"等字，先由 EI 而混入 AI，再由 AI 失 I 而成"ㄚ"；北方俗音则残存最初 EI 之音而渐亦失其 I 者耳。惜弟未能详考"车""遮"等字先秦古音，与今日读"ㄟ"等字有何关联痕迹可求。先生博达经典，盍暇时一迹之？

（二）注音字母之"儿"字，最为枝赘，不惟无韵母价值为可议也，且当时何不即以"ㄌ"字当之，读为"几"音，与"日"相类，甚佳；何必反与"ㄍ""ㄎ"等为类，读之为"ㄌㄛ"，而反赘一"儿"乎？……现在"儿"在字典，仅供注出"而、耳、二"等字耳。"而、耳、二"等字既非有韵母之价值，何必立一韵母以注之？如谓声母不能独立，而"ㄓ"固独注"知""支"等字，此真十分糊涂。弟已想不出当时之理由，大约即因北方品物，多殿以"儿"，北人欲一独立之母以适之，然"ㄌ"如读"儿"，又何尝不适？真可怪之。至……惟"儿"之与韵母离本题而闲谈，古人实曾有行之者，即钱竹汀所引《一切经音义》之天竺字母，"理""厘"为韵，实与"逻""罗"之"超声"为声者不同，钱氏概称为"来"母，则不合也。《大般涅槃经》止载"理""厘"二母，其实有四：盖天竺韵母，或载十二韵（不数"理""厘"），或载十四（即合"理""厘"言之），或载十六（即"理""厘"外尚有"理̣""厘̣"），即 L 一长一短，R 一长一短也，英文注释，用加圈之"L̥""R̥"为之。惟此韵母，天竺字法亦不切字，但用于古书。故"理""厘"者，印度人实认为韵母，西洋人亦从而韵母之者也。因"流子"如 NG、N、M、L、R 等，介乎"韵"与"声"之间，性质本有怪殊。弟则主张"ㄓㄔㄗㄙ儿"等之韵母，似非"一"母，必与舌叶相关，或颤擦为 L、R，不颤擦者即此物。但舌前以外尚有韵母，非西人所论，此又实为我东方之特性，或必俟我东方考定之！然弟于音理智识太浅，无野心探索，先生盍祛此疑。

（第四卷第五号，一九一八年五月十五日）

革新文学及改良文字(通信)

朱我农　胡适　钱玄同

适之我兄先生：

　　舍弟经农来信，屡屡提及先生，故怀想已经很久。日来又在友人傅彦长君处看见今年出版的《新青年》两三册，虽从前的《新青年》未曾看见——先生的《文学改良刍议》也没有看见，可惜！——但我对于诸君主张的文字改良已极表同情。……现在我要对于改良文字这问题及《新青年》所载各件，说几句话：

　　（一）先生等主张暂时将文言改为白话，为改良文学的入手办法，此一着我极赞成。但是，笔写的白话，同口说的白话断断不能全然相同的。口说时有声调状态帮助表明人的意思，笔写时就没有此等辅助品了。所以用笔写那口说的白话时，即使加进许多表意思的东西，也未必能把口说时的意思完全表出来。反言之，则笔写时的白话大概必须比口说的详而周到。但是，此等详而周到，是指用字用符号说，并非说的意思详而周到。譬如"你不要瞎说"一句话，在口说时或作笑容、或作怒态、或作和声、或作激调，语意随声调状态级级不同。倘写在纸上，就加上什么"拍案怒道""低声道""微笑道"许多符号，也是不能形容尽致的。所以先生等名为文言改为白话的白话——就是我称为"笔写的白话"的——其实依旧是文言，不过不是那种王敬轩先生所崇拜的文言罢了。既是文言，那就要有文法了，因为文法是学习将白话写出来时（的）必要之物。——这不必我多说。中国学习文字的旧法，向来是用"熟读唐诗三百首，不会吟诗也会吟"的方法，所以从前的教书先生每每知其然而不知其所以然，只会说留学生所做的文不通，然而说不出为什么不通。此间有一个学堂的汉文教习，看见一个学生文内有"三而思之"一句，他就说不通，学生问他为什么不通，他睁着眼睛说了半天，东拉西扯，依旧一点道理也说不出来，弄到后来，只得发急道，"从古以来没有这种句子，所以不通"，那个学生仍旧莫名其妙。中国向来无文法书，也难怪这位教习说不出来。所以我以为欲建设新文学，文法是不可少的。《马氏文通》和章行严《中学文典》等书不敷用，他们对于 Tense、Mood 等等全未十分注意。先生等既欲改良文学，则文字的教授也必须注意。文法一书切不可少，不知已有著述否？我对于这问题曾注意研究，已经收集了许多材料，做了若干的说明，——与马氏、章氏的著作大不相同：彼等以古文为标准，我则以白话为标准，——但尚未完了。先生等如以为此书对于改良文学是有益的，写封信来，我就可以把这稿本奉送。

（二）用罗马字拼音法，我甚赞成。现在厦门、汕头、台湾等处中国人能看教会中所发行的 Romanized Chinese（罗马字拼成的中国语）的人，比能看中文的人多。这就是极好的成绩。十三四年前，我极不赞成此事，以为单音的中文断不能变为拼音。千九百九年，我与厦门雷文铨君同居苏格兰之爱丁堡，看见他的家信凡从厦门来的，都是一种非希腊、非拉丁、非英、非德的文字，我一点都看不懂。雷君告我说这是厦门白话用罗马字拼出来的，并说这种拼音文字的如何便利、如何易学。当时，我腹笑之。后来我又认识一个英国医生高似兰（Dr. P. B. Consland）君，此君因在汕头多年，既懂中文又能说汕头话，他也极力说 Romanized Chinese 的好处，且说"中国人欲科学进步，非改用拼音文字不可"。当时我虽未然其说，但自己一想，从前中国人费了十数年的苦功，单单学一点本国文字，尚不能弄通，并且有"老死书乡一窍不通"的人，可见中文之难。当此科学时代，哪有许多工夫去学这样难的东西呢？从此，就渐渐地把从前的顽固思想改变了。去年有一个英国医生名 Tavlor 的到横滨来印刷一部《内外科看护学》，这书全是用 Romanized Chinese 做成的。据他说，台湾人能看此种文字的甚多。他在台湾所设的医院及学堂，全然用此种文字。他又将书中文句念给我听，我虽不大懂得厦门话，——台湾人说的是厦门话，然而其中能听得懂之处甚多。此一年来，我很研究此事，近来愈觉得此种文字之便利，所以我赞成用罗马字拼音。至于各省语音不同，可以不必虑及。若有标准的拼法，其读法发行（适按：此句似有错字），不但不至有碍，且可以借此统一中国的语音。兹持寄上用罗马字拼音法的报纸，以供先生等审查。

（三）《新青年》何以不用横行？用横行既可免墨水污袖，又可以安放句读符号。我所见的三四本《新青年》，每一页中句读符号错误的地方至少也有二三处。这就是直行不便用句读符号的证据。

我要说的话多得很，但是傅彦长君今晚九时就要动身，我要托他带这信与先生，所以没有时候再写，也没有时候将这信誊清，实在是无法，只好一切请傅君口述。

朱我农上

革新文学及改良文字（通信）

梅荪吾兄先生：

　　令弟经农前不多时寄有一封长信，讨论改良文学和用字母拼中国话的问题，我已拿来登在本期《新青年》上，并附有答书。前几天我在教育部会场演说"新文学"，下台之后，有一位有胡子的少年来和我拉手，我看他好生面善，但是一时叫不出名字来。他递给我一张名片，我方才知道他是我十年不相见的傅彦长君，心里已极高兴。他又摸出一封长信，我站着看了信后的名字，见是我们中国公学的旧人，又是我的好朋友朱经农的哥哥——朱梅荪。那时，即使你这封信是王敬轩先生一类的大文，也是很欢迎的！何况这样一封 thrice welcome 的信呢！我对于这信很少要辩论的话，故仅能简单答复于下。

　　（一）来书说"欲建设新文学，文法是不可少的"，这话我极赞成。我的《改良文学刍议》中主张的八事，其中有一条就是"不做不合文法的文字"。最可怪的是今日中国部定的学校课程，从国民学校到大学毕业，从七岁到二十四岁，整整的十八年中，只有中学校第三、四年有一点钟的"文法要略"！这种骇人听闻的怪事，要不是我亲自看过教育法令，我决不信的！现在大学里有几位教授正在预备编一部国语文法，先生所编的稿子，若能借给我们做参考的材料，我们是感激得很的。（赐书请寄北京南池子缎库后胡同八号，胡适）

　　（二）来书论罗马字拼音的可行，读了使我们增添许多乐观。我对于这个意见，已在答令弟经农书中说了。我四五年前也是很反对这种议论的，近二三年来，觉得中国古文虽不能拼音，但是中国的白话一定是可用字母拼出的。现在北京的注音字母传习所已能用注音字母出报，各处教会所发行的"罗马字的中国话"更不用说了。我对于这个问题略有一点意见,现在正在收集材料,仔细研究,将来很想做一篇文字讨论拼音文字的进行细则。先生所寄拼音文字的报,现在还没有寄到,很望早日寄下,使我见识见识。

（三）《新青年》用横行,从前钱玄同先生也提议过。现今所以不曾实行者,因为这个究竟还是一个小节的问题。即如先生所说直行的两种不便:第一"可免墨水污袖",自是小节;第二"可以安放句读符号",固是重要,但直行也并不是绝对的不便用符号。先生所见《新青年》里的符号错误,乃排印的人没有句读知识之故。《科学》杂志是用横行的,也有无数符号的错误。我个人的意思,以为我们似乎应该练习直行文字的句读符号,以便句读直行的旧书,除了科学书与西洋历史、地理等书不能不用横行,其余的中文书报尽可用直行。先生以为何如?

先生还有许多要说的话,千万不要忘了,我们很盼望你肯陆续通信见教。

胡适

我个人的意见,以为中国文字不足以记载新事新理。欲使中国人知识长进,头脑清楚,非将汉字根本打消不可(近日与朋友数人编小学教科书,更觉中国文字之庞杂汗漫,断难适用)。但文字易废,语言不易废。汉语一日未废,即一日不可无表汉语之记号。此记号,自然以采用罗马字拼音为最便于写识。我一年前也有此种主张,后来因为想到各方面困难之点甚多(如单音之词太多、一义有数字、声音之平上去入等),恐一改拼音文字,反致意义混淆,于是改变初衷,主张仍用汉文,而限制字数,旁注"注音字母"。惟以汉字之一字一形,形体组合,千奇百怪,这样的文字,实在难于辨认。今见朱先生之信,证明罗马字拼中国音之可行,并知已有以此种文字撰为医书的,于是使我一年前的主张渐渐有复活之像。朱先生所说罗马字拼音的报纸,我尚未看见。如其确有良好的方法,我也要来跟着提倡。中国今后果能一面采用一种外国文,作为第二国语,以求学问,一面将中国语改用拼音,以适于普通说话、粗浅记载之用,则教育上可谓得到很好的一种工具了。

中国字改用横行书写之说,我以为朱先生所举的两个理由,甚为重要。还有一层,即今后之书籍,必有百分之九十九须嵌入西洋文字。科学及西洋文学书籍,自不待言,即讲中国学问,亦免不了要用西洋的方法。既用西洋的方法,自然要嵌入西洋的名词文句,如适之先生新近在北京大学中编纂之《中国哲学史大纲》内中嵌入的西洋字就颇不少。若汉文用直行,则遇到此等地方,写者看者均须将书本横搬直搬,多少麻烦,多少不便啊!至于适之先生所谓"应该练习直行文字的句读符号,以便句读直行的旧书",这一层,我觉得与改不改横行是没有关系的。适之先生所说的"句读旧书",不知是重刻旧书要加句读的呢?还是自己看没有句读的旧书时,用笔去句读它呢?若是重刻旧书,则旧书既可加句读,何以不可改横行?如其自己看旧书时要去句读他,此实为个人之事,以此为不改横行的理由,似乎不甚充足。同人中如适之、半农两先生,如玄同都能用新式句读符号句读古书,却并没有怎样的练习过。总而言之,会不会用"句读符号",全在懂不懂文中的句读。如其懂得,横行直行都会用;如其不懂,横行直行都不会用。这句话未知适之先生以为然否?

惟《新青年》尚未改用横行的缘故,实因同人意见对于这个问题尚未能一致。将来或者有一日改用,亦未可知。朱先生之提议,在玄同个人,则绝对赞成此说也。

玄同附言

(第五卷第二号,一九一八年八月十五日)

论 Esperanto（一）（通信）

区声白　陶履恭　钱玄同　陈独秀

孟和先生：

　　阅《新青年》第四卷第四号通信栏内，先生对于世界语问题，有所争辩，而谓："世界语功用，在今日文明诸邦已过讨论之时代。"此说未必尽然。鄙人前二年发行一世界语杂志 *Internacia Popolo*，因此交换得许多各国之世界语杂志。其纪事栏内，无时不有学校加入世界语之记载。前年秋间，广东高等师范学校言语学教授陈宗南先生方从美洲回国，斯时鄙人正在粤省提倡，陈先生特约同研究。弟询其美洲之世界语情形如何，彼亦云各大学校多有设班自由讲习。可见先生谓"已过讨论时代"之不确。

　　先生又谓："英人提倡世界语者推 W. T. Stead 君。"不知英国世界语团体林立，就英国世界语杂志 *The British Esperantist* 封面所登出者，已有七十余处之多。世界语之输入英国在一九〇四年，迄今不过十余载，且英人最重保守，亦竟得如是之结果，可为各国人士欢迎世界语之铁证。先生又因 W. T. Stead 君提倡世界语而称之为"好奇之老古董"。此名词太不确切。盖世界语为一种之新学问，非具有新思想之新青年，必不赞成。此名词还当赠予反对新学问之顽固派。

先生又谓："现在不学英文而必欲读莎士比亚之译本，不知其意何居？"此因英文文法艰深，非研究数年，未可为功。惟世界语一年程度，便可了然。与其费数年之光阴以研究一种之言语，何如以之研究其他学问耶？与孙先生讨论，不过费一刻之光阴，先生犹以为可惜，岂数年之光阴反可不宝贵耶？

先生又谓："敢问现代欧美诸大文豪、大诗家、大剧作家，亦皆有世界语之译本否？"此说亦可不辩，请向莫斯科世界语书店（Moskva Librejo "Esperanto"）索图书目录一阅，便知所有文学译本，大都是俄国托尔斯泰（Tolstoy）及英国莎士比亚（Shake speare）之原著。俄国更有一书店，专以世界语编译托氏著作者，先生又未之闻耶？

先生又谓："今日研究学问，至少必通两国文字，多则英、法、德、意、俄、日……"不知世界语诸语根，多与欧洲各国文字相同，若先懂世界语，然后再习他种外国语，尤为事半功倍。因其读音及文法均合于逻辑，所以便于记忆也。

先生又谓："近来外国语教授法进步，学外国语并无烦难。"先生既有此良好之秘诀，何不以之宣示大众，俾外国语教师有所适从？鄙人亦甚欲利用之以教授世界语，以速斯语之进行。先生高明，还望指教一二！

先生又谓："未曾学过外国语者，不能示以外国语中之新天地。"胡适之先生说："若不能做白话文字，便不配反对白话文学。"以先生及胡先生之言推之，世界语之门外汉，同亦不能示以世界语中之新天地；自己不懂世界语，便不配反对世界语。

先生又谓："世界语之功用，焉能仅据世界语代表大会之言以为定？卖药者未有不夸赞其药之灵验者。"此譬喻未免不当。卖药者岂真谓其药果灵验耶？其目的不过在金钱此，其言之不足信，自是当然。至于吾人提倡世界语，纯然为良心上之主张，见其结构之完善，主义之光明，故虽牺牲金钱与时日，亦所勿恤。斯语果无通行之价值，五洲万国之愚人，岂有若是之多耶？

先生又谓："吾之位置，是绝对的不信世界语可以通用。……谓余不信，请再俟五十年后，视世界语之运命果为何如。"世界语公布于一八八七年，迄今不过三十二年。在一八八七年以前，赞成世界语者仅原始家柴门哈甫博士（Dr. Zamenhof）一人，而今日，则各国之通都大邑、穷乡僻壤，无不有通晓世界语者。——请阅《寰球世界语会年鉴》之代理员地址录，便知其详。——若再过五十年后，世界语必大大通行，可断言也。倘若人人皆如先生，不但五十年，即再过五百年、五千年、五万年，世界语亦必无通行之一日，惟此可无虑。因赞成世界语者众，而反对世界语者寡。就今日而论，先生一人反对，而驳难者竟纷至沓来，此可为吾语前途预贺者也。总之，世界语之在各国，业已通行于各界，而先生之不知，只因中国一隅未甚通行，便谓世界语为无用。此吾人不能不为先生惜也。

区声白

鄙人对于世界语问题怀疑之实，要有两端：一、今日吾国人为研究学术起见，不能以世界语代现代之活言语；二、国际主义之进行，须有待于繁复之要素，不能遽以世界语为其关键。比以热心提倡世界语之徒，大张厥词，广告万端，蛊惑学子，效验颇巨，于是乃有曩日之通信（见第三卷第六号）。通信之本意，重在劝告求学若渴之青年，勿抛弃宝贵之光阴于不能致用之文字，原未望及尽化奉崇世界语者，使悉守吾之主张也。孙国璋君之辩词既答之矣，而区声白君又以答孙君之通信，反复质难，今谨具答言。吾既以世界语为已过讨论时代，自无复讨论之价值，敢请以此文为最末次之答辩。

吾于十五年前读英伦《评论之评论》，既注意于其世界语一栏（《评论之评论》社长，即 W. T. Stead 君），每月必报道各世界语团体之消息。然团体之增，不能遽谓为发达。今日学校多于校内设青年会、基督教会诸团体，若遽谓青年会或基督教通行于全国，可乎？欧美各市镇，常有各种机关之说，风行颇广，若禁酒会、单税制会，遽谓此种运动普通，可乎？前言 W. T. Stead 君，性颇怪僻，老年深信世界语之功用，并虔心精神研究（灵魂研究），若死者通信，晤接死魂，皆深信而不疑。故吾称之为"old Erank"（好奇之老古董），此不过吾所赐之名，崇奉世界（语）诸君或尊之为"新思想之新青年"，果如是，则吾亦深愿自居为"顽固派"也。

世界语译本逐年有增，吾早书之。即吾读《评论之评论》时，狄更斯之 A Christmas Card，及其他著作已渐译出印行。然吾以为今日之研究学术者力所能及，当读原文之书籍，当读出版物日夥之文字。读者试览英京《泰晤士报》每星期四日之"文学丛刊"，或纽约《泰晤士报》每星期日之"文学增刊"，或如《书籍评论》诸月刊杂志，便知用活言语出版物之丰富，其增益吾人智识功用之力为何如也。研究外国语，贵在读书，而吾国昔日教授英语之成绩，竟有吟诵三四年而犹不能读书者。吾曾见有修英文一年即能读书者（此指年稍长者而言。章行严先生治英文仅半载，即能自读）。教授者果能于熟语加之意，使学者于各种文句易于触类旁通，则自胜于今日"鹦鹉式"之外国语教授法。至教授法之详细，则诸待商榷，非吾今兹所能具论者矣。

以吾观之，世界语中并无所谓"新天地"。即世界语译者中之新天地，亦具在原文之著作中，更何有新天地之可言？今人用世界语著作者共若干人，即此诸人，亦莫不以其国语为主语，以世界语为副语，为小范围内之国际间私人交际之用。如是，则胡适之先生之言不能施之于世界语。白话文字为吾人日常通用之语，其发表思想、形容事物，自胜于陈死古人所用之文字。其中之天地，视诸先贤所用之文字，境域自广。故白话文字犹今之活言语，而世界语始有若钱玄同先生所称"谬种"之文字也。吾于言语学，纯然为门外汉。专家所论（若英之Sweet），吾亦不敢遽依为绝对的权威。然勿论其文字之构造若何，世界语于学术上、外交上、国际主义之进行上之真价值，固犹未能袪吾之所疑惑也。

社会进化之理，匪易言也。在种族言语单纯之小社会中，欲究其进化之道，已错杂纠纷。文物制度相牵掣、相联络，万不可以一物为社会进化之枢纽，至世界之进化更包括大千之种族、异级之文化，其进化之端愈难究诘。即就挽近欧美学者所研究之小范围，专讨论英、法、美国际间更密切之联盟而言，已考见若干之要素，直接、间接关系于社会之联络。若历史，若政治之组织，若工商业之状态，若国民性，已足为诸邦密切联络之障害。而欲期国际社会之进化，岂非戛乎其更难耶？一九〇〇年以来，英、法、德三邦劳动者国际间之组织，其势已似异常结合，劳动者相互之同情、相守之利益，诚有询谋佥同超越国界之概。乃迄于一九一四年八月一日，群视为国际间最强固之联络，涣然冰释。国际间经济的团结犹不能冀其有坚牢不拔之势力，而欲以采用不能普遍之副语为促进社会进化之具，抑何不思之甚耶？

世界语学者热心提倡所崇奉之文字，吾所钦佩。然吾更深望其能考证世界之大势、人群之进化，以详察世界语之位置，然后为稳健适当的论断也。

　　陶履恭白　　七月廿八日在西山卧佛寺

　　我对于提倡 Esperanto 的意见，前有致孟和一信，登在四卷二号，尚未蒙孟和答复，现在似乎可以不用多说。但四卷四号孟和答孙蒂仲君信里所说的"未曾学过外国语者，不能示以外国语中之新天地"，玄同对于这句话，惭愧得很。玄同于外国文，只略略认得几个日本假名，至于用 ABCD 组合的文字，简直没有学过，哪里配懂得"外国语中之新天地"呢？除了自愧不学，脸红一阵子，是别无他法的了。

　　但玄同的提倡 Esperanto，纯粹是本乎我的良心，绝非标新立异，尤非自文其不通英、法、德、意……文之浅陋。玄同良心上对于 Esperanto 怀着两种意见：

　　一、对于世界方面。一切科学真理，是世界公有的，不是哪一国的"国粹"。但是，现在各国人各用他私有的语言文字著书，以至研究一种学问，非通几国的语言文字不可。如其世界语言文字统一了，那便人人都可省去学习无谓的语言文字的时间，来研究有益于社会和人生的学问。现在学本国语、外国语，纵如孟和所说"教授法进步"，我想以四年工夫学国语，其余六种外国语，一年学他一种，也得要六年。若只学一种 Esperanto，则七与一之比例，当可减省时间。我的意思，以为语言文字不过是一种无意识的记号，譬如中国人称"我"，日本人称"Watakushi"，英人称"I"，法人称"Je"，德人称"Ich"，Esperanto 称"Mi"，都不过是记号。若说中国人决不可不称"我"，或英国人决不可不称"I"，若大家称了"Mi"，便如何如何的有害，我绝对的不信世界上有这种道理。

二、对于中国方面。中国到了二十世纪，还是用四千年前的象形文字，加以两千年来学问毫无进步，西洋人三百年来发明的科学真理，更非中国人所能梦见。现在给人家打败了几次——如什么"甲午""庚子"的外患之类——于是有几个极少数的人略略醒了一点，想急起直追，去学人家。意思原是很好，可是人家崭新的学问，断难用这种极陈旧的汉字去表（扬）他，因此近年以来颇有人主张废弃国语而以英语等代之。我对于这种主张，也很赞成。但是英语等虽较良于汉语，可以记载新事新理，究竟是历史上遗传下来的文字，不是用人工改良的文字，所以庞杂的发音、可笑的文法、野蛮幼稚的习惯语，尚颇不少，加以叫甲国人改用乙国的语言文字，又为富于保守性的国民所不愿。——其实也没有什么要紧。日本从前之高文典册，以多用汉语为好；满洲人入关之后，渐废其国语而习汉文。究竟有何不利？但是这种道理，非能遍喻中国人也。——国语既不足以记载新文明，改用某种外国语又非尽善尽美的办法，则除了提倡改用 Esperanto，实无别法。况 Esperanto 是改良的欧洲文字，世界上既有这样一位大慈大悲的 Zamenhof 制造这种精美完善的文字，我中国人诚能弃其野蛮不适用的旧文字而用之，正如脱去极累赘的峨冠博带古装，而穿极便利之短衣窄袖新装也。

我因为怀了这两个意见，所以要提倡 Esperanto。声白君对于我这意见如以为然，深愿共同提倡。选学家桐城派反对新文学，我格外要振作精神去做白话文章。我们对于 Esperanto，也该用做白话文章的精神去提倡！

玄同附言

Esperanto 在学术上，尚属因袭的而非创造的；在言语上，尚属人为的而非自然的。孟和先生之不满意于此语也，殆以是故。余亦云尔。弟鄙意与孟和先生微有不同者：今之 Esperanto，或即无足当"世界语"之价值，而世界之将来，倘无永远保守国别之必要，则有"世界语"发生及进行之必要。以言语相通，为初民社会之一大进化，其后各民族间去小异而归大同也，语言同化乃为诸大原因之一。以此推知世界将来之去国别而归大同也，虽不全以"世界语"之有无为转移，而"世界语"（非指今之 Esperanto）之流行，余确信其为利器之一，并希望孟和先生以赞同者也。

独秀

（第五卷第二号，一九一八年八月十五日）

论 Esperanto（二）（通信）

孙国璋　陈独秀　胡适　钱玄同

独秀先生：

余以六月份之《新青年》将为易卜生号，故对于通信栏之讨论，亦遂以他事暂搁。及今思之，余上次通信（载四卷四号），虽感承钱、陶两先生答书，并胡先生跋语，每以未得先生一言，在在令吾人失望。即久久搁置，亦似无关紧要。盖陶先生之言，本无可讨论。但为通信之道义及责任起见，遂不觉其言之赘耳。谨借贵记者好意，作最后之答言如次。

答陶先生：先生事忙，谁复空闲？（岂外人耗心力于世界语者，皆笨拙之闲人耶？）"只说二三点"，已足令人负疚滋多。公园有无世界语，此事至细，无容深辩。其或为各人遭际之不同耳（譬之北京大学之世界语班，以前则无；上海之世界语传习所，近年反不见），然经陶先生轻轻一笔，不啻视余与吴稚晖先生均为说谎者矣。幸明眼人尚能辨之也。至诋国际团体之代表为卖药者，其宣言为卖药者之夸赞其药。是说也，于各国各代表之资格之宣言，固无损毫末也。特不知人之对于先生之评判之价值究为何如？余生性忠厚，但知吾人欲发表一己之意见，同时须尊重他人之言论。若妄加诋毁，已失却讨论之本旨矣。故余对于先生之言，无论如何，自后不敢再赞一辞。即以先生所云"再俟五十年(按:既云'垂死',又云'五十年',亦前言不接后语),视世界语之运命果为何如",姑悬此说,以证将来可耳。

答钱先生:汉文中夹入西文,自吾辈视之,非但不觉其不便,且反见其确。即废汉文,亦有何难。但汉文一日不废,即"世界语"三字自无废弃之必要。English 之译为英文、英语,亦岂合宜也哉?

谢胡先生:余信中说"……实用世界语",却不曾说专用世界语。既然世界语同各国的国语一样看待,这就是世界语通行的凭证了。

(附白)上次通信原稿,"U"西文字下加一短画,示手民所以别于"N"也(因手写稿 U 与 N 易混),乃手民竟一一排入,是亦一小小误会也。特附注于此以当更正。

孙国璋敬白　(民国)七年六月四日

诸君讨论世界语,每每出于问题自身以外,不于 Esperanto 内容价值上下评判,而说闲话,闹闲气,是以鄙人不敢妄参末议也。

独秀复　八月六日

我对于"世界语"和 Esperanto 两个问题,始终守中立的态度。但是现在孟和先生已说是"最末次之答辩",孙先生也说是"最后之答言"了,我这个中立国可以出来说一句中立话:我劝还有那几位交战团体中的人,也可以宣告这两个问题的"讨论终止"了。

适　八月七日

适之先生对于 Esperanto,也是不甚赞成的(此非亿必之言,适之先生自己曾经向我说过），所以不愿大家争辩此事。然玄同以为此数次的争论，确乎有点无谓，因为意见本是两极端，即孙苢仲先生所谓"本无可讨论"者也。我的意思，以为区声白、孙苢仲两先生今后当用全力提倡此语，玄同亦愿尽吾力之所能及，帮同鼓吹。此外如刘半农、唐俟、周启明、沈尹默诸先生，我平日听他们的言论，对于 Esperanto，都不反对，吾亦愿其腾出工夫来讨论 Esperanto 究竟是否可行。陈独秀、陈百年两先生都以为"世界语"是该有的，但 Esperanto 未必就能当"世界语"，吾亦愿其对于"世界语"的问题讨论讨论。(Esperanto 之外，又有 Iod，或谓较 Esperanto 更为精密。玄同却没有学过，不知究竟如何，若其果较精密，玄同自然舍 Esperanto 而提倡 Iod。两陈先生既以 Esperanto 为未能完善，则 Iod 一种，亦当研究它一下子。)至于陶孟和先生既恶"热心提倡世界语之徒大张厥词，广告万端，蛊惑学子，效验颇巨"，并斥 Esperanto 为"谬种之文字"，似乎还该大大的著为论文，或驳议，使"求学若渴之青年，勿抛弃宝贵之光阴于不能致用之文字"，似未可遽以"无复讨论之价值"一语了之。玄同此言，未知孟和先生以为然否？

但玄同还有一句话，几个人在《新青年》上争辩，固可不必，而对于"世界语"及 Esperanto 为学理上之讨论，仍当进行，不必讳言此问题也。

玄同附言

（第五卷第二号，一九一八年八月十五日）

论句读符号（通信）

慕楼　胡适

适之先生：

　　每诵大著，不胜倾慕。闻先生素尚文学改革主义，有识者流，孰敢稍存猜谤？惟是昌言改革，较易于实行建设。尤望先生双方着力，庶可以收绝大之效果。至于文句圈点，如"乎""么""呵"等，似近重叠。以中文"乎""么"等即"？"之记号，"呵""呀"等即感叹之记号也。未审有当尊裁否？

慕楼顿首　八月十日

　　附诗一首《眉妃叹》：

　　（一）"抬头望见北斗清，北斗照我颜色白。北斗当秋明，我颜减光泽。吁嗟乎！前年我与君，相见在今夕！"

　　（二）眉妃御黑衣，长裙垂翡翠，登楼明月照人心："吾爱今夜居何地？"心中想道梅佛是个好男儿，他能奉命从军骑……

　　（三）眉妃对镜着戎装——梅妃非男子——解下战袍交梅佛，梅佛心中甚欢喜。怒马欲长征，相视久无语。——临行脱下金约指，说一声："吾爱梅妃，我先将此物交还你！"

慕楼君鉴:尊诗五章,因来书有"削政"之命,我已大胆删去了二四两章,末章中又删去两句。若足下不以我所删为是,望赐书相告,并望以通信地址见示。此诗依我个人看来,只有末句很好。所删去的第二章最不好。全篇有一个大毛病,就是不大能够代表这时代的文物。依末句金约指一事看来,此诗所指乃近事。但"战袍""垂翡翠""马革将尸裹"(原文今删)"带着眉头"(原文今删)诸语,又不是今日的物事。此犹是用古典套语的流弊,却忘了今日军人不用带"盾"也。

论句读符号一层,本社同人也不知共同讨论了多少次。我从前在《科学》第二卷第一期作《论句读及文字符号》时,曾说:"吾国文凡疑问之语,皆有特别助字以别之。故凡何、安、乌、孰、岂、焉、乎、哉、欤诸字,皆即吾国之疑问符号也。故问号可有可无也。"吾对于感叹符号,也颇有这个意思。但后来我的朋友钱玄同先生说,这两种符号(?!)都不可废。因为中国文字的疑问语往往不用上举诸字,并且这些字有各种用法,不是都拿来表疑问的意思。我记不得钱先生所举的例子。中国京调戏里常有两个人问答,一个问道:"当真?"一个答道:"当真。"又问道:"果然?"又答道:"果然。"这四句写出来若不用疑问符号,便没有分别了。又如人说:"你吃过饭了?"答道:"我吃过饭了。"又如说:"你敢来?"答道:"我敢来。"都是这一类的例。又如《檀弓》上曾子怒曰:"商汝何无罪也!"这句虽用"何"字,却不是疑问语,乃是怒骂语,故当用感叹符号。又如《孟子》上陈仲子说:"恶用是鶃鶃者为哉!"这句用了"恶"字和"哉"字,但不是疑问语,而是厌恶语,故当用感叹号。又如我们说"做什么"三个字,若大声喝问,当用感叹号;若是平常问话,当用疑问号。钱先生曾举古书"也""邪"两字通用的例(俞樾说),若"也"字用做

"耶"字时,有疑问号指出,便不致误会了(参看本报第三卷诸号通信)。

总而言之,文字的第一个作用便是达意。种种符号都是帮助文字达意的。意越达得出越好,文字越明白越好,符号越完备越好,这是本社全用各种符号的主意。

近见《时事新报》(八日八日)登有绩溪黄觉僧君的《折中的文学革新论》,黄君极赞成我们的文学革新论,但他却"不主张纯用白话"。他这一种主张,我另有答复,今不具论。他对于我们所用的句读符号,与慕楼君所主张略同。他说:"西文所用之 Comma(,), Senicolon(;), Colon(:), Period(.) 等是可用者。若 Interrogation(?), exclamation(!) 等,则我国既有么、呢等,或乎、哉等表示问词,乎、哉等表感叹词之尾声,何必再加此赘疣乎?"黄君此言,我已答在上文,故附录其语于此。即如黄君所举诸字中,"乎""哉"两字可表感叹,又可表疑问,若不用符号,岂不容易混乱吗?

八月十四日　胡适

(第五卷第三号,一九一八年九月十五日)

反对注音字母(通信)

朱有畇

适之先生：

前几天我寄交先生的书籍和信，此刻想已经登览了。从前我说要和先生讨论的事件，今天我有一二小时闲空，暂且先把最要紧的一件事写给先生看看。这件事就是"反对注音字母"。

我对于改良中国文字主张用罗马字拼音法，和这件事有密接的关系。至于我反对的理由，那就很多了。因为一刻不能和盘托出——我的闲空时间，极其宝贵，不得不算就了行事，原谅原谅——只得将要紧的分条写出如下：

（一）注音字母不足简省学者的脑力。

这一种理由，可以拿日本人用注音字母（指用假名注汉字而言）的覆辙来做证据。日本自发明假名以来，已经八百年了，不但一点好成绩也没有，反大受其害。现在虽有许多眼光稍远的日本人，要用罗马字拼音法来代替旧文字，却被汉字（音读的）所累，不能成功。日本地方比中国小，人口比中国少，方音比中国单纯，尚且用注音的成绩不佳，那么将来中国用注音字母的成绩不佳，可以"不言而喻了"。我知道有许多人看见我这议论，一定要驳我道："日本一般社会上的人，至少三分之一能够看报写信，这就是好成绩。"这种议论，听起来像有道理，其实是不对的。日本能看报写信的人比中国多，一半是教育普及的成绩，一半是教授得法的成绩。譬如我们中国人有和日本同样的教育，同样的教法，我敢说那个时候，即使这害煞人的汉字未废，比较起来，中国的能看报写信的人未必比日本人少呢！再进一层说，拿欧美来同日本比，欧美的小儿，大多数十五岁即可写信看报，请问十五岁的日本小儿有几个能够这样？这就是日本文字不适用，不好的铁证，也就是注音字母和汉字（单音字）不好的铁证。更进一层说，日本人不过偷几个汉字用，尚且注音字母的成绩不好，可见全用汉字的中国文，更与注音字母不相宜了。

　　为什么日本人用注音字母的成绩不佳呢？这就是我说的注音字母不能简省学者的脑力。为什么注音字母不能简省学者的脑力呢？这很容易明白的。简单说：譬如一个人要记一件事，当然比记两件事容易，所以记一个干干净净的中国字，比记一个中国字又加上旁附的注音字母要容易。如果用注音字母，则学者不但须熟记此字母，而且仍不能不熟记汉字。反转来说，就是除记了汉字外，还要记这附加的注音字母。这个到底是简省学者的脑力呢，还是多费学者的脑力呢？就说这注音字母极容易记，不见得多费学者的脑力，但是那个汉字依旧是"依样画葫芦"，断不简省学者的脑力，这是确实无误的定论了，注音字母原来为简省学者脑力而设的，既不能简省脑力，请问要他做什么？

　　请看那些日本人，拿了一张报，嘴里叽叽咕咕地念，一面看汉字，一面看注音，这是什么缘故呢？因为他们先看字不念音既不能懂，念了音不看字仍旧不懂，就是看了字念了音还须去猜摸意义。请问这种文字有什么好处？日本的明白人，哪一个不说他们的文字不合用？我们中国如果用这个注音字母，以后受害还要比日本人大呢（因为全是汉字之故）！

我们中国人以为日本文最容易学，就以为日本文简便，比欧美文容易，所以我们可以仿照他的样子用注音字母。但是要知道中国人的以为日本文容易学，并不是日本文真容易学，不过内中的中国字我们原已认得的便了。犹之乎意大利人学法文比美国人要容易，是一样的道理。你如问一问懂中国文和日本文的欧洲人，"到底中文容易学，还是日文容易学？"我知道他一定说："中文容易。"这个不是我空设的比喻，我已经问过好几个这种欧洲人了。这样推想起来，将来中国用了这注音字母，或者把这害煞人的难汉文更加弄难了。

总而言之，用注音字母的理由，不过是简省学者的脑力，既不能简省学者的腿力（已经证明），我绝对的不赞成。

（二）注音字母不足改良文字。

这一种理由，更容易懂了。今日中国最要紧的事，改良文字要算一件。如果不先改良文字（如何改良文字不能在此条理由内讨论），先用注音字母，请问在桐城派的古文、《文选》派的文学上加几个注音字母，能够使这种死文字起死回生么？能够使学者容易学么？如此推想，就晓得注音字母对于改良文字，一点好处也没有。我也知道提倡注音字母的诸君，以为借此可以统一中国的语音，可以做一个建设国语的基础。但是我说这种注音字母决不能统一语音，日本人用假名已经八百年了，至今横滨人跑到九州地方，依然和到了外国一样，这就是一个好标榜。不但如此，就在英法等国，语音又何尝统一？伦敦人跑到了爱丁堡，巴黎人跑到了马赛，也要吃语音不同的亏的。这是地域上、习惯上的效果。语音因地因时而改变，先靠注音字母去强同他，是万万做不到的。就说道注音字母能有统一语音的功力，等到数年数十年之后因地域、因习惯而改变，渐渐又不同了，岂不是又要造一种注音字母去统一他呢？况且这注音字母并不足统一语音么？所以现在对于改良文字这一问题，先用注音字母去统一语音，实在不是根本的办法。先生曾说"国语不是单靠几位言语学的专家就能造成的……""也不是单靠几本国语教科书和几部字典就能造成的……"我极赞成，我还要加一句"国语不是单靠注音字母去统一语音就能造成的"。不但如此，就是统一语言，也不能靠这注音字母的。所以我说这种注音字母，不过多费一番精力，实在毫无益处。

（三）何不爽爽快快把中国字完全去了。

既要用注音字母，就是要保存中国旧文字，为什么缘故呢？因为注音就是注汉字的音，那么不是保存中国旧文字是什么？吴稚晖先生曾说："中国文字，迟早必废。"既然如此，何不爽爽快快把汉文全然打消，用世界最通行的罗马字拼音法？为什么要用这白费一番精力，毫无益处的注音字母呢？难道这也是和中国一般宪政党的屁话，说"中国没有Repuflic的程度，必须先立宪"一样？以为中国没有立即改用拼音文字的程度，必须先用注音字母么？日本吃死了注音字母的亏，我们中国人还要去走他的旧路么？至于反对罗马字拼音法的人，不是那一班讲国粹的守旧鬼，就是不知道拼音文字好处的人。这种人不配反对拼音文字！诸君，诸君！我们受这汉字古文的害，已经几千年了，还要用这注音字母去挽救他，再使我们的子孙受害么？

用罗马字拼音法的好处，当另作文讨论。以上这三种理由，是我反对注音字母的主脑。此外还有许多理由，我很想和盘托出，但是我的闲空时间已经告终了,且待后来再说。

　　过几日再有空,当再和先生讨论他事,但是我已经写了三封信给先生,至今没有得着一封回信,甚念。

　　　　　　(民国)七年九月十五日　朱有畇谨启

　　　　　　　　　(第五卷第四号,一九一八年十月十五日)

反对 Esperanto（通信）

朱有畇　胡适

适之我兄：

　　前十天（九月十七日）接到你的信，当时已经奉答了。我前后一共寄给你五封信，一本《内外科看护学》和一张教会罗马字拼音报，不知道你已经完全收到没有？来信望你提及。

　　今天我又有一两点钟闲空，所以我就要趁这个机会，来把我反对 Esperanto 的意见，说给你听听。

　　这件事陶孟和和钱玄同两先生已经在《新青年》上讨论了，但是我不曾看见第四卷第二号以前的《新青年》，所以也不曾看见两先生论调的全体。只有第二号中钱先生的信，和第四号中孙国璋先生的信和钱陶两先生的答书已经拜读了。

　　陶先生说："世界语之功用，在今日文明诸邦，已过讨论之时代，而我辈今犹以宝贵之光阴，讨论此垂死之假言语，这正是中国文化思想后于欧美之一种表象。"这几句话的意思，我很以为然。但是"中国文化思想实在后于欧美"，所以我不得不再费些宝贵的光阴——我的闲空时间，比宝贵的光阴更加贵，但愿看见这封信的人，谅我费去我的比宝贵光阴更宝贵的闲空时间的苦心，用一对欢迎的眼睛来看我反对 Esperanto 的理由，那我就欢喜无量了——来

反对Esperanto(通信)

帮助陶先生攻诋Esperanto。

又：陶先生把Esperanto称做"垂死之假言语"，我不以为然。为什么呢？因为语言这东西，是要已经一国人、一群人，或者许多的人时时刻刻用嘴说的，说了能使这一国人，一群人，许多人懂的，能随时进化日新月异的……请问Esperanto有这等功用没有？如果没有，那陶先生就不应该把他称做语言。陶先生说他是"垂死的"也不对，因为陶先生自己已说"世界语之功用，……已过讨论的时代"。钱先生信中所说莫斯科的世界语书店，我曾亲眼见过，但是这时候如果没有给过激派放火烧了，也要因为书不销行藏起招牌来了。所以我以为爽爽快快地叫他做"已死的"方才对。如果有人不以为然，我就要问他，世界全体的人里头，现在实实在在有几个人学Esperanto？拉丁是死文字，但是我敢说世界上学拉丁的人比学Esperanto的多，拉丁的用处也要比Esperanto多，那么Esperanto不是已死的是什么？如果再不以为然，我一定再问他，自从Esperanto发明以来，十年前还有少数人不知道他的无用，听了"卖药者夸赞其药之灵验"(陶先生语)的"牛皮"，费了许多宝贵的光阴去学他，这些人究竟得了他的益处没有？我也上过这个当，凭我的良心说，我是一点益处也没有得到的。不但如此，这几年来，学Esperanto的人愈少，现在除了钱先生所说的"上海一班无聊人"外，实在没有多少人了。这不是"已死"是什么？英国各商业学校已将Esperanto一科除去。美国虽尚未除去，学的人已经寥寥无几了。所以我简直叫Esperanto做"已死的私造文字"。并且文字也不配称。文字是由语言变成的，是能代表语言的；Esperanto既不是由语言变成的，也不是能代表语言的(因为用世界语说话的人竟没有)，所以不配称做文字。但是我一时想不出一个适合的大名来奉送他，只好姑且恭维他为文字，要不然就叫它做"私造的符号"。

　　钱先生不赞成译 Esperanto 为"世界语"，我拍手叫好，但是我的不赞成和钱先生的是两样的。钱先生的不赞成，是因为"世界语"这三字和 Esperanto 的原意不对。我的不赞成有两种理由：（一）Esperanto 不配称为世界语，因为他不能够看作世界适用的语言，并且"语"都不配称，这个我已经说过；（二）世界语这三个字欺骗了许多人——我就是个中人——突然一看，以为这是世界通用的语言，连忙去学，费了三四年的光阴一点益处也得不到。孙国璋先生以为"世界语"这名称不必弃去，又说："此等专名词，有何通不通之研究，译音译义，所谓已非本真矣。"这种论调我绝对不敢附和。译音不准还没有什么大害，译意不对那就为害不浅了，岂可无通不通之研究。专门谋利的药店，弄了点吗啡，做了一些药丸，起他一个大名，叫做什么"参茸戒烟丸"，那又是什么"戒烟梅花参片"呢？这和把 Esperanto 叫做"世界语"一样。

　　孙先生引了一九○五年各国代表会的宣言来证明 Esperanto 的好处，但是这是十三年前的陈说了。到了今天，我敢说连这种不完全的代表会也没有人开了，这种宣言岂可当作可靠的评论？我学 Esperanto 还在一九○五年以后，我已早知道 Esperanto 的无用。将心比心，我敢说当时那些代表到今日和我表同情的一定也就不少了。

　　嘻！我对 Esperanto 的怨言已经说够了，现在且把 Esperanto 无用的证据，搬出几桩来，给先生看看：

　　（1）根据我的阅历说起来，我遇见的欧洲人，五百个里头至少有四百九十九个不懂 Esperanto 的，亚洲人更少。大凡学一种语言，是预备说出去使若干人懂的。懂 Esperanto 的人既然如此之少，就

反对 Esperanto（通信）

是 Esperanto 无用的铁证。

（2）用 Esperanto 做的书，请问有几部有文学上价值的？大凡学一种文字是预备看书的，用 Esperanto 做的书既没有好的，这也是 Esperanto 无用的铁证。

（3）用 Esperanto 来作文，请问到底能畅达深奥的思想么？据我的经验说起来，Esperanto 尚无这种价值。大凡学一种文字，是要能畅达思想的，既不能畅达深奥的思想，这种文字学了有什么用处呢？

（4）大凡一种文字，一定先有一种语言做他的根本，如果这种语言渐渐变了新面目，那文字一定也要随着更变的。假使不更变，就可以认作没有语言做他的根本，就变成死文字了。拉丁是死文字，我们中国的古文骈文也是死文字。为什么缘故呢？因为今日没有说拉丁话的人，中国话已经改变了。如此推想起来，造 Esperanto 的时候，既没有一种语言做他的根本，现在又没有人用他做语言，所以也不过是一种死文字。死文字是无用的，是不能随时进化的，所以这 Esperanto 也是无用的。

（5）无论哪一种语言文字，只有因为文字不合语言，把文字改了的（先生所说，意大利人废拉丁文，就是好证据），断没有用文字去改语言的。如此推想，就知道私造了一种文字（这"文字"二字是假定的称谓）要世界的人拿他当作日常应用的语言，是万万做不到的。所以 Esperanto 断不能当作世界通用的语言，简直是一个无用的东西。

Esperanto 无用的证据，已经大致说完，明眼人一看就可明白，用不着再多说了。现在且把我已经拜读过的钱玄同先生致陶先生的信（《新青年》二卷四号）略略评论一评论：

（一）玄同和独秀两先生说："Esperanto 为人类之语言，各国语乃民族之语言，以民族之寿命与人类较短长，知其不及矣。"这几句话我不以为然。第一，Esperanto 究竟配当作人类的语言么？这一层不可不审查明白。据我的研究，Esperanto 实在没有人类的语言之价值。为什么呢？因为自从 Esperanto 发明以来，学的、研究的、主张的、提倡的人一天少一天，弄到现在，已把这"私造的符号"置诸不闻不问了。请问这不闻不问的东西，可以认作人类的语言么？第二，Esperanto 究竟配称做语言么？这个问题我已在上文讨论过了。第三，陈、钱两先生称为"人类之语言"的语言，究竟是世界上能有的，还是不能有的？这个问题，现在尚不能解决。因为这是将来的语言，不能据现在几个人的理想测度得准的。但是据现在的事实看起来，这语言是现在没有的。所以两先生所说的"人类之语言"，只能算做一个虚拟的名称，不是实有的事物。如此推想，那么两先生的这几句话，是不合逻辑的，所以不能驳倒陶先生的立论。

（二）两先生又说："重历史的遗物而轻人造的理想，是进化之障也。"我又不以为然。两先生的意思是称各国语为历史的遗物，Esperanto 为人造的理想，不对不对！！！第一，我们中国的文字，诚然可以认作历史的遗物，但是英、美、德、法诸国的语言文字，是日新月异，当世应用的？断不能认为是历史的遗物。第二，语言文字是一种"公众应用的特别事物"，绝不是私造的理想。如果 Esperanto 是人造的理想，那就万万不能用作语言文字了。所以陶先生既没有重"历史的遗物"，也没有轻"人造的理想"。

（三）玄同先生说："玄同以为文字者不过一种记号……"这个我更加不敢附和。可以用公孙龙"白马非马"的论法来驳的。文字是代表语言的，明白说，就是用笔写出来的语言，所以称它作一种

反对Esperanto(通信)

语言的记号还不算错,光泛泛地称做一种记号,是绝对不妥当的。犹之乎公孙龙说,白马是白马,不是黄马红马,所以不是泛称的马。因为钱先生把文字的定义弄错了,以为是一种记号无可无不可,X可以当Y,÷可以当×,只要认定了就完结,所以把Esperanto当作文字了。要知道文字是语言的代表,是语言的记号。Esperanto是私造的记号,不是应用语言的记号,所以不能认作文字。

(四)钱先生又说:"玄同以为世界上苟无人造的公用文字,则各国文字断难统一,因无论何国皆不能舍己从人,无论何国文字皆绝无统一世界之资格也。若舍己国私有之历史的文字而改用人类公有之人造文字,则有世界思想者,殆无不乐从……"这种理想,我是脱帽表敬意的,但是能否实行,和以后实行时的秩序是否如此,还得实地研究,光这几句空话是不可靠的。第一,将来世界上能有人造的公用文字么,且不必问;但是就Esperanto的成绩看起来,即使将来有人造的公用文字,我敢说这文字绝不是那欧洲人已经置诸不闻不问的、私造的Esperanto。第二,文字是随着语言进化的,将来到了国家种族的思想界限渐渐消灭、五方杂处的时候,语言自然渐渐会得统一的。语言既统一,文字也就统一了。语言断不能随着私造的文字改变的,也不会随文字统一的。这个可以据欧洲文字的沿革和我们中国文言不一致证明的。所以凭着几个人的脑力私造了一种记号,叫做文字,要世界上的人把固有的语言抛了,去用这凭空造的记号做语言,这个和用中国的古文去改中国现在的语言差不多,是万万做不到的。

总而言之,玄同先生和我根本上的反对是:我以为世界文字的统一,要从语言统一发端的(语言如何统一前已略述),不是可以用私造的记号去统一的;钱先生则以为世界的语言可以用私造的符号（指 Esperanto）统一的。

现在我要把孙国璋先生的信评论评论了：

（一）孙先生称陶先生的议论为十年前欧洲的怀疑派，敢问孙先生知道今日欧洲人对于 Esperanto 的"非怀疑派"么？这个"非怀疑派"就是置诸不闻不问。孙先生既讥陶先生的议论为十年前的陈说，却又引出十三年前各国代表的宣言来颂扬 Esperanto 的好处。就说这种宣言不是陶先生所说的"卖药者自夸药灵"的论调，也不免是陈腐不堪的论调了。

（二）孙先生说："试问世界上各民族之文字，哪一种是天授的而非人造的？"我以为这"人造"两个字要分个界限，各民族的文字是随公众语言的进化渐渐变成的；不是不根本语言，几个人私造的。Esperanto 是几个人私造的，不是根本语言进化的。如果称各民族的文字为人造的，一定要称为"公人造的"方对。至于 Esperanto 只可称为"私人造的"，陶先生是轻"私人造的文字"，不是轻人造的文字，孙先生不要弄错了。

（三）孙先生引留法学界杂志的话"世界语出，是诚天授中国以研究西学的利器"来颂扬 Esperanto，这个利器，我也会用，但是我研究西学起来，这个利器竟一点都不利，毫无用处。

（四）孙先生把法文比作中国各地的土话，Esperanto 比作中国的官话，我既不承认 Esperanto 为应用的语言，所以绝不承认它为世界的"官话"（这是用孙先生的原语，妥不妥且不管他）。

（五）孙先生又引罗森堡拉丁学校校长的话"……今世界语不仅使学者不下泪而已，且为学语言之桥梁，能渡学者由本国语以至外国语也……"这位校长，真在那里说梦话！桥梁是因为有河相隔不能过去，所以用它来消灭这个隔障的。一国人学他一国的语言，

反对Esperanto(通信)

可以直接学的,用不着什么桥梁;并且Esperanto也不配比作桥梁,一过桥就可由此岸达彼岸。请问学了Esperanto就能使中国人懂英、法、德文么?

总而言之,孙先生把Esperanto认作和民族文字同样的人造文字,把根本弄错了,所以枝叶也就不对了。

我反对Esperanto的话多得很,但是我的闲空时间少得很,不能再写了,只好再讲几句非讲不可的话作个收场锣鼓吧!

有人说学了Esperanto再学英、法、德文就容易了,所以能简省学外国语的时间。我说这话不对。通盘计算,只有多费时间的,断不会简省时间。譬如直接学英文,如果教授得法五年足够了;但是学Esperanto至少要三年,学了之后再学英文,就说能简省一年,只要四年,合起来反变成七年了,如何能够简省时间?

又有人说Esperanto的文法如何简单,语根如何精良。但是我说语言文字是一个随时改变的东西,初起头无论它如何简单如何精良,到后来一经实用,就要变成繁杂不规则的。现在已经完全发达的英、法、德文,尚且每天每月有新字、新意义、新句法加进去,那么这未完全发达的Esperanto,如果实用起来,那变更的迅速更不消说了。因为Esperanto是个没有完全发达的东西,所以觉得简单明了;但是等到人人用它做语言文字,老幼文陋都把它放在嘴里说起来、提起笔来写起来的时候,不久就要变成繁杂不规则的了。譬如英国话一到了洋泾浜滑头嘴里和船上的水手嘴里,就真相大变。英国人在外国住了多年,也受各国语的影响,把他纯粹的英国话弄杂了。又如前六年我在爱丁堡的活动写真馆,第一次看见美国人所用的滑稽语"Some girl""Some man"等,莫名其妙,问他人,也说不出个所以然来。哪晓得,等不上三天,这个"Some girl""Some man"就在爱丁堡大出风头,几乎无人不说。甲看见了一个美丽的女子,就对乙道:"Some girl, eh?"乙看见了一个打 golf 打得好的人,就对甲道:"Some golf‑player, eh?"几乎无时无地不说——我也不但懂了,并且会用了。再等不到三天,又有一种时髦话出来了。这个滑稽的"Some girl""Some man"和英文原来的"Some girl""Some man"意义何等差异,这就是通用的语言文字必定日新月异、日趋繁杂的铁证。现在的 Esperanto 虽然简单,到了实用的时候,未见得不比现在的民族语繁杂呢。要晓得最简单的东西,不见得一定不能变为最繁杂的;较繁杂的东西,不见得一定变为最繁杂的。所以现在的 Esperanto 虽然简单,但是将来的变为繁杂——不必一定是最繁杂的——是可预料的。现在的各民族语,虽较 Esperanto 繁杂,然而我已说过,这种已经发达的语言文字,变改起来一定比未发达的缓而且少,将来不见得比 Esperanto 发达了的时候更繁杂。现在研究和提倡 Esperanto 的人,因为各自采用"各自爱用的字",已经有了"弄不清楚"的情势,这就是将来 Esperanto 必定变繁杂的铁证。

啊呀!我的手腕子也写痛了,时间也早完了,算了罢,不再写了,请你原谅!

(民国)七年九月二十七日　朱有畇上

我农吾兄:

老兄这两次的来信都是极有价值的讨论,我读了非常佩服。我对于世界语和 Esperanto 两个问题,虽然不曾加入《新青年》里的讨论,但我心里是很赞成陶孟和先生的议论的。此次读了老兄的长函,我觉得增长了许多见识,没有什么附加的意见,也没有什么

反对 Esperanto（通信）

可以驳回的说话。我且把这信中最精彩的几条议论摘出来，或者可以使读者格外注意。

（1）老兄说："无论哪一种语言文字，只有因为文字不合语言，把文字改了的，断没有用文字去改语言的。"

（2）又说："文字是语言的代表，是语言的记号，不可泛泛地称做一种记号。"

（3）又说："文字是随着语言进化的，将来到了国家种族的思想界限渐渐消灭、五方杂处的时候，语言自然渐渐会得统一的。语言既统一，文字也就统一了。（这一段说得太容易了，其实语言文字的守旧性最难更改，请看瑞士国何尝不是五方杂处，但语言文字还是德、法、意三国语并立。）语言断不能随着私造的文字改变的，也不会随文字统一的。……所以凭着几个人的脑力私造了一种记号，叫做文字，要世界上的人把固有的语言抛了，去用这凭空造的记号做语言，这是万万做不到的。"

（4）又说："各民族的文字是随公众语言的进化渐渐变成的；不是不根本语言，几个人私造的。"——常人说仓颉造中国字，又说 Cadmus 造希腊字。要知道仓颉造的是一种记号来代表中国当时的语言；Cadmus 造的是一种字母的记号来代表希腊古代民族已有的语言。故月字是仓颉造的记号，但月字读作 Yues，可不是他造的，而是中国已有的语言。懂得此理，便知把中国现有的语言用字母拼音，是可以做得到的；废去中国话，改用别种语言，是做不到的。

（5）老兄又说："语言文字是一个随时改变的东西，初起头无论它如何简单如何精良，到后来一经实用，就要变成繁杂不规则的。……因为 Esperanto 是个没有完全发达的东西，所以觉得简单明了；但是等到人人用它做语言文字，……不久就要变成繁杂不规则的了。……现在研究和提倡 Esperanto 的人,因为各自采用'各自爱用的字',已经有了'弄不清楚'的情势,这就是将来 Esperanto 必定变繁杂的铁证。"

　　以上五条,我非常赞成。老兄讨论这个问题的根本论点只是一个历史进化观念。语言文字的问题是不能脱离历史进化的观念可以讨论的。我觉得老兄这几段议论不单是讨论 Esperanto,竟可以推行到一切语言文字的问题,故特别把它们提出来,请大家特别注意。

民国七年十月四日　胡适

(第五卷第四号,一九一八年十月十五日)

补救中国文字之方法若何？

吴敬恒

近接钱玄同先生来信，对于补救中国文字的方法，问我好几条，并且又说，李瀡丞先生在《太平洋杂志》第一卷第八号引我的话道："万一拼音文字一时办不到，不若先采英文为学校人人必习之文字，庶借以吸收世界知识，而谋一切实用学术之发达。"这些问题，本是我素性爱谈的，常常刺刺不休地乱说。既如此，今天何妨再来说他一下呢？

第一，我们先讲用汉语拼了音，另造一种新文字。

有人问："这样办法，行不行呢？"我可以不要思索，回报了"不行"两个大字。我生平是最反对用汉语拼音另造新文字的。我们且慢讲着理由，先想那情景。假如有一天，大家决议，用汉语拼音另造新文字，自然"粤若稽古""唯初太极"，只能翻义，更不能翻音，因为倘使翻起音来，对着"粤若"的音，"唯初"的音，要说明这些声音应该是何等解说，那更麻烦。所以到了这步田地，只能《六经》《三史》当柴火烧，《尔雅》《说文》糊窗子用。总而言之，统而言之，不管他"歇后""点鬼"的好手声声怒骂，汉魏唐宋的文豪哀哀痛哭，所可翻音的，只剩着"太阳""月亮"的名词，"什么""那个"的话头，拼着音，重做起一个世界来了。

在那怒骂痛哭的一方面，我也能硬着头皮由他去，因为他早晚总有那一天；在那"太阳""月亮"的一方面，我在另一个问题上，也很愿意赞成。可是在这个问题上若公平判断，就很有些奇怪了。既是小题大做，对了几千万的老顽固下决心棘手的战争，舍得烧掉他的《六经》《三史》，撕破他的《尔雅》《说文》，而争得来的，只是"太阳""月亮""什么""那个"。那"太阳""月亮""什么""那个"，是不错的，叫做汉语。汉人应该说汉语，那是了不得的尊重母语，可以激起爱国心的条件。这好比从前李鸿章的幕友，考察宪政的大臣于晦若先生，他的粪，必要用油纸包起，挂到墙上。其故因为那些尊粪，是出于他的尊肚，不容不尊重的。必要挂得多了，挂不尽了，方才扔掉几包，也就不再追究。现在那要用汉语造拼音新文字的，就是把那"粤若稽古""唯初太极"的几包旧的扔了，还留着那"太阳""月亮""什么""那个"几包新的。

这情景，就不用再来形容，也够得觉着很好笑的了。

但是这是情景，不是理由。我尽晓得他的理由，也绝不是单单注重着无价值的母语。他有毅力，烧掉《六经》《三史》，撕破《尔雅》《说文》，他既懂不得国粹，如何还顾着母语？他所以要留着"太阳""月亮""什么""那个"，无非一则向汉人改革，用那汉语，是比较的便当；二则汉语用什么替代，无论何人，在现在是下不下断语，汉语又变成惟一承乏的东西。但这些理由，其声口，是从便当上计算，汉语不过拿来应急。就是揣摩他的心理，也必定拼音字母须采用欧母，"哲学"必不拼做 Cheshüo，必然仍用 Philosophy，这就是日本人鼓吹的改革。把这种改革解剖起来看看，所争的，无非"太阳"不用 Sun，拼做 Taiyang；"什么"拼做 Shima，不用 What 而已（用英文比较者，不过随手掇拾以为论料，非主张英文可代汉文也）。这种半降伏的状态,果然单为权且便利起见么？或者可以永久,也有计算永久的心思么？

果然单为权且便利起见,就是所谓向汉人改革,用汉语便当,而且难寻替代,汉语只好承乏。既如此,须要晓得废却汉字,单留汉语,另造新文字,要叫"太阳"与"腿痒"生出分别,"什么"与"石马"变成两样,制作时候的麻烦,就算不必计较,而条例繁多,自在意中。拼音文字国的文字,不是"拼音"两个大字可了,这是读过几句 abcd 的人没有不知道的。不然,俄罗斯、西班牙难道不是用拼音文字么？何以说教育不良,不识字的百姓会有百分之七十五呢？难道二三十个字母,教他拼拼音,只是一半月工夫的事情,就没有力量施这教育么？这因为成了一种文字,必定有许多条例,不是"拼音"两个字可以了事。所以弄到没有力量,简直生不出良教育结果,叫不识字的人满街走着。因此,若果然单为权且便利起见,尽管有比另造新文字简易万倍的法子可以用着,便是先用汉字说起白话来,旁边注着声音符号,"太阳"与"腿痒","什么"与"石马",都请汉文去分别;他们的声音,就简简便便地用着无条例的符号拼起,岂不省事呢？这问题,反正下面还要说着,现在姑且搁一搁。

若说现在费一点麻烦,就是多些条例,如果汉语的拼音文字可以永久,也未尝不可计算起来图他的永久。这就是我最反对的烧点。各位想想看:(1)一点一画一撇一捺可以变做 abcd 了;(2)"哲学"又仍用 Philosophy 了;(3)我们固有的一部分,如"尧、舜、禹、汤、黄河、泰山"的专门名词,"老庄道德,孔孟仁义"的学术名词,他人本要援 Typhoon(大风)、Kowtow(磕头)等成例,用 abcd 拼了,纂入他的字典,我们自己也先把 abcd 拼起了。如此,我们一本汉语新文字的字典，七分重要的已一齐与人公共；所剩三分，只有甲记号的"太阳"，乙记号的"腿痒"，丙记号的"什么"，丁记号的"石马"。为了这一点与别人立异，叫世界上添了一种七分相像、三分不像的拼音文字。倘我等有新发明的学问，用这种文字写成，又叫世界学问家增一参考上的困难，这算什么一种"恶狗当路睡，人己两不便"的把戏呢？窥到最深的内容，无非有于若晦先生挂他尊粪的意思。为尊语毕竟出于他的尊口，应留着三分罢了。而且要得到那三汉七洋的怪物，说不定，当着烧掉《六经》《三史》，撕破《尔雅》《说文》的时候，"苏木水"会流得不少。既然肯出流"苏木水"的代价，难道不好加进大同的计划，要制造这种怪物么？这真是城隍庙里的拆字先生，别号"天下第一糊涂"了！

第二，我们来讲教育部的注音字母，如何叫他跟汉字永不相离。

说起拼音字，像现在西洋各国的文字，他早先呢，原也不过拼凑声音，简单得很。在希腊以前，我想总还没有现在蒙古文满洲文的文明。蒙古文在元初创造，满洲文在清初创造，到现在无声无臭。这就因为创造文字之后，没有许多思想学术。把他的文字发挥，只有些"太阳""月亮""什么""那个"的普通话头，所以连文字都枯萎了。然希腊罗马因为有优美思想、高深学术，把他文字作用起来经着无数曲折、无数习惯，就把文字的规则条例弄成非常繁复。到了今日，却不能算作单单拼音。就是近来 Esperanto 等，把他的规则条例发狠地简易起来，使他近似单单拼音，然而他所承袭的旧文，也就很得了现成，所有规则条例，够得发挥优美思想、高深学术的材料，都暗藏在内，绝非拼几个音就算了事的。

然而一班糊涂虫，就相传有"拼音文字只是拼音"的一种见解存在脑子里。

自从与西洋文字接触以来，因为我们汉文的繁难，众口一词，都想造起一种拼音文字。造法又竭力要想简便，故凡是打算造拼音新文字的人，没有一个不是简简便便把拼音的原理应用起来，管着一子一母，叫两个音扛着一个音，做足一种改良反切，便手舞足蹈，大声疾呼，说："拼音文字，唾手可成，有最简最便的法子，为何不造拼音文字？"据我所知，最初是西洋教会，借罗马字母拼切土音，供教民使用。三十五年前，我知道有苏州白、宁波白、上海白等，后来又见有厦门白。华人仿造，我所知者，在二十年前，香山有王亮畴君的父亲王炳耀君，侯官有现在在议会里做速记长蔡君的父亲蔡锡勇君，厦门有卢戆章君，吴县有沈学君，他们的著作，都有单行刻本，或刻在《时务报》跟《万国公报》等。冷了一阵，在十五年前，便有宁河王照君造"官话字母"，经吴挚甫先生带到日本，北京有几位也替他鼓吹，当时袁世凯做北洋大臣，并且曾发到营盘里，叫兵丁学习。不多几时，桐乡劳乃宣君把"官话字母"整理一番，名叫"简字"，端方替他在南京设立学堂，大张旗鼓。此外到处有人制造，有数十百家。伦敦学生林君，曾刻书教授伦敦大学英国学生；意大利留学诸君，曾发印杂志；西洋人如丁义华君、戈裕德君、贝尔君等，也各有华文字母。这都在十年内教育部读音统一会拟定"注音字母"之先。总而言之，统而信之，或是读了一阵西文或曾研究发音学，或精于中国的等韵，或略略知道一点反切，就不约而同，走到一条路上去。上面寻一个双声，或叫做子音，下面寻一个叠韵，或叫做母音，一子一母，把口舌相撞起来，生出一个新的声音，就欣然色喜，唤做拼音文字。简直有几个尤其谬妄的朋友以为得了不传之秘，"仓颉第二"，垂手可得，兀自可笑得很。并且入主出奴，议论笔画，比较个数，人人皆称自己为"神圣"，称人为"狗屁"。其实尽是胡闹，甲的十六两，乙的还是一斤，既然并非文字，讲些什么优劣？所以教育部的"注音字母"，也就是数十百种里的一种，与他种都是哥哥弟弟的一物。不过用他注注音，便当便当"灶婢厮养"，不能数十百种并用，终要牺牲了其余的，留起一种，方能大家通用。那"注音字母"就是教育部打算留着的一种。

但是自从二十年以来闹动了拼音文字，双方无意识的朋友，好似泥中斗兽，闹得一个"不亦乐乎"。一般社会，几乎至今莫名其妙。若传到后世，我并时的人物竟如此痴愚，彼时就是摇篮里的小孩，也能嗤之以鼻。

一方面，那班自命"仓颉第二"的朋友，拼命地定要叫做新发明，称为"传音快字"，为"减笔字"，为"简字"，不是想代用大小篆，也至少想列做"第二汉文"。所以南北热心推广"注音字母"的一班同志，至今还是不能把观念弄得很清楚，往往有无谓的设施，引人疑怪。借着注音字母，教教一班"灶婢厮养"（屡言"灶婢厮养"，我意并无亵视，不过借以形容最苦恼，无机会能受教育之人。下此四字，为人所公共承认苦恼者耳！），任他单独应用，原足补助通俗教育，发生很大的效力。但有最无谓的一端，即诸君定要在字母上面赘附"四声"，这是承了"官话字母"以来的一种赘疣办法。因为若从教者施与受者，教者必系文人学士，所有教本，大可尽列汉文，把字母附注，希望受者于认识字母之外，汉文常进眼帘，也能识得一二，收起加倍利益。既有汉文做主，四声自有汉文自己掌管。若由受者一方面执笔，请教何处"灶婢厮养"能通透四声？假如说，"今天我上北京顺治门外注音字母传习所去学习注音字母"，能从"今"字到"母"字，一一注得四声不错么？从前秀才还要"失黏"，何况他们苦恼的粗人！要晓得苦恼了，弄到要用注音字母单独达意，自然所写的绝不能当作契约，不过达意而止。达意，是从上下文语气接连听进耳朵，彼此帮助，合成意思。虽四声全行弄错，也能达意。如其不相信，我将官音拼起若干来。假使说，"众话命锅低伊柮纵通交巽问，低而柯交冤师欵，低散柯交里怨哄，低思柯交奉果丈"，诸君读下，定能懂我意思。虽加多四声，自然只有好处，不能算做毛病；但显出一种精神，似乎辗转想出法子，要求分别精细，能令这拼音独立，所以不惜增多教授时间，想吃那天鹅肉。纵然实际上并不能增加什么效果，诸君的野心，是随在显露？（效果不增加者，如"北京"与"白荆"，均为入声及阴平，此类不一而足，分别甚有限也。）

一方面，那班国粹的老顽固恐慌到没有理由。有如恐怕白狗咬人，见了白羊也怕。当初劳玉初先生在南京推广简字，倘推广到如今，通俗教育必然已经受赐不少，说不定，大多数人民的智识，可以不是现在这样一个形状。然而彼时如《中外日报》等，大肆攻击，好像有了什么深仇宿怨。度量他们的隐微，也实在有洪水猛兽的恐慌。直到现在，这种朋友还是不少。其实也没有什么理由，不过他们的见识，也同那自命"仓颉第二"的一样，总觉得拼音文字是容易制造；并且制造了，是容易代用文字的。他们惟一的理由，不过如此罢了。

然而我要请问双方，制造文字，果如此容易么？那么，请诸君去买一册《和英（或和独和佛）字典》，上面所有日本语，通通都用欧母拼着，通行全国，没有不能读着声音，便晓得意思。如此看来，日本的欧式拼音文字，是已经成功了。何以他们对着，一点文字观念也没有？就是那醉心欧化的朋友，也另外有打算，不愿意拿《和英字典》等里面的"日本语欧母拼音",便算文字。

如此,现在我们大家须要懂得,拼音是拼音,拼音文字是拼音文字,二者相似而不同,相去有十万八千里。古时斐尼基文为拼音,希腊文为拼音文字;今之日本假名为拼音,欧洲各国文为拼音文字。就是所谓蒙古文、满洲文,皆拼音,并非拼音文字。朝鲜的"谚文",自然更是拼音。惟其日本文为拼音,故终脱离不得汉文。因拼音而非拼音文字,一不能述高深学术,二不能为契约。今日日本的高深学术,旧者用汉文,新者直用欧文。其契约我常说,日本语读"广东"叫做"コトト",读"行东"亦是"コトト"。倘拿"コトト"写上契约,假使实在是用三千银子卖却一个经纪的行东,而买的人要来索一个"广东",这岂不大生阻碍么？所以他契约的条件,也必要附着汉文。然则拼音是辅助文字的东西,决不能代用文字。用拼音辅助一种文字,此日本所以俨然得文字之用,且效力增加。若以拼音强作文字,为蒙古文、满洲文、朝鲜谚文等,不但不收文字的效用,弄到思想学术样样无可称,便是那冒充文字的拼音亦且渐渐消灭,必至送到字纸篓里完结。如此说来,拼音的不能代用文字,即使大家抬举,他自身总归站立不住。

至于有了文字,再有拼音帮忙,我相信他效力反加增。即如日本,既有了汉文,又有假名帮忙,或者他的教育容易进步,就是这个缘故。这个虽然不敢穿凿的乱说,但有了文字,再要有一种拼音帮忙,实有理由。就是现在欧洲各国的拼音文字,也宜乎再造一种拼音,帮他一帮忙。这句话,初听虽觉得奇妙,若细细说明,也很平常。因为一种文字的成就,都是经过无数习惯、无数曲折而来,到成就的时节,规则条例必然繁多。就如英文中 Tail 说尾巴,Tale 说故事,Tael 说中国的银两,声音同为发音学字母的 teil。近十年以来，把发音学字母注着旧文字的读本，一天多似一天，这就是拼音文字还须拼音帮忙的证据。假使俄罗斯、西班牙能把发音学字母，简简便便，将七十五个不识字的国民，每个教上两月，无论 Tail、Tale、Tael，都把 teil 一拼，让他群盲众聋用来互相通问，鲁莽灭裂，如"众话命锅……"之类，连着上下文，相合而成意，慰情聊胜无，岂不强于没字碑么？且即把发音学字母的拼音注成浅近读本，使他自己阅读，岂不事半功倍么？这种心思所以不发生，大约一则是拗着他们已经是拼音文字国，故不屑更乞灵于拼音；二则凡是因循久梏的人心，总从皮肤上着想，恐怕拼音去乱了他的拼音文字。然而现在时机已来，或者彼中已有人提议，也未可定。

所谓拼音帮忙文字者，就是文字只能用长久时间，耗重大费用，养成一部分人的学问，不能在穷困时候，用最少日力，超度一班"灶婢厮养"，也增一点智识。能够当此责任者，惟有拼音。然而使拼音脱离文字，独立而进，必失却智愚贤不肖隐隐中为一条鞭的联络。且恐拼音独立，所加之职责，过于"灶婢厮养"的限度，误当它为拼音文字，请他养成无限量的学问，彼亦就笑而不答了。

故依我的愚见，中国果然要用拼音文字，决不要再将汉语制造。当现在只好用汉语的时候，莫妙于把汉文留着，将一种拼音帮他的忙。所谓注音字母将与汉文如何不相离，请条举如下：

(1) 所谓《六经》《三史》，老古董的一部分，让汉文独立，不必与注音字母交涉；

(2) 青年所读古书，其应用旧反切之处，皆以注音字母反切之；

(3) 通俗书报，小学读本，一律附注音字母于其旁，凡晓示大众之文告广告同；

(4) 凡致"灶婢厮养"之函牍，手写者可单用注音字母，印刷者必加以汉文；

（5）"灶婢厮养"互相通问，可单用注音字母。

其传达之法，就是先由公家强迫师范学校及小学校限期教授，此期于读音一律，为统一全国口音之预备者也；余则社会上竭力鼓吹传布，如北京注音字母传习所之类，推广于各地，此即实造福于"灶婢厮养"者也。惟传习者观念宜正确，乃传习拼音，并非教授拼音文字。我说这句话，毫无意于迁就老顽固，冀得其首肯，使减少阻力，这是我自己心窝里要正其名实而已。

第三，我们来讲对于Esperanto怎样安放。

钱玄同先生问我："倘不用汉语制造拼音文字，我们能否简直就采用Esperanto来做我们的文字？"我可以权且先答一句，说倘使做得到，真是一种可以要得的东西。我们先来想，人类到再过多少时候，果否总得要说一种言语，写一种文字？这个答案，恐怕只有早晚的问题，绝没有否定的问题。凡语言文字，有种人过于相信都是"习惯"演成的，过于不相信有可以"人为"的。其实什么叫做"习惯"呢？也不过聚了无数"不成文"的小人为，受了许多小人为的转变，演成一个"有名目"的习惯罢了。并且那小人为中间，也有万有不齐的力量。用力量大一点，转变得多一点；用力量小一点，转变得少一点；虽还有种种复杂的原因，有出了力量，没有转变的效力的；也有大一点的力量，只得到少一点的转变的；也有小一点的力量，却得到多一点的转变的。这却必有间接得了助力，或间接失了助力的缘故。总之，如何大的一个习惯，必要如何多少人为的力量才转变得成，这是可以盲断的。从盲断上立起一个"十死笨伯"的定义来，假如要用十万个一斤、两斤、十斤、八斤、三十五十斤、一百搭八十斤、一千搭八百斤的小人为力量，才转变成一个习惯,也未尝不可用数个一万搭八千斤的大人为力量,造成一种同等的习惯。所难定的,惟有那个目标的习惯,不知那无数小人为,到底共用了若干斤力量？我们用大人为替代的斤两,到底够不够？又,无数小人为的中间,有间接得助力的,有间接失助力的,现在的大人为,当间接得助力否,间接失助力否,他的比例应当如何？这也极难估量。所以必定有用起大人为来,比小人为所成的习惯,差着几分,不能成得刚刚恰好的同等习惯。以后就或者自成一种不满人意的习惯;或者再加着小人为,成了似是而非的习惯;或者更加大人为,过了力量,成了出乎意料的习惯,这都不能知道。或者都可以受人批评,叫做人为的不曾成得目标的习惯,简直算做失败。但由盲断的一方面着想,恐怕出了灯油,绝不会放他暗处坐的,花多少力量,必有多少转变,可以相信得过的。所以姑且承认从前的希腊、拉丁、英、法、德、俄文都由小人为用习惯造成,则今日的 Esperanto 即用大人为演成习惯,乃毫无二致。(且各国习惯演成之文字,其中间所用较大人为,都可指说。如英文,十世纪以前的旧英文,诺曼以后的新英文,皆有特意改作之人;即如我国,李斯等的小篆,周颙等的四声,韩退之的"文起八代之衰";日本的"目的""义务""手续""场合"不二十年满于华文的著作,皆凭票用过大人为的功夫者也。)故只有力量够不够的问题,绝没有大人为只能叫做"人为",不如小人为能叫做"习惯",而有可不可的问题。

那么,现在 Esperanto 的力量,到底够不够转变成一个习惯呢？这个我不敢乱答。所以陶孟和先生有"五十年后看世界语如何"的疑问,我也曾经有过同样的疑问。钱玄同先生来信说,有人言"I do 的势力,比 Esperanto 要大",这就是力量够不够的问题。惟我从乐观一方面着想,世界语之为世界语,终是无恙。就使五十年后有五十年后的 I do, 今日已经有今日的 I do, 其为十六两还是一斤, 又可以盲断。先把一笑话说明, 倘有人问,"徐锡麟的革命, 力量够不够?"竟在安庆校场杀头, 形似不够, 但毕竟做总统的还是徐世昌。总之, 成了有姓徐的做总统的民国, 绝不再是有姓爱新觉罗的做皇帝的帝国。更着一个近似的比方: 有如蔡锡勇用缩写做了"传音快字", 沈学又做"十八笔", 王照又用偏旁做"官话字母", 劳乃宣又做"简字", 教育部又取笔画最少之字做"注音字母", 近来西教士的内地会又用偏旁要改什么新造字母。其实说穿了, 总是那一直一横两三笔的笔画, "阿伊乌哀""子此知尸"等的声音, 换汤不换药, 一种所谓官话的传声东西罢了。

照这样看来, 我又要掺杂起来, 先发两个问题。

(1)对于我们汉语发一问题:

(a)是否可以听凭十八省的土话终古的各行其是? 必回答说, 不能。

(b)是否可以用闽广的土白, 或吴越的方言作为标准语? 必又回答说, 不能。

那么, 所谓汉语, 虽有中州、北京、汉上、夏声等的分别, 不过十有八九相同, 所谓"蓝青官话"的罢了。

(2)同样的可对于世界语又发一问题:

(a)是否中、日、英、法、德、俄、回回、巫来由的语言文字将终古不变? 必回答说, 不能。

(b)是否中日的象形文字可以为后日世界通行之利便物? 又是否拼音字母必将以回回、满、蒙、巫来由等所用之字母代用今日之所谓欧母? 必又回答说, 不能。

那么, 所谓世界语, 虽有 Esperanto、I do 等的分别, 也不过是杂取全世界的语文。先用所谓欧母,或近似欧母的字母,做成一种驴不驴、马不马的文字,使我辈兴叹五十年后将夭殇的罢了!(着一"先"字者,千百年后,欧母终必蜕化,别有一种良好之面目拼切将来的世界语也。)

所以 Esperanto 到底可行若干年,我不敢答。敢答者,无论尚有 I do 不 I do,终之十之八九还是今日 Esperanto 的一物,换汤不换药,十六两还是一斤罢了!

但是有人驳说:"便是你讲世界语应当杂取全世界的语文,然今日的 Esperanto,就使斟酌了英、法、德、俄、意及其他欧系的语文,小小心心地选择起来,在欧美是满意了;别的不管,单是中间没有我们汉语,怎么叫做世界语呢?"

我说,这到了问题咯!倘使有一种国粹的名士,有于先生挂粪的见解,必定要拿象形文字来统一世界。无论世界何种专门名词、学术名词,如"欧洲"必改称"大秦","英吉利"必改称"红毛","逻辑"必改称"名学",否则,宁可不与世界相通。我敢翘起一拇指,称他为"有志气的好汉""爱国的志士""母语的护法""保存尊粪的有情感朋友"。我只有钳口结舌,不敢再说世界语。又倘使有汉语拼音文字家,必要避去欧文面目,用注音字母等的一物算做世界语的底子,于是强人就我,将来 Philosophy 必改为"ㄈㄧㄌㄠㄙㄨㄛㄈㄧ",London 必改为"ㄌㄙㄉㄣ"。我也称他为"有趣的别致朋友",就也不赞一词,由他去造他的世界语。所以我们对于这两种人,都要提开算,不可泥中斗兽,连他也讨论在内。

我们所要同他讨论的,便是那赞成欧母的朋友。不过他的甲组,要世界语包括了汉语在内;他的乙组,要将"用欧母拼音的汉语"做着底子,包括欧系语文在内。这甲乙两位,都是个"欧迷"朋友。其实多多少少,终要做成落在 Esperanto 圈子里的朋友罢了!仓颉终将对他痛哭,莎士比亚等亦当恨他刺骨。他是终要送世界旧日各国语文进博物院陈列的主顾。

　　甲组的问题,就是恨现在 Esperanto 不包汉语的问题,这不算做 Esperanto 的缺憾,不足为推翻 Esperanto 的条件。有如"尧、舜、禹、汤""黄河、泰山""大风、磕头"之类,凡是汉语的专门名词、学术名词、特别惯语,现在习见的英文,已经慢慢地收进字典。这是自然而然,别人也不肯轻易放过的。在英文收进这些词头,不碍算做完全英文。那么,Esperanto 也把这些词头慢慢地收进字典,怎么就会碍着算做完全的世界语呢? 所以慢慢地吸收汉语,扩大 Esperanto 的范围,是顺理成章的事情。如在礼有什么"禘、祫、烝、尝",在乐有什么"黄钟、太簇",在学有什么"儒墨名法",在术有什么"阴阳、五行",在惯语有什么"不行""像煞有介事"种种可以供参考及历史纪念的,没有不能慢慢地加进 Esperanto。Esperanto 也必欢迎这些词头,热切得厉害。

　　乙组的问题,就是要把"用欧母拼音的汉语"做个底子的问题,虽然似乎要打得 Esperanto 成个落花流水,但让一步说,就算 Esperanto 甘心受打,还是要在中间占一大部分的势力:

　　(1)是欧文固有的专门名词、学术名词、特别惯语,"我们汉语做底子的世界语"也不能不采用。采用的时节,杂取英、法、德、意文来特别制造,费却大手脚,结果还同现在的 Esperanto 是哥哥弟弟,故必落得省事,多分采用 Esperanto。

　　(2)因这一采用,所有我们的专门名词、学术名词、特别惯语,也就事同一例,采用 Esperanto 的拼合规则。

　　(3)于是普通词头,所与人为惟一竞争的东西,那拼音的规则亦必强迫而同于 Esperanto。不过"太阳"不用 Suno，改用 Tajjan；"月亮"不用 Luno，改用 Jojan；"什么"不用 Kio，改用 sima；"那个"不用 Tio，改用 Nako；吃饭的"吃"不用 Mangi，改用 Ci；喝茶的"喝"不用 Trinki，改用 Ho；"大"不用 Granda，改用 Da；"小"不用 walgranda，改用 Sjaü；"然而"不用 Tamen，改用 Janl；"如此"不用 Tiel，改用 Juc 罢了。

但是就照那样办法，现在的 Esperanto，不已经是一个重要的参考品，不是仍旧落在他的圈子里么？

但我要质问一句，彼此的专门名词、学术名词、特别惯语，是原来各不相妨的。所断断可争的只是那些"太阳、月亮、什么、那个、吃、喝、大、小、然而、如此"之类的普通话头。这一齐要用汉语，又怎么叫做世界语呢？倘满、蒙、回、藏、日本、朝鲜、印度、安南、巫来由等个个出来主张，又如何安排？我以为既然专门名词、学术名词、特别惯语，欧洲固有的，仍着欧旧了；中国固有的，也改用欧式了。所剩的，只是那普通名、状、动、副、介、连等的话头，这些话头，不将欧洲旧物，其语根与欧式文字相应的充着，反要将语根与欧式文字不容易相应的汉语充着，这又是什么一种拗执的把戏呢？又所谓"恶狗当路睡，人己两不便"的办法咯！所以苟其"尧、舜、禹、汤、黄河、泰山、大风、磕头、禘、袷、烝、尝、黄钟、太簇、儒、墨名、法、阴阳、五行、不行、像煞有介事"，皆已可闻声而达意，则其余的"太阳、月亮、什么、那个、吃、喝、大、小、然而、如此"之类就又何妨竟用着 Esperanto 呢？我是一个懒汉，或者迁就得实在有些过当，亦无妨对我们"欧迷"朋友互相谈谈，本不曾敢向"国粹家""母舌家"开口。

上面说了许多话，说来说去，到底是什么意思？不过说，无论在欧洲，在中国，也不必争着 Esperanto 不变做 I do。我盲断他还是这样的一物，现在的 Esperanto，极少总有做一个世界语底子的价值。无论哪一国的人，如果盼望将来要有一个世界语的，就该把现在的 Esperanto，在有工夫的时候，分一点神思，理会一理会，扶助他畅行，是第一希望；进了他的门，倘见着不良的，可以改良，是第二希望；真要别创 I do，把他做个底子，是第三希望。好在他也不费得我们许多脑力，他又尽是些英、法、德、俄、意的文字，读了也不算白读。

至于钱玄同先生信上所说的 I do，我很鄙陋。所跑的国都也太少，学问界的情形又只算全不知道，这新产物，倒还没有听见。我耳朵里聒着的，有人说，二三十年以来，同 Esperanto 一道出风头的，还有两家；一个叫做 Volapük，一个叫做 Idiomneutral。但近十年中，我在伦敦、巴黎一带地方，只听见 Esperanto 在那里独出风头。有好多人对我说，那两家是偃旗息鼓得好久了。不知五十年后到底如何？若据我一人的经历，自从一九〇五年在巴黎看他慢慢地兴旺起来，到了一九一五年我回国的一天，是只有一天热闹似一天。自然不能如摩托车那样暴兴，但是衰败的样子是绝不曾显出的。他也不仗《评论之评论》报社一家鼓吹，他自有首要的发行所，在勃烈颠博物院左近。当然这些新事业，那国粹的名家，词林的文人，虽心中也有意思讨论，然绝没有纡尊降贵，肯失了他的身份，随便赞成的。这好比一家同是姓徐，那揎拳攘臂，做出暴徒的行径，只好苦徐锡麟不着，那徐世昌先生，总得要到了制礼作乐的时候，才好垂绅正笏地请他出场的。所以 Esperanto 是还不曾开了牛津大学的课堂，戴着博士帽子，天天教授。热心赞成的，多半是那些中下流的人物。只有那厉害直接的商家，能够招来买客，愈便利愈好，故店铺伙计学习Esperanto的，很是不少。因此，普通的夜学校添这一课的，也就日有增加。至于"伦敦公园有传习所"，这是孙芾仲先生听了我的话，不曾深知欧洲情况，故误"传布"为"传习"，且添了一个"所"字。公园中知何容得传习所呢？陶孟和先生以为"走遍公园，也没有看见"，自是确情。但是一种演述社会主义等的"乞丐"朋友，在城西海岱公园，城南克腊责草地，城东维多利亚公园向人鼓吹Esperanto，是司空见惯的事。大凡上等学者都不屑留意，我因为常欢喜调查那些"乞丐"朋友，故接触略略多着一点。（"乞丐"二字，是民国元年饶孟任先生在"上海共和建设讨论会"上给伦敦社会党的徽号。他说："我在伦敦，从没有见过什么社会党，只有几个乞丐闹着罢了。"）

闲话少说，那采用Esperanto以为我们第一步代用汉文汉语的问题，若问我究竟赞成否，我可以复说一遍，倘使做得到，真是一种可以要得的东西；并且倘使做得到，我总是第一个赞成。但恐这件事情，是不大容易做得到！果然能把老顽固说得眉飞色舞，相信起来，或者简直掩耳缩头，不屑抵抗。这样说法，那造汉语拼音文字，绝不如径用Esperanto为好，管他有五十年气候没有五十年气候。我非敢与陶孟和先生、陈独秀先生、胡适之先生等故意捣乱。我的心头真意，无非相信Esperanto是用得的，汉语拼音文字是不必造的。但我以为对于Esperanto的进行，可以和平进行。现在的Esperanto，就使不必果为大同时代的真正代用物，终是那代用物的幼虫。凡世界上的开明人类，皆有把它传布，对它讨论的责任；凡相当的学校，皆当采做一种必修的附属功课，比之于地理、历史等科，绝可有此价值，而且有此时间（因其易习）。至于代用汉语的问题，似乎把它作为两个问题，尤其妥当。这是我十年来固持的意向，请在下一条再来细述。

第四，我们来讲采用一种欧洲文字作为第二国文的问题。

我是一个谬妄的物质文明崇信家，要问"有那物质文明，到底干么？"我是不能答。物质文明，又是我的贱骨头所消受不来的。但是我的信条，终以为死亡绝灭，人人以为不好，那就是说，"没有是不好"；粗陋恶劣，人人又以为不好，那就是说，"不精工是不好""不好看是不好"。故就盲从着乱说起来，以为有是好，多有更好；有得精工是好，有得好看是好。这种肤浅的思想，自然不值一驳。就是我虽没有学问，也能寻出几句高尚的门面语来，驳得我自己哑口无言。但我的实在信仰，终是消灭不得。

有了这种信仰，就鄙陋之心不能自抑，总眼热不了欧美那区区可笑的一点物质文明，而且深信不疑，认为这是人类进化阶级上应有的文明。我常常胡言乱语道，把世界扭做一起，以为书契以前，且搁起不必谈；书契以来，可分做三时期：

（1）中国从伏羲到帝挚，算是两千年，叫做上古一时期。这个时期，虽然有像伏羲等一点画八卦的理想，然这种理想，究竟只能造出一点粗浅物件。自从伏羲造纲罟，神农造耒耜，到最后五百年的黄帝时代，那城郭、宫室、舟车、衣裳，造得极热闹了。在西方，恰是埃及巴比伦时代，也是这么一个状况。

（2）从尧舜到秦庄襄王，又算是两千年，叫做中古一时期。这个时期，是理想发达的时期。把那没机器的物质文明，好比如上古的粗浅物件之类，慢慢地扩充完全起来。这个时期的理想，也仿佛如上古时期。起初如尧舜等，略有一点伦理法律的思想，极盛也在最后五百年；就是到了春秋战国时候，老、孔、杨、墨、庄、孟之徒，方才一齐出世。西方希腊七贤，若德黎等，是与老孔同时；雅典学者，如苏格拉底师弟是与庄孟同时。最奇的，文学每先哲理而兴，中国商周之际有雅颂，彼中亦有鄂谟诗篇。两种文学的古董，都出于诸子百家之先，好像互相约定的一般。

（3）从秦始皇到清宣统帝，又两千年，叫做近古一时期。这个时期，补缀四千年无机器的物质文明，到无可美备；而又发挥中古的理想，酝酿出科学，使发生第四期机器的文明。什么叫做科学？就是理想有系统，有界说，能分类，重证据的便是。这两千年，也是起初稍稍地萌芽科学理想，末后就科学的理想大著，不过不能如前两时期的样子，发达极盛整整的都在后五百年罢了。汉儒说经重派别，罗马生出政法学说，中国也有西汉人伪造条理较精密的《周礼》，这都是科学理想的萌芽。这时期的中间如西方的黑暗时代，东方宋元学术的荒陋，皆状况无别。惟西方自戈白尼推翻日局，直接竟向科学线上进行；我们就倒霉，走向歧途。但是科学理想的细胞原虫，未尝不潜伏在吾人脑子之中，与人类的气化相应。即如宋儒之说"诚"说"敬"，虽他们的学术自有误谬，然他们极寒俭的冥想，界说自极森严，就彼论彼，绝不容信口开河，实有一种特色。遂间接而开清儒考据的局面。于是应用在他们考据中间的系统，界说、分类、证据，皆应有尽有，虽号称汉学，实非汉儒所能梦见。

从此以后，倘使还是两千年一个时期，那么，从十九世纪初年，或从民国元年起，到民国两千年，我们可以题它一个名目，叫做粗浅机器时期。再从六千年的后面看上来，现在这些惊人的机器，就同伏羲的纲罟一般；现在这些高深的科学理想，就同伏羲的八卦一般。若正式的粗浅机器，抵得黄帝的舟车的，尚要等一千五百年，方才出世。至于真正科学理想，抵得春秋战国东西诸儒的哲理的，应在三千五百年之后。

我为什么百忙中插这一段无根盘的冬烘讲义,引人发笑呢?我的意思,无非要表明:今日欧美的物质文明,并非西学,乃人类进化阶级上应有的新学。这种所谓科学理想的头脑,到这时期,已由叫做什么"上帝"的遍赋予东西人类的脑壳里面。不过在这发脚的时节,西方人已经直接地应用在科学与机器,我们只间接地应用在汉学考据,尚未直接地应用到科学。早晚应用起来,或者一千五百年后的"未来黄帝"还生在东方。那么,现在初期的发脚,东西相差一百搭八十年。六千年后的人类当然无所感知,看作我们同时发脚罢了!但是我这几句宽慰的话,不是奖励我们的惰性,引我们再睡一下,是要辨明我的眼热欧美物质文明,断非因贫弱了,震惊别人的富强,为一种虚骄的感情;实见得发生这种物质文明,是我们人类到此时应有的天职。我们间接误应用于汉学考据,已迟误了二百年;再以"中学为体,西学为用",又迟误了目前的二十年;抛弃人类天职,实是可惜。但恐怕我们自己懊丧,故想出几句"往者不可谏,来者犹可追"的话头,一面慰藉了,叫我们定着神。如小学生早睡失跑,误了上学时间,及唤醒起来,既睡眼蒙眬,又性急慌忙。所以替他摩着面孔,安慰几句,定定他的神,到他清爽了,望他拔脚就奔,快!快!飞快!你若再在路上游玩,便不是一个好学生。那么,我说完这一节,我们向欧美物质文明上奔去,也该快!快!飞快!若再迟回不进,便不是一个好人类。

　　所谓"来者犹可追",我们当从"追"字上着想。"追"字是如何情态,就所谓快!快!飞快!这才到了我们采用一种欧文为第二国文的问题。上面从进化线上着论,在数千年后看来,今日的欧美物质文明,殊不值一笑,但是若我们同一时代的人实地比较,实已相差得太远。仿佛从前我们是踱方步地前进,他人始而是乘了牛车前进,继而是快马前进,现在是汽车前进。本来快马的时节,离他已隔数程,今日他的汽车飞驰不息,简直十万八千里地跑得毫无影子。数年前"中学为体,西学为用"的教育,是一种雇着牛车追赶的法子;近来主张多采新法课程,改良学校,是改雇快马追赶的法子;一班所谓志士,想出多派留学生,改造拼音文字,用白话文体,是购买自转车,或坐火油船,旁求捷径,升天入地,四路追赶的法子;依靠Esperanto,是向单轨火车发明家预定将来新建物成功,可用他一飞就赶到的法子。前几样嫌他太无速力,后一样又嫌他缓不济急,所以正门道路,采用一种有力量的欧洲文作为第二国文,是追赶汽车也用汽车的法子。假如取了法文算第二国文,再把英德文作为大学及高等学校必修的辅课,把Esperanto作为高等小学及中学必修的辅课,仍将英德文作为中学可增的辅课。如此,庶几乎世界头等文明国的书报,如替中国做的;印刷厂、报社,如替中国开的;各种学校,如替中国立的。此如汽车以外,火车、飞机,帮着并进,庶几乎可以追到同等的地位,真能同负了粗浅机器创造的责任。否则,懒惰朋友真能靠了"气化"自然前进么?试观我们苗大哥的远祖共工氏,继着伏义拿"水德"称帝,多大局面!后来蚩尤一战而败,三苗已格而窜。想来他在那时节,已崇拜踱方步主义,"苗学为体,夏学为用",自以为允当,变成缩进了贵州内山。所谓配德黎者有老子,他不曾有谁;配科学者有考据,他又不曾有"么"。他不曾得文明的徽号,尚小事;他竟不曾尽人类的天职,是大咎。

有人说:"学校可以自立,印局可以自设,报馆可以自开,书报可以自编及翻译而成。"曰,唯唯!否否!我仰天大笑,冠缨索绝。学校什么一个程度?印局、报馆什么一个资本?自编的书报什么一个大著?反正各人都有手镜,让他自己照了面孔好笑,我不必再费口舌辩论。惟有那翻译一端,凡那"中学为体,西学为用"的腐儒,抱有《盛世危言庸盦文编》见解的朋友,都在那里做这一场好梦。至于稍微读过一点东西洋文字,出出国门的,才心里明白。凡是快马程度的,或者还可仰仗翻译;至于那汽车程度的,连美、法、德诸国尽有译手,也互相不及翻译。所以他们进大学而便参考,已有必修一种外国文的规定!

至于第二国文应采何种文字?钱先生问我,法文是否较适当?我以为法文本来旧日曾有世界语的资格,果国人一朝而有第二国文的信仰,也必有群焉倾向之势。即彼向有英、德文之癖者,法文本不过与国文并重,视各国文,英、德之文,本在大学及高等学校为必备的辅课,其高等学子,既于小学中学精读法文,由法文而进修英、德文的辅课,视今日径习英、德文,且事半而功倍。如此,当法文课为吾国第二国文的时代,所有情愿精习英、德文,学于纽约、伦敦、柏林者,必可多于今日。所以这一问题,容易解决。

以上所说,不过是钱先生提起了,搔着我的痒处,不由自主地,写了这许多行数。此外钱先生还有想买一辆自转车的办法,就是想要杂用汉文、西洋文、注音字母,商量出一个简易便当的法子来。这法子,依我的理想,也觉得可以不成空言,我真乐于讨论。但是说起来,又必定话头甚长,这回写得手也酸极了,因此,暂且搁一搁,下次再谈。

玄同以为我们对于中国文字,应该讨论得很多,并且为了要革新文艺、振兴科学、普及教育起见,更非赶紧在旧文字上谋补救的方法不可。因此曾于十月里写给吴稚晖先生一信,信中提出几个问题,请教吴先生。吴先生思想见解的超卓,知道的人很多,不用我再来赞扬,单是就改良中国文字方面说,吴先生于一九〇八年在《新世纪》上曾经发表过许多议论;一九一三年读音统一会所制的"注音字母",吴先生又把他传播给巴黎的华工;两年以来,又替教育部编了一部注音字典的字典——名叫《国音字典》。我知道吴先生对于补救中国文字的方法,怀抱的精思伟识非常之多,所以写信去请教他。现在接到这篇文章,说得详详细细,有一万四五千字光景,其中所言极有价值,因亟录登《新青年》以资国人之讨论。

又吴先生别来一信说,今后关于注音字母改良文字,及其他种种的问题,要说的话很多,将陆续写出,寄登《新青年》。这是《新青年》同人所最欢迎的,玄同当代《新青年》同人向吴先生道谢!

一九一八年十一月三日　钱玄同记

(第五卷第五号,一九一八年十一月十五日)

渡河与引路(通信)

唐俟　钱玄同

玄同兄：

　　两日前看见《新青年》五卷二号通信里面，兄有唐俟也不反对 Esperanto，以及可以一齐讨论的话。我于 Esperanto 固不反对，但也不愿讨论。因为我赞成 Esperanto 的理由，十分简单，还不能开口讨论。

　　要问赞成的理由，便只是依我看来，人类将来总当有一种共同的言语，所以赞成 Esperanto。

　　至于将来通用的是否 Esperanto，却无从断定。大约或者便从 Esperanto 改良，更加圆满；或者别有一种更好的出现，都未可知。但现在既是只有这 Esperanto，便只能先学这 Esperanto。现在不过草创时代，正如未有汽船，便只好先坐独木小舟。倘使因为预料将来当有汽船，便不造独木小舟，或不坐独木小舟，那便连汽船也不会发明，人类也不能渡水了。

　　然问将来何以必有一种人类共通的言语，却不能拿出确凿证据。说将来必不能有的，也是如此。所以全无讨论的必要，只能各依自己所信的做去就是了。

　　但我还有一个意见，以为学 Esperanto 是一件事，学 Esperanto

的精神又是一件事——白话文学也是如此——倘若思想照旧，便仍然换牌不换货，才从"四目仓圣"面前爬起，又向"柴明华先师"脚下跪倒，无非反对人类进步的时候，从前是说 no 现在是说 no，从前写作"唏哉"现在写作"不行"罢了。所以我的意见，以为灌输正当的学术文艺，改良思想，是第一事；讨论 Esperanto，尚在其次；至于辩难驳诘，更可一笔勾销。

《新青年》里的通信，现在颇觉发达，读者也都喜看。但据我个人意见，以为还可酌减，只须将诚恳切实的讨论，按期登载，其他不负责任的随口批评，没有常识的问难，至多只要答他一回，此后便不必多说，省出纸墨，移作别用。例如见鬼、求仙、打脸之类，明明白白全是毫无常识的事情，《新青年》却还和他们反复辩论，对他们说"二五得一十"的道理，这工夫岂不可惜，这事业岂不可怜？

我看《新青年》的内容，大略不外两类：一是觉得空气闭塞污浊，吸这空气的人，将要完结了，便不免皱一皱眉，说一声："唉！"希望同感的人，因此也都注意，开辟一条活路。假如有人说这脸色声音，没有妓女的眉眼一般好看，唱小调一般好听，那是极确的真话，我们不必和他分辩，说是皱眉叹气，更为好看。和他分辩，我们就错了。一是觉得历来所走的路，万分危险，而且将到尽头，于是凭着良心切实寻觅看见别一条平坦有希望的路，便大叫一声说，"这边走好！"希望同感的人，因此转身，脱了危险，容易进步。假如有人偏向别处走，再劝一番，固无不可。但若仍旧不信，便不必拼命去拉，各走自己的路。因为拉得打架，不独于他无益，连自己和同感的人，也都耽搁了工夫。

耶稣说，见车要翻了，扶他一下；Nietzehe 说，见车要翻了，推他一下。我自然是赞成耶稣的话，但以为倘若不愿你扶，便不必硬扶，听它罢了。此后能够不翻，固然很好；倘若终于翻倒，然后再来切切实实地帮他抬。

老兄，硬扶比抬更为费力更难见效，翻后再抬比将翻便扶，于他们更为有益。

唐俟　十一月四日

元期兄：

惠书敬悉！

我所谓讨论者，不过要老兄说明对于人类共同的言语，和Esperanto的意见如何，绝非是要开什么"爱斯不难读讨论会"或"爱世语促进会"，拉了一班人入会，七张八嘴地瞎吵一阵子的办法。今来信所言，已经把尊意说得明明白白。虽然老兄自己说是理由十分简单，其实就如玄同的屡屡言及此事，所主张的理由，也不过如此简单。

世界万事万物，都是进化的，断没有永久不变的，文字亦何独不然。象形文字不适用了，改为拼音文字；习惯文字有了不规则的发音、无谓的文法（如法、德文中之阴阳性等），不适用了，改用人为的发音正确、文法简赅的文字，这都是到了当变之时不得不变，其事至为寻常。正如衣裳破了，自然改做新衣；鱼馁肉败了，自然重煮新鲜的食品。但是今年做的新衣，穿上几年，自然又破了；今天煮的新鲜食品，过上几天又要变味了，那便须再做新的，再煮新的。所以从Esperanto里变出来的，又有I do，有人说，将来的世界语，或者不用a、b、c、d，竟用Phonetics的画嘴字母也说不定。现在"向'柴明华先师'脚下跪倒"的人，竟将世界语认为他们贵先师的专利品，遇见别人做的世界语，便说是冒牌的，这竟是"只此一家并无分出,请认明柴先师招牌为记,庶不致误,如有假冒,雷殛火焚,天诛地灭"的话头。哈哈! 真要叫人笑死!

"二五得一十"的废话,《新青年》里确乎很多。其实岂但见鬼、求仙、打脸是毫无常识的事情,就是孔教、古文、节烈之类,又哪里是近人情的? 偏偏有人主张,岂不可怪!

现在走路的人,有"盲人骑瞎马,夜半临深池"的,有故意"南辕北辙"的;现在满街的车子,有实在拉不动,以致翻车的,有故意将好好的车子推到泥塘里去的。《新青年》对于前者,是应该指导他,帮助他的;对于后者,不但元期以为可以听他,即玄同亦以为可以任其自然。但是昨天百年同我说:"看见有人吃粪,不问其有无精神病,总是该阻止他的。所以共和国提倡帝制,科学时代提倡拳匪,平等世界说'慈善事业''子惠元元',此非驳斥不可的。"我想这话也有道理,大可各人依着自己志愿,分头去做。

我写到这里,忽然听见外面有放炮的声音,因想起数日前有个朋友来说:"过年时候的放炮,从去年起,已经弛禁了,听说今年还要热闹哩。"然则此刻的放炮,大约是"己未新正"的先声。我想写"己未"两个字,也不要紧,但愿"中华民国八年"六个字不要删除,才好。要是并这六个字而不愿保存,那我们简直可以老实不客气,照着 Nietzseh 的话去办。

钱玄同

(第五卷第五号,一九一八年十一月十五日)

汉文改革之讨论（通信）

张月镰　钱玄同

《新青年》诸君足下：

　　近从友人处获读贵报第五卷第一及第二两号，不料当此文妖猖獗时代，尚有这样健全的言论机关存在，真正喜不可言！大体主张，均表同意。对于郭仁林先生的《告青年》一番忠言，更为服膺无既。弟正因二十年奋斗生涯，闹得头昏眼花，筋疲力尽，今获闻名言说论，不觉精神倍长，从前勇气，亦已完全恢复。郭仁林先生实在助我不少，感谢感谢！以后当如先生所说，"尽其为我之道"就是了。

　　虽说大体主张均表同意，然而意见不能强同之处，正复不少。我不会说"千虑一得"的客气话，所以就要爽爽快快说到我的顽固意见，以就正于诸君之前。第一桩是"改良文字"问题。这是一般人类间共通之大问题。若照我辈之最高欲望而言，能完全满足我辈所要求的最善文字，自然是理想中之大同世界所能通行之真正的 Esperanto。不过研究这样问题，似非二十世纪东方人之责任，而且万万非我辈之责任。何以故呢？我辈今日所以急急主张改良文字之原因，并非完全抱大同观念，不过为产于亚东大陆之四五亿同胞争存保种起见。更明白言之，不过为灌输二十世纪之世界知识于此四五亿守旧党人之故，不得不将固有之复杂难晓之文字，改为一种较为简单易晓之文字。这是一时的救急方法，这是全要从国民经济上着想的。所以不妨因陋就简，只要从捷径上做去就是了。就是只要一种轻而易举的改良方法，使国人易于赞同，则因势利导，事半而功倍。虽然与我辈最初要求未能全符，然而我辈救国之目的，岂非可以达到了么？

如上所说，我对于改良文字之观念，是完全就功效一方面着想。所以对于改用罗马字之议，是绝对的反对；用罗马字拼音表示汉语之议，亦未能十分赞同（反对之理由在后）。我之主张，是这样的：

大致用白话体裁，混入寻常谈话中用惯之文言；有时需用学术上术语，即混入外国原名，亦无不可。

如此则研究科学一方面，既觉便利，与自来之旧文学，相去亦不甚远。（旧文学是否应完全破坏，是别一问题。今为我辈理想容易见诸实际起见，不得不稍屈从来主张，是不得已亦是步步为营之法。）该新造此种文规，亦较为轻而易举。因之得社会上赞助既易，收效亦速，岂非各方面之要求都已满足了么？

我知骤闻此议者，必然极力反对，以为此种不三不四、非驴非马之文字，算什么呢？一国文字，是国民文化攸关，岂可如此苟且的呢？则请答曰：苟且二字，似有几分不免，然在过渡时代，既不可墨守成规，又不能完全推翻旧文学，则创造一种中间物，以为新旧文学交递之媒介乃必然之结果。请看日本最古书籍，全用假名，自与吾国交通以后，一时文人均用汉文著书；后复有人调和其间，乃造汉字假名交互文之法；再经屡次改革，至今遂自成一国文字。再看Himono、Jndo jinriki诸字，本脱胎于日语，而今已常见于西文中。交际社会中之文件无论何国，大都采用法文。可见交通机关愈发达，人类交际愈繁杂，则各国之语言文字将于不知不觉之中，自然而然地渐趋统一。又如吾国各处土语各个不同，而目下交际社会通用一种普通话，人皆习用之而不以为非。若必深恶此等普通话，而目为不三不四、非驴非马之言语，则我可无言；否则可以同样理由，证明此种文字固自有其相当之价值也。

然而又有难者曰：中西文杂出之文字可以之著书而教小学生徒乎？曰：是可无虑。西文原以有时无相当译语不得已而始用之，小学校教科书本未及高深之学理何用此等原名？如其偶一见之，是必为寻常通用之物或人人应有之常识，则亦不足为病。

更请以余之经验为证：余在中国中学校时所受各科均用中文本，然而理化学中之术语如energy、work之类，则反以原名为便于记忆，且容易了解。如译为"能力""作用"之类，字义既晦，反觉其难解。夫研究科学之法，万不能取"好读书不求甚解"主义。是以中西文合并而成之新文学，实为应时势之要求已至瓜熟蒂落之期而产出，只须忍些微之痛苦，定能获良好之结果，是可以断言者也。

此种新文字之副产物，即文字排列之法须改直行为横行，及句读处加以符号之类是也。此议贵志上已屡次论及，故不多述。

（中略）

中国实业至今故步自封不能应用科学者，并非因缺乏学者，是全在乎缺乏技术家之故。学者之责任在乎研究学理，故非研究外国文直接看外国书不可。然而此等人才，今日似已不少。即以东西洋之留学生人数观之，更以推测中国实业状况，早应有良好成绩。日本每年派遣西洋留学生之人数，不过中国十分之一，而其成绩，则与中国适成反比例。此中原因，虽有派遣之法截然不同之故，然而尚有一大原因在，盖日本学者只须一论文一图案之劳，便可以其独得之新理转授技术家而立刻见诸实际；中国学者则虽有良法美意，无从发表。试看中国之工人，能有几人懂得图案之意？正如残废之人，虽有充分之脑力，而无手足以承其意志，则亦徒唤奈何而已。故中国学者只能独善其身，而无从贡献于社会。今欲于短岁月内造成多数之技术家，自应以相当之科学知识为前提，岂可更以外国文之类乱其心志？而且技术家责任，只须仰承学者之指挥，而实地从事于改良或创造，并无研究学理之必要，故无研究外国文之必要，故不得以中国实业不发达之故。便以为今后少年非教他们研究科学不可，要叫他们研究科学，非教他们研究了外国文直接看外国书不可。余之主张，并非谓外国文不必研究，不过谓人人研究外国文，却非必要；而且照目今时局而观万无此等余裕，以图此正本清源之解决法。所以余竭力反对改用罗马字之议。总之，余之意见是与朱经农先生的大致相同，诸君以为何如？

日本有罗马字会，主张废止汉字及假名，而用罗马字拼音以代之。会员多帝国大学一方面之人物，所以近来该校试题，亦渐渐采用此等文字。高等学校（即大学预科，非高等专门学校）亦渐仿行之。并闻中央学务会议亦已有人提议及此。大概时机成熟之期，定然不远。不过我国今日既无此等余裕，而一般国民对于罗马字之趣味亦与日本人不可同日语，故余今日尚不欲赞同其说。

我是研究工科一方面的学生，不过从来对于文学亦颇有研究兴味，所以看了《新青年》就生了许多意见，不知不觉地说了一大篇外行的话。请诸君不要好笑，而以正义折服之，幸甚！

张月镰白

先生主张中国文"用白话体裁,混入寻常谈话中用惯之文言;有时需用学术上术语,即混入外国原名,亦无不可"。这个主张很有道理,很合于现在之用。惟玄同之意,以为此等办法可即从小学校实行起。白话和谈话中用惯之文言,都是现在的中国人嘴里讲惯的,耳朵里听惯的,写了出来是人人可以懂得的。一切适用于现世界的新学问,是西洋人先我而发明的;其中术语,是西洋人已经有了定名的。我们研究新学,若要深求,非看西文书籍不可。在小学校时,即知其原名,则后来看西书要容易得多。若但求普通智识,亦以识得西文原字为宜。名词术语,愈能统一则愈好。西文名称,在英、法、德大致相同。日本从前虽然一一翻译,近则更用假名拼了西音,注于译名之旁;或专写拼音不用汉字;或简直把西字嵌入,连假名拼音都不用,是亦渐渐与西洋趋于一致。中国人亦何妨径直用西名?先生谓"能力""作用"等字,以写原文为宜,则如化学元素之类,特造许多"金字"旁之新字者,自然更是多事,简直采用拉丁原字,最为善法。至于有人以为此种新式文字"不三不四,非驴非马",斥为"苟且",我则绝对不以为然。请问现在世界上哪一国文字是纯粹国风,不杂一个别国字的?且纯粹国风的文字又有什么好处?我以为文字者,不过语言事物的记号而已。甲国此语无记号,乙国有之,就该采乙国的记号来补阙。若说外来语侵入足以破坏国粹,则惟有厉行闭关政策,不与世界交通,学内山苗蛮之办法而已。至于 Esperanto,虽非旦夕间遽能实行,然我辈亦何妨于改良汉文之余暇,提倡提倡呢?先生"对于改良文字之观念,完全就功效一方面着想",我也很赞同,但既以 Esperanto 为"我辈所要求的最善文字",又说"研究这问题,似非二十世纪东方人之责任,

汉文改革之讨论(通信)　　　　　　　　　　　　　　　　165

而且万万非我辈之责任",此说玄同尚不敢苟同。中国人(书中之"东方人",似是专指中国人言。若日本,则虽未至欧美,已非中国人所能企及也)在百事不如人,应该急起直追,灌输正当的科学文艺自是正办,但谓世界事业绝不配我们中国人去管,持论似稍偏激,未知高明以为然否?

记者(玄同)

(第五卷第五号,一九一八年十一月十五日)

中国文字与 Esperanto（一）（通信）

姚寄人　钱玄同

《新青年》记者：

　　近由友人处得见贵志第四卷四号，我看完了，喜得几乎要发狂。是何故呢？因为我十年前做小学教师时，从实地的经验上，确认中国文字糊涂野蛮。过后数年，我见了《新世纪》上醒先生《万国新语（亦名世界语）之进步》一文，我就赞同他后幅所说的意思（见后），同时复学 Esperanto 于上海（单纯是钱先生所说学外国文第三目的），是时我就屡说中国文没有存在的价值，非废弃不可。我的友人有赞同的，有痛骂的。后来我回到乡里，小学校也有请我教授外国语的，那时我很想说还是 Esperanto 好。但我察他们的心理，对我所学的语言，非常冷淡，我恐怕得罪了旧社会，反使我生存困难，就只能装哑巴。我私想我是一个陋劣的人，自然有这个荒谬狂妄的意见。今得贵记者同有这等主张，日后我就被人毒骂，可是有人和我做伴了，我如何不喜欢呢！至《新青年》篇篇的文字理想，也很像有我常常想说的，所以我对于《新青年》有特别的希望。我却确认对《新青年》于思想革新上、文明进化上，有大大的影响。

　　我今要说到中国文字上来了。我的意思，与钱先生相同而微异。我要发表,只得先把罗马 Petro Silvio Rivetta 教授的《中国文字之改革》那篇文字,略略译出来做我的楔子吧。

（上略）中国即无论如何倾向进步,而其文字,殊足为彼前途之大障碍。何则？盖进化赖乎教育,而教育之发展与否,则文字之难易系之。彼国文字,夙号艰深,故学子之所研究,文学居其大半。目其小学言之,学生职务,惟在记其横七竖八、夹夹杂杂之字而已耳！即此一端,已与事业不宜过费时间,及学校课程仅为基础应用之原理等背道而驰矣。欲速求进步,又乌可得哉！

论文体构造,则奇特异常,凡极普通应用之名,如"铰剪""苍鹭""盐"等字,均用杂乱无章之数十笔画——所谓横、竖、撇、点、捺、趯钩折笔顺——堆砌而成。其冷僻之字,间至六七十画者。故彼等作书,每一字之笔顺次序及发音、意思,均须牢记。因每一字,其发音当如何,并无意义形象可索,故除苦记外,别无他途。其国学校,于书法一科特为注意而勤加练习者,亦即为此。

论读音,则言文差异,恰如吾侪之于阿拉伯或罗马数码者然。虽其字形一致,而声音之歧异,殆难言状。例如"七"字,仅示其意为七,若一聆其语音,则宛如入方言馆,而听法之 sept,意之 sette,西班牙之 Siete,罗马尼亚之 Septe,希腊（略）,德之 Siebne,英之 Seven,荷之 Zeven,俄之 Cemb 声音无异矣。

然此非仅少数者然也,无论任取一字,殆皆如是,如"耳"字之音,在北京读 erh,广州为（略）,福建、温州、扬州为 ngei、ZZ、oe,客家方言则变为 ngi,在 Sscvan 为 orh,高丽为 i,安南为 nji,日本为 mim。

近来彼邦人士颇多觉悟于自国文字繁重过甚,应用艰难于输入新知,促进文明,实受非常障碍。以为今世各国若数学、化学、天文、海上传语等，均一致采用一定之符号，故吾亦不妨姑创简字等以期便用。其理论未尝不佳，然此仅对于极少数之科学理论等应用上，则可；若谓其于一国内所固有之文字名物均欲一一适合，则必有淆乱夹杂之怪相矣。盖中国文字，夙号繁多，据《康熙字典》所载多至四万余，而通常必认识四五千，方足应用。以此繁复，又乌能必其无有困难者乎？

因文字之拙劣繁重，遂致科学上、实际上等等进步非常迟滞，此人所易知者也。彼国学者，必费多数之时间习国文，遂至其他重要因之学科特无余时为充分的研究。然使其牺牲多量之时间精加而能得实用，犹可言也。无如一与新事业接触，而困难顿生。今试举电报之事以明之。电报之事业，贵乎神速灵敏，此夫人所知者也。彼国因无字母之制，又因数字繁多，故不能不别编电码，遂致寄发遣送，均需辗转翻译，核其耗费之时间，较诸吾欧殆四倍之。即此一端，可显知其文字之不能适用于今世界矣。

为欲灭上述之种种困难，俾新学艺得容易进步，及谋全国人民读音统一起见，三年前已有人创立中国正音会，拟以切音字母代现行文字。南部各省颇见发达，而居留外国之那支人亦多有与其事若。

惟是欲创行字母拼音之法，不能不先厘定方音而择其适合于全国者定为语音之标准，然后始可从事于制定字母，此一定之法也。中国正音会经长期之研究，解析中国近世之语音遂选定合于全国现代语音之字母若干。

顾或者曰，择定方音，至为困难。盖中国疆域辽阔，土音繁杂，选择字音，以何为准？今古则各不相同，南北或互致聚讼。现此时之象形文字，虽言语莫辨，然笔之书牍，则尽人能通。今一旦别造

中国文字与 Esperanto(一)(通信)

读音一律之切音字，则诸凡记述，其不至彼此不能辨识者，几希。故谓此数十切音字母足尽各地方之语言而无挂漏，缀成记述，足代旧日沿用文字而不失其固有之统一，吾斯之未能信也。（外国报章有此评议）

上述关于丧失中国文字一事，今尚无术解决。惟言中国方音互异南北莫辨一节，其说是矣。然除各种方言外，尚有一正式采用之音——即通行全国无阻之官话——是又尽人所知者也。故中国正音会即择是音为读音之标准，盖其一向言文语音无甚歧异，以之为日后之切音，亦易明了。

至论字母之制定，虽不能不采用西文，然亦不能全行抄袭。盖各国语言，各有其固有之习惯及变迁，虽同一字母，而语音各有不同(如 C 字，英法或读 K，或读 S；意或 K，或 C；德或 K，或 C；西班牙或 K，或 th 等，均因依拼合之母音而有不同)；或同一缀音，而拼法互有差异。且拉丁字母中，未包孕有中国语音者尚伙。因此之故，及其他之理由，不能不别造欧文外之字母若干以补助之。是以新字母之造作，即杂采拉丁、希腊或俄国字母中之极合中国之语音，及新字母以成之。……（字母略）……至于解决其他种种困难之法，一时不能缕述。已决定由会员每周讨论一次，并发布月刊。内容除中文外，重要著述兼刊法文，不久亦拟附刊世界语云。

上篇文章，刊在一九一二年十一月份的 *La Revuo* 上。于中国文字之拙劣，及不能不改革之理由等，已经说得很明白。惟汉语改用拼法，虽然较旧文为便利，终恐费时多而收效少。所以我个人的意思，以为中国文字无须另造，只有废业他，径用 Esperanto。理由如下：

（1）近世人类日见接近，万国共同事业亦愈演愈进。世界合一之说，我侪虽不能见，但循进化的公例，恐终无可逃。那时无论何国语言文字，一定只可编入语言史中，供言语学者研究而已。故就未来言，宜趋向共同文字；就现代言，中国文字亦已毫无生存的价值了。（其拙劣不适用等已见上。）

（2）世界上文字，除那亡了的安南外，仍用单音单义的文字，就是中国。这一种在今日拙劣愈加显著的文字，要将它改革，很觉困难。因同音单音很多，要想避开，除非改用复音（如"受"改"接收"，"寿"改"年岁"，"竖"改"直立"等）。但如此的改革，声音虽仍是本国的，学习起来，就好像有些读外国文了。我想到此层，以为中国文字，如不改革，仍是任他；要是改革，倘将改革的时间精力移到 Esperanto 上去，那功效或者还怕比自己别造的速哩！

上为小子一人的意见。（1）条必有人说是个 Utopia，绝不可能。但我没有许多时间来讨论进化的道理，有人说如何便如何。至于（2）条之主张，倘是有人说，"你这丧心病狂的死囚，为何说此谬话？我们堂堂中华上国，如何反来采这垂死的借语？"这我也没有更好的话答应，我只得将我开首说的那位醒先生后幅的文字写出来罢。

中国文字艰于学习，民氏于《好古之成见》篇中言之详矣。惟余尚欲推阐其说。民氏《文字之难》一章之结论云："苟有人发明拼音之法，造成字母，注于原音旁，以便阅读，为文皆以浅显最近于语言者，全国一致，强迫以一定发音，数十年后当可普及。"又云："苟以中国良字尚为不便，则改他种文字之适于中国者，或径用万国新语亦可。"意尚游移。以余意视之，苟吾辈而欲使中国日进于文明，教育普及全国，则非废弃目下之中文而采用万国新语不可。吾为此言，吾知诸君中必有手颤心悸，而斥吾为无爱国心者。诸君之

中国文字与Esperanto(一)(通信)

意,以为文字乃一国之精神,文字亡,则国随亡矣。此语久为中国新党之口头禅,固无怪诸君,即吾于三年前阅亚非利加史,读至英人禁荷人用荷语一章,亦觉有无限感情,而大斥英人之野蛮。然吾当日之感情,与诸君今日之手颤心悸大不相类。其故因荷语之被废乃英人废之,而非荷人之自愿,故英人之举动实为自私计,实为强凌弱;荷人反对之,乃保守自由,抵抗强权故不为非。吾中国之采用万国新语,乃为改良文字计,乃为中国人权之心愿,而非由他人之干涉。故中国人于此事而犹倡反之说者,吾无以名之,名之曰"顽固"。或诘余曰:"尔以为中国文字不便,实则中国文较他国文为简单。西洋文字,于动词中分过去、未来等时实觉繁琐已极。"英法诸国文字,本不能谓之极文明,然彼以有一定之规则,故较校无规则之中国文字为便利。且每一种文字,必有字母,几为文字之通例。中国人与欧美交通,为日已久。欧美文明蒸蒸日上,而中国则停滞不进。近数十年来,中国文明,似稍发达,然卒以中西两文相差过远,故西洋文明不易输入(十数年前,中国算学书中常用"天地甲乙"等字以代西文之字母;惟近年中国出版之算书,则大抵均已用西文字母,此亦可见中国文字之不便利矣)。大者不必论,即以地名、人名言之,中国以无字母故,凡于西方之地名、人名,竟无从编纂同音之字既多,各省之土音尤繁,其为害实非浅显。在英、法诸国内,凡各种科学机器等几无不有专门字典。其所谓《百科全书》者,尤为有用。然《百科全书》苟欲译成中文,则较地名、人名更难为力。因西人于此类书,皆依字母编纂,故搜维既广,查检尤易;中国既无字母,则除分门别类外无别法。然《百科全书》中往往有不能分类者,故亦非善策也。更以外国语言而论,英文之法文字典,每分"法英"及"英法"二种,法文之于英文字典亦然。惟中国则以无字母故，只有《法华字典》而无《华法字典》。日本虽有字母，然于编纂字典仍不便利，彼知分类之不善，故于医学字典等多用英文编纂。近且有倡废日文而全国改用英文之说者，盖其势不得不然也。至于中国文字艰难，为文明发达之阻力，较日本为尤甚，更无论矣。然吾以为与其改用英文或他国文，不如采用万国新语。以英文虽较良于中文，而究非最良之文字。与其取较良之文字而贻后悔，何如用良之万国新语而为一劳永逸之计乎？欧美文明，发达已数十年，而中国则至今尚落人后，考其原因，实由文字之野蛮。故吾辈而欲最亟起直追，非废弃中国旧文字而采用万国新语不为功！

我是个一点不懂的人，理想只就如此，假如有人叫我这是一个Paradokso（偏论），我很愿安受。要是有人指教指教，那就更为荣耀了。

姚寄人　十四，June，一九一八

姚先生的议论，玄同个人极端赞成。玄同以为语言文字，是表思想事物的记号，记号有适用不适用的分别。中国语言是单音，文字是象形，代名词、前置词之不完备，动词、形容词之无语尾变化，写识都很困难，意义极为含糊，根本上已极拙劣。再加以象形字变到楷书、草书、行书，连象形的好处也没有了。文章专为替贵人搭臭架子，什么"典丽矞皇"，什么"气息高古"，搅到嘴里这样讲，手下不许这样写，叫人人嘴可以生今人的手，一定要生数千年前的僵尸的，于是言文歧异，不能合一个。各省土语不同，互相非笑，绝不肯彼此都牺牲一点，使他慢慢接近。因之全国不同的语言，少说些，也必有一千种左右。请教这样的语言文字，难道还不是不适用的吗？既不适用，便当根本改革。如其现在还没有人制造世界语，我必主张改用德、法、英诸国的文字。既然有了比德、法、英文尤较良的Esperanto，我自然主张改用Esperanto。惟Esperanto通用以前，也不能无暂用的记号。我现在的意见，以为这暂用的记号应有二种：(1)暂留汉字。书写用草书，废楷书；文章用现在普通的话做，不用古代已死的话做；语音字音，都照一九一三年全国代表公议的国音读（此国音字母，近已由教育部公布。吴稚晖先生撰有《国音字典》，闻不久将由商务印书馆印售），不照《康熙字典》的古反切读，不照各省不能通行的土音读；字旁注注音字母（就是国音的字母），不叫字母独立；而一切新的事物为中国向来所没有的，老老实实写西文原字，不必有瞎讨好闹什么译音译义如lampo、alumeto等，一定应该写原字。因为lampo是现在人类用的灯，alumeto是现在人类取火之具，无所谓"洋灯""洋火"也。Etiko既不足讲五伦，就无所谓"伦理学"；Logiko既不是惠施公孙龙诸人发明的，就不该叫"名学"。Geoi起头的字很多，则不能单称Geometrio叫"几何"。Respubliko不是皇帝逃走了，叫两个宰相管理国政，则与"共和"有什么相干？Revolucio是改良进化的意思，其中并不含有什么"天命"的极野蛮话，就非"革命"可知。诸如此类，都该写原字。(2)采用一种外国语为第二国语（此第二国语，似以法文为最宜。因一则行用较广，二则其字与Esperanto相同者最多也）。一面应该赶紧提倡传播Esperanto，冀十年廿年之后可以废汉文而用Esperanto。这个办法，不知姚先生以为然否？至于有人说国语是国魂国粹，废国语是消灭国魂国粹，国将不国，这是十六七年前老新党的议论，动辄引俄灭波兰兼灭其语为言，醒先生早已驳斥，无须再说。惟我意且以为国魂国粹要是永远保存，甚或昌大之，力行之则国真要

"不国"了。国粹中有"生殖器崇拜"的道教,又有方相氏苗裔的"脸谱"戏,遂至一千九百年闹出拳匪的一种成绩品,国几不国。国粹中又有主张三纲五伦的孔教;到了共和时代,国会里选出的总统,会想由"国民公仆"晋封为"天下共三";垂辫的匪徒,胆敢于光天化日之下,闹大逆不道的什么"复辟"把戏,国又几乎不国。近来一班坐拥多妻主张节烈的"真正拆白党",又竭力提倡"猗欤盛矣"的事业了。照这样做去,中国人总有一天被逐出于文明人之外,第三次国几不国的日子,恐怕要到快了。所以依我看来,要想立国于二十世纪,还是少保存些国魂国粹的好!

记者(玄同)

(第五卷第五号,一九一八年十一月十五日)

中国文字与 Esperanto（二）（通信）

胡天月　钱玄同

玄同先生：

　　读《新青年》晓得先生主张废弃汉文而用世界语来代，这是我非常的赞成，所以同了几位朋友组织绿帜社以传播世界语为惟一宗旨，以追随先生之后。但汉文未废，世界语未行之际，先生欲用他种文字来做过渡品，此我又以为不必。譬如英文，虽尚未十二分流行于我国，而一般习英文的已牢不可破，持此而来反对世界语。倘果用其做过渡品，则先入为主，阻碍世界语之进行必更甚于今。故我意，一方面鼓吹废弃汉文，一方面则提倡采用世界语，彼此乘除，自然不用第三者之侵入也。

　　（下略）

　　　　　　　　　胡天月　Ian, de September, 一九一八

　　我固然是主张中国当废汉文而用 Esperanto 之一人，但我以为这是将来圆满之解决。若讲现在，则 Esperanto 尚在提倡时代，未至实行时代；而一切真理新知，亟待灌输，刻不容缓，断不能一切搁起，等 Esperanto 通行了再来讲新学。如此说来，则用他种文字做过

渡品，以便青年学子可以由一种外国文直接看新书、求新理，实为必要之图。假如现在 Esperanto 文出版之书籍，其数略等于现在德、法、英文之书籍，或略等于现在日本文之书籍，则自然不必更用他种文字做过渡品。无如现在 Esperanto 文之书籍，尚嫌太少，不足供用，所以中国现在就使 Esperanto 即日通行，亦不能不取一种外国文以为辅助。我虽极力主张 Esperanto，然事实如此，不能讳言，我亦无奈何也。若说习英文的人反对 Esperanto，此是别一问题。不能因他们反对 Esperanto，我们就来反对英文。我以为 Esperanto 语根精良，文法简赅，发音平正，是人类文字而非民族文字。若主张民族文字之人无论如何反对，终之不能损其毫末。若有与 Zamenhof 同志之人，别造新语，竟把 Esperanto 攻击得体无完肤，不能存在，是则 Esperanto 已处于劣败地位，我们无论如何维持，亦维持他不住。所以我的意思，以为我们既认定人类文字胜于民族文字，又认定 Esperanto 以前各种世界语已处于劣败地位，今日之世界语惟 Esperanto 为较良，则当竭力提倡 Esperanto 以为将来正当之文字。若有较 Esperanto 更良之文字，自然当舍 Esperanto 而就彼。总之，我们对于 Zamenhof，当与 Darwin、Kropotkin 同视而认他为先觉。为学者，不当与孔丘、耶稣同视而认他为圣人、为教主。

钱玄同

（第五卷第五号，一九一八年十一月十五日）

罗马字与新青年(通信)

孙少荆　钱玄同

玄同先生：

《新青年》自出版到现在，我期期都读过的，里面的主张，我是极赞成。就是改用罗马字的说法，也是同意。我从前在日本的时候曾经读过几部罗马字的书和杂志，有几部书是很可以供创设罗马字的参考，不晓得先生看过没有？我现在不揣冒昧，就把他写在下面：

（一）《ロlマ字ノ主张百ケ条》，价三钱；（二）《ロlマ字ノ反对论ヲ破ル》，价四钱；（三）《ロlマ字合本》，价一圆；（四）《ロlマ各种字手引》，价十五钱；（五）《コガネシロガネ》文集，价三十钱；（六）《泣キ笑ヒ》(诗集)，价三十钱；（七）《ロlマ字文库》；（八）*Romaja*(杂志月刊)，一年一圆四十钱。

这些书的发售地方，是在东京曲町区有乐町一丁目三番地，ロlマ字ヒロメ会。

《新青年》在四川成都的势力，现在要比去年好些。我们看这个报，也少听朋友骂了——他虽不骂，却是不看。有个朋友和我，现在也居然在这"城门主义"的成都市内用起白话来做东西，而且有时也拿来登在这里五秒钟的日报上，居然也能风平浪静了。不像前几年那样的思想专制，只准跟着现在几个吃饭的圣人贤人学先王之言，不许人有"人的主张"。这虽是时代精神的灵光，却是再造中国的《新青年》的大功了。所以我们和朋友说话，总劝他看看"做人的杂志"《新青年》，不要"人"还没有弄清楚，便去胡乱谈政治、法律、爱国、救国，恐怕不但误了社会、国家，并且连自己也误了。

我现在用白话做了一篇《妇人问题的理由上研究》，写清之后便要寄上，请先生和胡适之先生指教指教。还有一部《近代思想讲话》，是译日本人的，译完了，也打算寄上请教。请了。问好。

孙少荆　十一月廿六日

少荆先生：

来信敬悉。先生所说的"不要'人'还没有弄清楚，便去胡乱谈政治、法律、爱国、救国"，这实在是极精当的议论，我佩服得很。那些圣人贤人，要是专门吃饭，我们尽可任他去。所可恨的，他于吃饭之外，还要逼我们去做那先王的留声机器。我们要是偶然良知发现，想要做"人"，他便说我们大逆不道，"宜正两观之诛"，那我们自然不能不竭力地反抗他了。

承介绍日本关于提倡 Romaji 的书，谢谢！这一类书，我也看过一两种，但我对于华文改用罗马字拼音的办法，却不甚主张。其理由，见四卷四号致陈独秀君同五卷四号致胡适之君信内。我的意思以为中国方音之庞杂，同音字之多，文法之不精密，新学名词之缺乏，都是难于改用拼音的理由。所以中国要造拼音文字，断非旦夕之间就能完全告成的。日本话改用罗马字拼音，比中国要容易得多，然而提倡了将近二十年，到现在还不能完全改用 Romaji。则中国人要使罗马字拼音能完全见诸实行，一定比日本还要迟缓。我以为即使从今日起，赶紧提倡，恐怕完全见诸实行之期，总要在国民二十年以后，并且中途经过的困难，一定很多。假如我这句话还有几分道理，则与其改华文为拼音，不如老实提倡一种外国文为第二国语，叫人家学上三年五年，就可以看"现在世界上做'人'的好书"。凡关于学问方面，就是自己发表著作，也可以用这第二国语来做——日本人之于英文，实在就有这样的趋势。至于普通应用同浅俗书报之类，中国话一日存在，便可仍用旧文字：在文章的方面，用国语来做；在读音的方面，用注音字母注起音来；在书写的方面，渐渐废去楷书、行书，专写草书，或更采用许多简笔字。如此，则旧文字也还可以用用，不至感觉大的困难，似乎也不必定要改用罗马字来的拼音。

但是，假如有人来做这罗马字拼音的事业，我也不反对。我并非要做蝙蝠派、骑墙派的人，两面讨好。因为我对于中国文字，以为无论如何主张，只要是存补救或改革旧文字之心者，我以为都是有道理的。我虽然不甚主张罗马字拼音，但若有人做这事业，竟能在数年之内完全告成，条理精密，可以施行无碍，我所说"民国二十年以后"的话，幸而言不中，到那时候，我一定抛弃我的主张，也来鼓吹拼音的新汉字。能够第一国语和第二国语用同样形式的字母，岂不更为便利吗？

总而言之，我的不主张罗马字拼音，是因为个人的观察，觉得这件事情做起来很是困难。假如有人竟做到了，那就是我这观察完全谬误。既自知其谬误，自然应该舍己从人。但是若靠了传教的西洋人做的几本拼方音的书，就说是拼音文字告成，那是我绝对不承认的。——我决不像现在读了几句英文的人，便竭力骂 Esperanto 为"私造的文字",同读了几句 Esperanto 的人,便竭力骂别种"世界语"为"冒牌之国际语"。我以为文字同语言,都是表示思想事物的符号。我的符号比人家的好,我自然用我的;人家的符号比我的好,我自然该舍己从人。今天觉得甲符号好了,明天又遇见乙符号,确比甲符号还要好,自然该舍甲而从乙,推而至于后天、大后天……又遇见了丙丁……符号,假如丙确胜于乙,丁确胜于丙,自然该舍旧谋新。所以以为语言文字必须是习惯的,必不许人造的,这话我是不敢苟且赞同。以为"世界语"只许"柴明华先师"造的,别人没有造"世界语"的资格,这话我也不敢随声附和。

若说中国人用了外国文做第二国语,便不免要做洋奴,将为印度、波兰、朝鲜之续。这种议论,是二十年前的老新党发的,实际上初不如此。要知道人而肯做洋奴,一定是脑筋简单、智识卑下的缘故。据我看来,有了第二国语,才可以多看"做'人'的好书"。知道该做"人"了,难道还肯做"洋奴"吗?请看日本他自己除了几句普通话以外,维新以前,是用汉文做第二国语;维新以来,是用西文做第二国语。日本虽然没有"第二国语"之名,但是研究他们学问的人,几乎无一不懂英语、德语。——他究竟做了"汉奴""洋奴"没有?再看那班扶清灭洋的拳匪,到了一九〇一年以后,都要学吃番菜,学同外国人拉手了,他难道是学了第二国语才变心的吗?

所以我的意思,以为我们对于世界上的各种语言文字,无论习惯的、人造的,但看学了哪一种文字可以看得到"做'人'的好书",可以表示二十世纪人类的思想事物,看定了一种,我们便该学这一种,采用这一种。因为我们想做"人",我们也是二十世纪人类的一部分。

钱玄同

(第五卷第六号,一九一八年十二月十五日)

横行与标点(通信)

陈望道　钱玄同

《新青年》诸子:

昨日马君枉临,带来大志一本,我看了很是赞叹,很是欢喜——唉!像中华民国这样"与古为徒"的陈死人满山盈谷的地方,还有这开眼张吻的汉子煎"起死回生汤"给人家吃,我骤然看见,却疑是"妖",却是惊奇了!那反对革新的,亦不过是这惊奇一念的同病别发。诸子不必败兴,尽管放胆前去,等到他们回生之后,元气复了,再和他们重提旧事以相嘲弄行了!

但是我对于诸子,还要说诸子缺"诚恳的精神",尚不足以讲"撤销他们的天经地义"。譬如文字当横行,这已有实验心理学明明白白地诏告我们,诸子却仍纵书中文,使与横书西文错开;圈点与标点杂用,这是东人尾崎红叶的遗毒,诸子却有人仿他;而且前后互异,使浅识者莫名其妙——这不是缺"诚恳"的佐证么?诸子如此在诸子心中或有"待其时而后行"之一念亦未可知,在我看来,纵有此一念,亦是不必如此——亦是绝对的……不可如此。诸子须知……我们破除旧恶习如何困难?倘作过渡想,而不以"除恶务尽"为志,将来时过境迁,则此过渡的遗迹又是一种陈症,又须用猛烈剂辛辛苦苦地去医他了。那时回想诸子现在之所革新岂不是拔毒种的霉么？诸子试思，这不是诸子不敢放胆前去的罪么？诸子既以革新为职，我很愿诸子加力放胆前去，不稍顾忌，勿使"后人而复哀后人"才好。诸子！诸子！亦作如是想否？

陈望道　Tokis 一九一八

《新青年》杂志本以荡涤旧污、输入新知为目的。依同人的心理，自然最好是今日提倡，明日即有人实行。但理想与事实，往往不能符合，这是没有法想的。同人心中，绝无"待其时而后行"之一念。像那横行问题，我个人的意见以为横行必较直行为好，在嵌入西文字句的文章里，尤以改写横行为宜。曾于本志三卷三号六号、五卷二号《通信栏》中屡论此事。独秀先生亦极以为然，原拟从本册（六卷一号）起改为横行，只因印刷方面发生许多困难的交涉，所以一时尚改不成，将来总是要想法的。至于标识句读，全用西文符号固然很好，然用尖点标逗，圆圈标句，仅分句读两种，亦颇适用，我以为不妨并存。《新青年》本是自由发表思想的杂志，各人的言论，不必尽同；各人的文笔，亦不能完全一致。则各人所用的句读符号，亦不必定须统一，只要相差不远，大致相同便得。若说除恶务尽，这话原是不错。但旧日之恶，今日纵然除尽，然今日所认为善者，明日又见为恶；则在今日便应提倡，到了明日又该排除，进化无穷尽，则革命亦无已时。所以"时过境迁，则此过渡的遗迹又须用猛烈剂去医他"，是当然如此的，不必以"拔毒种霉"为虑也。

记者（玄同）　一九一九年一月九日

（第六卷第一号，一九一九年一月十五日）

新文体(通信)

查钊忠　钱玄同

钱先生：

　　自从你们几位先生提倡文学革命以来，一方面很发生了许多的影响，一方面却也有盲动的行为跟了起来。这种盲动的行为，本来是过渡时代万不能免的一种怪象；无论那盲动的反对派固然没有丝毫的价值，就是那盲动的附和派实在也觉得无意识得很！

　　我对于新旧学问的根底，本来是很浅薄的。不过一向很欢喜碰着书就看，起了兴便做。所以受用的，多是那"三脚猫"的一套工夫。我常常说："弗晓得某一种的真正好处，就没有主张他的价值。弗晓得某一种的真正坏处，就没有破坏他的能力。"因为这个缘故，我就弗敢趁着热闹来开口了。

　　现在我有了一点意思，多是从"建设的文体革命"上着想的，其中有些必须要请教请教，方才我自己相信得过咧。我且把他拉拉杂杂写在下面：

　　新文体的种类，陈独秀先生分为"应用之文"和"文学之文"；刘半农先生分为"文字（Language）"和"文学（Literature）"。这种名目，原不过从他的性质上来分析，自然是多可以用得的。但是我想，陈先生论及"应用之文"和"文学之文"那一篇文章，叫做《文学革命论》；刘先生论及"文字"和"文学"那一篇文章，叫做《我之文学改良观》。既然大名多用了"文学"二字，何以里面偏把"应用之文"和"文学之文"，或"文字"和"文学"来做相对的名词呢？这种地方，本来是没有要紧的，不过今日提倡文体革命的，却偏把"文学"二字来代表文体，似乎究竟有点牵强了。我的主见：大名叫做"新文体"，小名则分"常文"和"美文"两类。这个名目对不对，还请先生赐教。

　　从前古文派说"古文是文章的正宗"，骈文派说"骈文是文章的正宗"。各自请出那些先圣先王的文章来遮头盖脸，数千年来你嘲我骂，闹个不休。一则固然是各自称好汉，每每意气用事，实行"文人相轻"的吃醋手段；一则也可见他们两派本来没有代表真正文章的价值。现在新文体派常常说"白话是文章的正宗"，弄得那些盲目的趋时派都以此语为他们的"口头禅"。但是我仔细想想，这个旧式的名词（正宗）实在有点弗大妥当。为什么呢？1. 好像是平列的而处于对待的地位。2. 好像是替代的而含有突兴的性质。(《新青年》四卷四号《建设的文学革命论》说："我望我们提倡文学革命的人对于那些腐败文学，个个都该存一个'彼可取而代也'的心理。"我想胡先生既然把旧文学叫做"假文学"和"死文学"，那么，怎么可以把"真文学"和"活文学"替代得来呢？老实说，也无非是用这句成语"彼可取而代也"的毛病，你道是不是呢？) 几乎与古文骈文鼎足而三。所以，我以为弗大妥当。现在新文体里面用不妥当的旧名词多是要不得的。

　　我且问问："言语是什么东西？"自然是代表意思的声音了。"文字是什么东西？"自然是代表言语的记号了。那么，用现在的意思，说现在的言语，写现在的文字，做现在的文体，真正是往古来今的自然趋势，所以这种"现在的文体"，更没有另外的东西和它可以平列的，也没有另外的东西是它可以替代的。简括说，宇宙里面，无论从前的、现在的、将来的，凡所以代表言语的记号，只有这一样东西，没有第二样的。我记得《易经·系辞》里说道："书不尽言，言不尽意。"那晋朝的卢谌引他来说道："书非尽言之器，言非尽意之具，况言有不得至于尽意，书有不得至于尽言耶？"那么，文字弗能完全代表言语，和言语弗能完全代表意思，这种缺陷，本来古今有思想的人已经觉得的，如今把他返到原路上去，这缺陷总可少许补些。这种独一无二的东西，还肯和人家夺"正宗"的称呼吗？

"桐城谬种""选学妖孽"这两句话，是先生破坏他们两派的断案。有的说："现在那两派对于新文体上有极大的阻力，应该这样排除他的。"有的说："桐城派也未见得个个是谬种，选学派也未见得个个是妖孽。"据我看来，说到现在那桐城派和选学派，还不配用这种徽号抬举他，简直多是"谬种而非桐城，妖孽而非选学"那一班东西！我并弗是好骂人家，我只听得他们骂来骂去，都是这样的口气。我原来弗负责任，何妨把他们的口气来说说呢？若有那真正的桐城谬种，真正的选学妖孽，来和那新文体派为学理上正当的讨论，却还是可敬的呢。

我尝把旧文体略为解剖，也把他写在下面，请教请教：

旧文体的外貌
1. 有价值的——各时代就各时代的语言所做的文章。
2. 较有价值的——各时代就各时代的"近语的文言"所做的文章。
3. 较无价值的——简明的文言。
4. 无价值的——套语滥调的、八股的、徒堆典故的文言。

旧文体的内容 {
1. 有价值的——无论白话文言,其学术或思想确为古今所不能废的。
2. 较有价值的——无论白话文言,其学术或思想确在当时有重要的关系——不为一人的或一事的。
3. 较无价值的——无论白话文言,纯为被动的,或摹仿的。
4. 无价值的——无论白话文言,纯为无意识的,或不道德的。或对于新旧文体过渡时代中间,却有两个较重的问题。
}

1. 新文体的构造……无论"常文""美文",各自用各自的方言来做文章——就是各人用各人口里所说的言语来做文章——以为将来做"标准国语"的基础。

2. 新文体的叶韵……各自用各自的方音来叶韵脚,以为将来做"标准国韵"的基础。

现在"标准国语"和"标准国韵",既然弗是一人的、一地的,自然必要取决于公众的、全国的了。但是如今要制造国语以统一文言,实行注音字母以统一字音,大家都做那"文求近于语,语求近于文"的文章,那么,那胆子小的和那弗懂"蓝青官话"的人,心里虽要做那些新体的文章,手上却又吞吞吐吐弗敢下笔咧。我以为要免这种害处,应该用那上面所举的两个法子来"矫枉过正",就把那言语口气实实在在写它出来。——"矫枉过正"四个字,实在是救久病的良药,中国万事万物都该用这四个字切实做去,才有复活的希望咧。那么,做无韵文的弗必顾忌那"弗三弗四""半官半土"的调头(先生说"我们现在做白话文章,宁可失之于俗,不要失之于文",是极,是极),做韵文的也弗必顾忌"古学音异""不合音理"的韵脚。这是从推行的方面说。还有那做新文体派的几位先生,应该积极地做那"蓝青官话"的文章来提倡提倡。这是从模范的方面说。如此,才能造成一种合法的国语,才能做到文言一致的地

新文体(通信)

步。——《留美学生季报》有攻击新文体用字雅俗参半的(原文道:……卒乃雅俗参半,而北音吴语——如像煞有介事——格磔其间),实在外行得很。

我从前对于编纂国语的文学教科书,文学的国语教科书,和标准文法、标准字典种种关于新文体建设上的利器,以为没有一种可以须臾缓的,没有一种可以随便做的。现在想想,其实这种新编的书籍,尽可弗必问"标准国语"之已成与否。就是把现在大家所见得到的来给大众做个榜样,也仍旧弗失为新旧文体过渡时代有价值的著作。

我对于先生"废中国文字"的主张,非常佩服。这个问题,断非别人能够提议得来。若有人说"未免太早",其实是不对的。就是论到用现在的言语写现在的文字这一个问题上,中国文字也有点独立不成了。至于那文章中的符号,好像动物的筋络,断断弗可少的。我主张完全用外国文的符号,正和先生要用耶稣纪年的主张同一意思。但是先生所定的繁简两式,为现在未读外国文字的人打算,也是可以使用的。

以上所述,原是师生间请益的办法,如先生以为稍有一点儿价值,望转请陈、胡、刘几位先生赐教赐教,可使得吗?

查钊忠　一九一八年九月廿一日

钜猷兄:

你的来信,我看了,非常地佩服。近年以来,那些家里请了先生,读《古文观止》和《东莱博议》的,固不必论。其投身于学校中而研究中国文学者,往往都是弯腰驼背,规行矩步;学那老先生的样子,有时或朗诵《四六法海》,或吟哦《归方合评史记》;或则竖直了羊毫笔,临几个颜字,或则抖膝摇头做几首"无题""有感"的诗;遇到什么纪念会、追悼会……便集《文选》、集《杜诗》拼成几篇"百衲文章"——这就是研究中国文学者的成绩。你也是研究中国文学者之一,而思想如此新颖,见识如此超卓,我焉得不佩服呢?

"正宗"这个名词,本来是随手拉来用用,原非当他一种确当的字样。五卷四号傅孟真君论戏剧的文章里,用了"天经地义"四个字,也有人来驳过。其实这都是用成语的毛病。

"新文体"这个名称,我很以为然。我以为就是我们常说的"废文言,用白话"这句话,也有语病。因为嘴里讲的叫做"话",也叫做"语",笔下写的叫做"文"。古人既用古语写成文章,今人就该用今语写成文章。我以为该说"我们是今人,该用今语做文章,不用古语做文章"。这才没有语病。并有照此说法,则今世只该有今语之文,那古语之文绝没有可以并存的理由,更为明显。那"正宗"的话,简直不成问题了,因为既没有古语之文来占"旁支"的地位,就不必说"正宗"的话了。

你说我们尽可用方言来做文章,尽可用方音来叶韵,这话也很不错。适之先生的《建设的文学革命论》说得好,他说:"若要造国语,先须造国语的文学。"可说"中国将来的新文学用的白话,就是将来中国的标准国语。造中国将来白话文学的人,就是制定标准国语的人"。这话很有道理。至于做新文学用的白话的取裁,他说道:"可尽量采用《水浒》《西游记》《儒林外史》《红楼梦》的白话。有不合今日的用的,便不用他。有不够用的,便用今日的白话来补助。有不得不用文言的,便用文言来补助。"我现在再加几句话道:"有不得不用方言的,便用方言来补助。有中国话不够用的,便用外国话来补助。"原来这国语既然不是天生的,要靠人力来制造,那就该旁搜博取、拣适用的尽量采用。文学里用得多了,这句话便成了一句有价值、有势力的国语了。有人说:国语这样制造,不是庞杂不纯吗？我说:无论何种语言文字,凡是有载思想学术的能力的,都是很庞杂不纯的。那纯而不杂的,惟有那文化初开、思想简单的时候,或者可以做得到。到了彼此一有交通,则语言即有混合；学问日渐发达,则字义日有引申。一义转注为数语,一语假借为数义,那就要庞杂不纯了。愈混合则愈庞杂,愈庞杂,则意义愈多；意义愈多,则应用之范围愈广；这种语言文字,就愈有价值了。那桐城派所以没有价值者,就是因为他们的文章的格局有一定,用字的范围有一定,篇幅的长短有一定,句法的排列有一定。弄到无论如何只好仿"削足适履"的办法,改事实以就文章,如章实斋古文十弊篇所讥的话了。有人讲笑话,说:"一个塾师替人家做祭文,抄错了一篇成文。人家来质问,塾师大怒,说:我的文章是有所本的,决无错理；除非他们家里死错了人。"桐城派的做古文,正是如此。他所以要如此者,就是要纯不要杂的缘故。——照此看来,国语的杂采古语和今语、普通话和方言、中国话和外国话而成,正是极好的现象、极适宜的办法。

至于声音一端,与语言似乎微有不同,因为语言是有意义的,声音是无意义的。既是无意义的,似乎不必广采方音,就用普通所谓"官音"者来统一,也没有什么不可。一九一三年读音统一会议决的注音字母和审定的字音,我们读书可以照它读音,做韵文也可以照他押韵。惟国语既采及方言,则方言之音必当各仍其旧,不可强照字面,改为官音。假如苏语之"像煞有介事"有采入国语之必要,则其音必当读为 Zi–ang–sah–yin–ka–zu,不可读为 Siang–sha–diu–chiel–shi。所以读音统一会审定之字音,也不过一个大概。将来国语发达，应该添入的字音一定是很多的。

　　　　　　　钱玄同　一九一九年一月九日

（第六卷第一号，一九一九年一月十五日）

世界语问题

凌霜

　　世界交通，地球越缩越小，科学文物渐趋大同。但是各国的言语不下数百种，虽极聪明的言语学家，最多也不过懂得数十种。如今在大学或高等的毕业生，于本国语之外，也仅能懂得三四种。这三四种中，未必能一一说得通，写得通。其他未受过高等教育的人，更不消说了。所以识拉丁文、英文、西班牙文的博士，到了俄国，便须一个通法文的人来做他的翻译。

　　这不过举一条简单的例子，若是说起理由来，世界言语不通，对于人类感情上、知识上的阻碍，说几天也说不完。因为这个缘故，所以从十九世纪的下半期直到了二十世纪我做这篇文章的现在，天天有许多学者在那里讨论统一世界言语的问题，但是这个问题，很难解决的。有许多人想用现在最通行的言语来当世界语。拉丁、希腊都是死语，不便说话的，不必说了。法文、英文在世界上最通行，最有势力，应该任择一种来当世界语。反对派就驳道："你们主张采用强国的言语来当世界语，别的国未必肯从。那么看来，这种办法，不免弄成国际上的争辩了。究不如采取一最小国的言语，如 Norwegian，它本国的人口很少，自不会闹起风潮。还有一层，这种文字的构造，比那法、英的简单得多，我们应该照这样行才是啊。"

这种办法也不行的。为什么呢？据我说来，那威人所以容易学 Norwegina 的缘故，因为他们从小的时候，已经懂得许多土语，才学它的文字，可见得 Norwegian 本身并非易学的。中国的方言，各地不能相通，但广东人到北京仅六个月，便能说"官话"。若欧洲人学中国"官话"，非有三年的工夫，恐怕不能说得清楚。但是欧人以为中国语的构造，还比那 Norwegian 简单一点。况且 Norwegian 的字母，参差得很，有许多不发音的。它的文学，有许多是由作文的人，任意砌成，并不依着文法去做的。这样看来，无论哪一国哪一种的"天然语"（Natural Language），都不能用作世界语的。（详见 H. Sweet, *Practical study of Languages* 六六页）

天然语难学的缘故，因为它的文字，有许多无理的变化，所以我们想用它来表示思想，就有不完全之弊。它的单字的语根，许多是从习惯上武断得来，与那声音意义一点也没有关系。虽每种言语里头，都有一部分依着文法去做，但是文法也有许多例外的，有种种的歧语成语，和字性无谓的分别。所以我们学一句话，它的文法是这样，到了学别一句话的时候，又要变化了。

我们见得以上种种的困难，所以想统一万国的言语。假使人人公认英文或法文来当世界语，这些文字不发音的缀字，不但要废掉，它的文法上的困难，如英文的 Shall 和 will，法文的 avoir 和 etre，也应该去掉。字根的数目也应有一定。它的意义，不可有歧异和混乱的弊病。它的字根，更当用单音，将一切拼音困难的地方去掉才是。（参见 H. Sweet, *Universal Languages*）

应用这几种原理，所以有人造的世界语出现。一八八〇年，德国南方有一位教徒，叫做 J. M. Schleyer，创了一种言语，叫做 Volapük，这是世界语的起源（考一六六一年有 Dalgarno 造 Arssignorum，一六六八年又有 Wilkin 造 Real Characters，均未成功）。它的字根，许多是从英文改变成的，拉丁罗马的字也不少。作者采取的时候，完全用个人的意思，将旧字改了单音。如 Volapük 一字，就从英文的 Wrorld（世界）、Speak（语）两字集合而成的。它的文法上的附属位（genitiv）、牵动位（Dativ）、被动位（Akkusativ），都用三个正音 a e i 来做表示。至主动位（Nominativ），就依原字不变。复数加 s。形容词语尾为－ik。动词之位次（persons）就于语尾加代名词 ob（我）、ol（你）、om（他），复数加 obs（我们）等文，来做分别。至于时候（tenses）和反格（passive），就用语头（prefix）来做表示，语气（mood）就随位置的次序，用语尾当表示。它的文法的构造，大半是德国式，我且抄几句供大家看看：

　　Lofob kemenis valik vola lolik, patiko etis peknlivol, kels konfidoms Volapüke, as bale med as gletkün netasfetana.

　　（译）我爱世界的人类，而尤爱他们信 Volapük 能联络各国的文明人类。

　　Volapük 的构造虽不得当，它的历史倒很有趣味。它初出世的时候，只在德国南方传播；过了四五年，渐渐侵入法国；又四五年，欧洲各国学它的人，一天比一天多起来。当 Volapük 第三次大会于巴黎召开的时候，各地方的会所，总计有二百八十三处。学它的人，有一万万人。会中的差役，也能说 Volapük。这种世界语，人人以为一定有成功的希望了，哪知它分裂的时间，比那传播的时间还要快十倍呢！它为什么缘故会分裂呢？原来学这种言语的学者，要把它完全为商场之用，又主张它的文法和单音的字，要改成简单些。始创家反对此举,于是一班学者和它的意见一天比一天深了。一八八七年,Volapük 第二大会组织的学院的院长,也要将文法从根本上改变,各人的意见,不能一致。直到一八九三年,俄国有一位叫做 M. Rosenberger,被举为该院院长,才将它改造(成)一种新的言语,叫做 Idiom neutral(中立语),那 Volapük 就算完全消灭了。

Idiom neutral 是 M. Rosenberger 所改造,但是集合这功劳,还当归于环球语万国学院(Akademi international de lingu universal)。这个学院,系由一八八七年和一八八九年的 Volapük 大会造成的,如今又变成提倡 Idiom neutral 的机关了。Idiom neutral 的字根,多从英、法、德、俄、西班牙、意大利、拉丁(文)采来的。它的文法,完全用罗马文做基础。它的字,许多是法文,如问话用 eske,是由法文 estceque 等字集合做成的。又如"最高级比较"(Superlative)的 leplu,实由法文 le plus 两字做成的。它的文中没有"定冠词"(bestimte Artikel)。又有音同而义不同的字,如 kar 为"车"(名词),又可用做"可爱"(形容词)解。有歧义的字,如"哲学"为 filosofi,用做抽象名词,又可当做复数具体的名词。这是 Idiom neutral 最缺点的地方。若是从结构上看起来,比那 Volapük 又容易得多。我们将下列的话,和上列的 Volapük 互相比较,便知道了。

Idiom neutral es usabl no sole pro skreibasion, me et properlasion.

(译)"中立语"不特便于书写,也便于说话。

以上两种世界语即是这样。我更要将现在最通行的 Esperanto 的构造说一说。

Esperanto(原意为"希望者",日本人译为"世界语")初发现于一八八七年,这时 Volapük 恰在衰落的时代。始创家为波兰医生

Dro. L. L. Zamenhof,一八五九年生于 Bielostok。这城里的居民,有波兰的、日耳曼的、犹太的、俄罗斯的,各人操着本国的口音,所以语言一有误会,就闹个不了。Zamenhof 是一位慈悲的人,见了这个样子,就立志要造成一种言语,使大家的意见可以相通。他在大学的时候,懂得德、法、英、俄、拉丁、希腊的文字,所以 Esperanto 的字根,也是从这几种文字采来。它的字根的数目,据 *Esperanto*（*Universala Uortaro*）字典所载,不过二千六百四十二个。至于各国通用的字,如 Poezio、telefono 还不在内。因为这种字根,学者自己可以容易认识的。每一字根加以"语头"或"语尾",便能变出许多字来。如"友"的语根为 amik,末加一 o 字,就成为名词 amiko,再就它的前头加一 mal,就成"仇敌",再加语尾 in,即成"女仇敌"。这是 Eeperanto 不需许多字根的缘故。

它的拼音,是很容易的,我不必说了。它的文法,用一天工夫就能完全学会。因为它是很有规则的言语,所以如此容易。如名词语尾为 o,形容词为 a,复数加 j,受事格加 n,一说就明白了,举例如下:

	单数	复数
主格 nom.	la bona patro	la bonay patroy
受格 Akk.	la bonan patron	la bonajn patrojn

它的冠词,无论单数、复数、男类、女类、什么格,都是用一 a 字。动词不定式(infinitive)的语尾为 − i,现时用 − as,过去用 − is,将来用 − os,假定用 − us,命令用 − u。它的兼词(Participle)的变化如下:

	主动	被动
现在	− anta	− ata

过去　　　-inta　　　-ita

将来　　　-onta　　　-ota

它的相关代名词（correlative pronoun），共有四十五个，似乎很难记忆，但因为整齐的缘故，也没有什么大困难。举例如下：

	不定	c 个别	K 疑问关系	NEN 否定	T 指定
品质	ia 某种	cia 每种	kia 何种	nenia 无种	tia 彼种
缘故	ial 某故	cial 每故	kial 何故	nenial 无故	tial 彼故

它的章法，也不算难，兹举托尔斯泰《致中国人书》首节，便知道了：

Letero dc Leono Tolstoj lahino. Estimata Sinjoro：La vipo de hina popolo ciam tre interesis min，……precipe la hinan religian sagon－librojn de Konfucio, Mentze, Laotze kajiliajn komentariojn

（译）可敬的先生：中国人民的生活，我常常见得很有趣味。中国圣人的书，如孔子的、孟子的、老子的，我更喜欢得了不得。

以上三种人造的世界语，Volapük 早已衰落了，我们不必去理会它；就 Idiom neutral 和 Esperanto 两种中，我们应该承认哪一种当做世界语呢？这个问题，很难回答。但我们将它们的构造互相比较，觉得 Esperanto 的优点多过 Idiom neutral。况且 Idiom nentral 的字根，天天有改变，Esperanto 是有一定的。这是 Esperanto 胜过 Idiom neutral 的第一层。我们试将学这两种言语的人的数目来比较，究竟哪一边占多数，就中国来看，学 Esperanto 的人，最少有一万，学 Idiom neutral 的人，我没有听见过。我们又看哪一种的成绩多一点呢？试将各大书店的图书目录拿来一看，我们看见 Esperanto 的书不少，Idiom neutral 就绝无仅有。这是第二层。我因为 Esperanto 有这两层优点，所以主张世界语当用 Esperanto。如今欧战完了，什么"国际联盟""万国国会""永久和平"的声浪，震动我的耳鼓。我以为世界语的重要问题，也应提出来讨论讨论才是啊。

现在反对 Esperanto 的人很多，他们最大的理由，大约有两种：

（一）Esperanto 的构造，完全是依欧洲的语根造成，与亚剌伯、中国、日本的言语无关。Esperanto 怎么能当做世界语呢？

（二）现在的言语学已经很发达，各种言语的文法，比较得很清楚，故无论何人，不懂得言语学的，就不配创造一种新言语。

照第一条说，若能有一种言语，既合欧洲的，又合东方的象形文字，我是中国人，自然也很赞成。可惜如今中国的先觉，要将汉文废去，或主张改成 Romanized Chinese。这个问题，自然没有什么价值了。

第二条问题，倒不能难住 Dro. L. L. Zamenhof，因为他虽非言语学专家，但研究言语是很精的。P. Kropotkin 说得好：Men of Science invent no more, or very little. ……the attorneys, clerk Smeaton, the instrument–maker Watt…… were as Mr. Smiles justly says, "the real makers of modern civilization……" It was not the theory of electricity which gave us the telegraph, ……even the empirical knowledge of the laws of electrical currents was in its infancy when a few bold men laid a cable at the bottom of the Atlantic Ocean, despite of the warnings of the authorized men of science. (see P. Kropotkin: Fields, Factories and Workshops P. 398 ~ 402)

作者对于世界语的意见，虽然如此，但恐怕不确当的论点不少，极望当世的学者细心去讨论它一下子，给我们好走一条平平正正的道路。这是作者最大的希望!

(第六卷第二号,一九一九年二月十五日)

Esperanto(通信)

周祜　钱玄同

玄同先生：

吴稚晖先生评论 Esperanto，极其精当，钦佩得很。生目下尚未学过 Esperanto，依理不能有言，不过常读先生和吴先生们的高论，很相信 Esperanto 可以作为将来的世界语。姑且就我的推测，胡乱同先生谈谈，说错之处，还请更正。

汉文必当废弃，世界必将日趋于大同和将来必有一种全世界人类共同的文字；三个问题，先生等已经证得明明白白，不用疑心了。那种文字是否 Esperanto，现在虽无从断定，但从事实上考察起来，确已成为一重要的问题。人类接触愈繁杂，各国语言文字愈趋于统一，已成不易之理。此后世界公共事业，方兴未艾，邮政电务已统一于前，此次国际同盟会又有铁道改为公用之提议，大势所趋，灼灼可见。近来各国商客，多利用 Esperanto，以图贸易之发展，自是 Esperanto 之佳兆。又历年以来，在各国名都举行世界语大会之事，时有所闻。可见 Esperanto 之势力，已是不小了。Esperanto 既有这样间接的大助力，想来总可以转成一个习惯。那么，现在 Esperanto 已有这点根基，纵使别种世界语发生，未必能敌得它过。

并且要想别造一种世界语，也只得从欧系文字着想。Esperanto 由欧系文字脱化而来，已有如此完美，纵使有人别造世界语，也未必能比得它过。希望世界大同的人，在中国固不多见，在西洋已到处皆是。他们只有把它改良，把它传布，断没有把它破坏的道理的。照此看来，将来世界公用的文字大概是 Esperanto 了。

至于中国，照先生等的宏论看来，汉文是早废一天好一天了。我们既然幸而被先生等唤醒过来，自当帮着先生等快快筹划废弃汉文的办法，使得早登彼岸，享受文明的幸福，才是正门大道。现在采用 Esperanto，虽缓不济急，但是根基已可慢慢地定下来了。所以我决意去学 Esperanto，以为异日提倡之预备。

学生周祜　二月十四日

时敏兄：

足下有志去学 Esperanto，这是极好的志愿。《新青年》里对于 Esperanto 的评论，我和足下所见相同，也说以吴先生的话为最精当。

但我以为中国废汉文而用 Esperanto，这是将来圆满之能决。当此过渡时代，汉文尚未废灭，便不可不想改良的办法。今日以前的古文，断断不能再适用于今日。所以改良国文，以为短时期中之适用物，也是现在很重要的事情。又，国文改良以后，在施用方面固较古文为便利，但是用新国文做的译的新学好书还是很少很少。若说将来渐渐会多起来，我们可以等它渐多的时候再来讲求新学，那是笑话了。我们一方面还该赶紧多学几种外国文，以为直接讲求新学之用。因此，我愿足下：

研究国文改良的方法——研究外国文——研究 Esperanto。

钱玄同　一九一九，二，一四

（第六卷第二号，一九一九年二月十五日）

Esperanto 与现代思潮（通信）

凌霜　钱玄同

玄同先生：

　　读《新青年》第五卷第五号，吴稚晖先生的文章里说，Esperanto 可以加入学校课程之中，这话我以为很对。中国若要将汉文改用拼音，还不如直接采用 Esperanto，较为便利，省了许多方音的困难。但是现在反对 Esperanto 的人，仍是很多。那些大人先生说汉文是万不可毁灭的，把我们提倡 Esperanto 的人狗血喷头地骂上一顿。这是时代思潮的谬误，我们可以不必再去理会。就说那些赞成改良汉文的朋友，他们反对 Esperanto，不从根本上去说 Esperanto 的构造，是否可当世界语，而单说 Esperanto 文学书少，便是这种言语无用的铁证。那么，我们也可以说用白话做的书少，便是新文学无用的铁证吗？恐怕有些不对罢！

　　近来用 Esperanto 来做杂志的，做诗歌的，已一天比一天多起来。我所见的如瑞士 Dro. R. ds Saussure 所发刊的《科学杂志》(*La Teknika Revuo*)，有许多大学教授，都用 Esperanto 来做文章。我敢大胆说一句，Esperanto 是朝上的日光，并不是西山的暮色。

　　贵志同号中姚寄人先生将十年前巴黎《新世纪周报》醒先生所

做的《万国新语（亦名世界语）之进步》的末段抄出来。据我的鄙见，这篇文章起头所说的"万国新语有五大特色，为各国文字所不能及"都是很好的。这篇文章，可算是中国人说 Esperanto 的先导。我记得民国元年的时候，我的朋友师复先生，创立晦鸣学舍于广州，曾将他付印数万份，拿来分赠，看见的人，一定不少，我现在不必再去抄他了。

日本《新东洋》杂志去年十二月号中，有一位英国人 Bernard Long 做了一篇文章，叫做 Esperanto. as an Englo – Japanese Language，我如今将它翻译起来，给先生和《新青年》的读者看看罢。

欧洲的大战完了！各国也一天比一天接近了！要是各国能采取一种浅易的，合论理的，又能表情的补助语，那宝贵的光阴就可以不至失掉，烦扰的事情就可以不再生了。国际间的事情，也可以更加顺当，更加兴盛，不是现在的样子了。

日本同英国若是采用这样的一种言语，利益更多咧。为什么呢？因为我们二国的"国音"相差得厉害。况且英人能说日本语，和日人能说英语的，比较起来，都是有限，且非人人马上可以做到的。

我并不是说那想到英伦留学的学生和想直接读它的文学的学者不要学英文，我的意思以为大多数的平民，若是没有许多时候学一种外国语，又想上外国游历，同那实业上、科学上、商业上的人民来往，那么，懂得 Esperanto，就较为容易罢了。

要是想达到这个目的，我以为日本人学英文的，虽是多得很，但总未达到完满的地步。照这样看来，学一种万国所用的言语，又能够吸收西方的思潮，于人道上也有很大的关系，岂不比那学一国的言语好吗？

老实说我们现在最需要的，就是一种适当的言语，用来做万国接合的媒介，不但是英日二国等着的。日人学英文的，虽然很多，有许多有思想的英人都说，日本人学一种外国语，想来消受紧要的学问，于功利主义上说来，很不相宜。不但这样，就日本文的本身，也不免这种弊病的。

Dr. Zamenh of 将 Espeanto 贡献于世界，已经三十年了。这三十年中，经过了种种实习的结果，这种人造语，早已变成了万国交际的媒介。据现在看来，简直没有一国没有许多主张 Esperanto 的朋友。他的文学，也一天比一天增加起来。就是那最好学的学者，也不怕不够用了。

如今各种职业上的人，有能说 Esperanto，说得很好的；也有用他来做文章，做得很好的。我们看见 Esperanto 的杂志，最能够联络世界人类的感情。又看那一九〇五年至一九一三年间每年的大会，各国的男女来宾，到的很多，难道这不是 Esperanto 能够算是中立语的好证据么？Esperanto 第十次大会，本定一九一四年八月在巴黎开会，预先购券的人数，不下三千六百人。这里头的人，有三十五国以上的会员。后来因为战争开了，这个年会就没有举办。

有一位英国人曾到过一个 Esperanto 的大会，他说得很好，我且将他抄几句下来，给大家看看罢。

世界各国的人，聚集一堂，天天在那里讨论、演说和辩论，真是令我生无限的感触了。会中无论什么事情，都用 Esperanto，而未尝有一点误会和不明白的地方，也没有因言语而不能表情的难点。

言语不通的艰难,这才算灭尽了?

我们照这样看来,可见得 Esperanto 是很能表情和很流利的一种言语。它的语根,虽是由欧洲古代和近世的言语取来,日本和东方各国的学者,也很容易学的。

欧洲大战,正在兴高采烈的时候,日本的 Esperanto 杂志 *Japana Eperantisto* 还能继续出版。我虽是英国人,读这一种杂志,也能够明白日本有名著作家的思想,总不觉困难了。

Esperanto 可以实行,而又容易学习,我最好举几条实例,来做证据。从前有一位日本的盲目 Esperantiso,用 Esperanto 写一封信给我,说 Esperanto 在东京盲目院中怎样活动和各机关采用它的益处。这几封信所写的言语,是完全(Perfect) Esperanto,这位朋友学习的时候,除了用书来做先生外,并没有求过别人的帮助。他有一次寄给我一封信,里头夹了俄国盲人 Mr. V. Eroshenko 寄给他的信。这位俄国人用 Esperanto 的助力游过欧洲,又用它一半的助力,跑到日本去,住了二年。后来又上 Siam 和 Burma 去,调查那边盲人院的情形。

照这样看来,要是学 Esperanto 没有益处,恐怕不能够令盲目的人不怕艰难,都来学它。然而各国盲人学它的多得很。不但是这种文字的文法,都用教盲人的法子写上来,如今已有许多有趣味的书,也照这样写起来了。

Esperanto 于商场中通行的证据,也有许多。读者要是想知道详细,可问伦敦的 Common Commercial Language Committes,由 Thos Cook&Co 转交,便得了。

英国的邮务局,承认国内来往的电报可用 Esperanto。教育部又批准半夜学校和实业学校可以加入 Esperanto。因为这样的缘故，英国各学校加入的已经有了许多，日校也渐渐有加入的了。

千万的学生，每周学一二时，学上几周，便能说得很流利，且和各国的人士通信。有许多学生没有机会学一种外国语，而能学了 Esperanto，难道是不好吗？所以我很盼望各文明国的政府，将它加入学校的必修科。那么，世界联合就成了真事实，不是从前的梦想了。

至于 Esperanto 教员的问题，简直没有什么多大的困难。因为受过教育的人，只要费几个月的工夫，快的几周的工夫。现在的教员，就可以教授他的学生了。

大战争的时候，各交战国军队里头，也有许多 Esperantisto。他们说："用这种言语和那被获的外国囚虏谈话，很有趣味。"囚房里头的军民，也设种种的进行，来传播 Esperanto。红十字会和医院一类的事情，要是能够采用这种言语，更为便利了。

这篇文章将 Esperanto 有用的地方说得很透彻。但是反对的人，恐怕又要加上"卖药夸药灵"的罪名了。我翻译这篇文章的意思，不过想证明欧洲五百人中，至少总有几个人赞成 Esperanto。

我讲 Esperanto 之外，还有一个问题，想请大家注意。现在社会的不自然生活，可算达到了极点。法律一面褒奖贞节，一面又特准卖淫。伦理上天天讲什么人道，而军队天天在那里杀人。我有一个朋友从山西来，告诉我说："乡间有一位妇人，犯了奸案，那个男人毫没有吃苦，独将那个妇人钉上了十字架！"还有那官场，现在仍是把他个所杀的人头悬在城上！这是什么世界！北京后门常常有戴红顶子的大官，坐着马车，在那里跑。下雪的时候，有许多赤着脚的穷人，在那里叫苦。这又是什么世界！香港同广州不过差几百里路，而香港十年中没有将人枪毙的事情，广州的东郊场差不多天天有死人的惨声。龙济光督粤时，稍有革命党嫌疑的人，马上就将他打死。我有几位同学，也在这时期中死了，令我们真是"敢怒而不敢言"，这又是什么世界！

　　人类的历史，不过数千年，与那地球相比较，真是"不可以道里计"。但此数千年中的进化，我终觉得太慢了。若是要促进世界的进化，脱离了现在的矛盾生活，使那什么复辟，什么拳匪，永远不能复发，我以为最好是大家坐着摩托车往前跑。这一辆摩托车是什么？现代思潮就是了。现代思潮，在文学上，发而为托尔斯泰的小说，发而为易卜生的戏剧；在科学上发而为克鲁泡特金的《互助论》；在事实上发而为俄、德的革命。俄、德的革命，上海的大报纸，都大惊小怪，其实不过要人人做工，回复正当的生活罢了。"劳工神圣"已为经济学上重要的格言，那十人中有九个不做工得食的人类，要快醒了！贵志第五卷五号，有蔡孑民先生的《劳工神圣》，李守常先生的《Bolshevism 的胜利》，我以为很能代表现代的思潮。我所以很望《新青年》的读者，注意注意。这辆摩托车，虽不是我们自己造的，又何妨坐上去，向进化线上赶快跑呢？我的鄙见是这样，不知先生以为对不对？

凌霜　二月七日

凌霜先生：

　　先生所讲的话，我句句都赞成。将 Esperanto 加入学校课程之中，我是和先生、吴先生的意见一样。《新青年》第三卷第四号里，我有给陈独秀先生的一封信，就讲过这话；陈先生也很以为然。不料此议甫出就遭陶孟和先生的反对，于是四卷五卷之中，为了 Esperanto 的问题,彼此辩论的话愈说愈多。陈先生说是"诸君讨论世界语,每每出于问题自身以外,不于 Esperanto 内容价值上下评判,而说闲话,闹闲气",实在是有这样的情形。我现在也不愿意再来和反对党闹那些无谓的辩难驳诘。但我自己是信人类该有公共语言的。这公共语言,是已有许多人制造过许多种的。这许多种之中,在今日比较上最优良者是 Esperanto,所以我现在便承认 Esperanto 为人类的公共语言。中国人也是人类之一,自然就该提倡人类的公共语言。还有一层,欧洲各国的国语,和 Esperanto 相差不甚远,就是慢慢的提倡,还不妨事。若中国则自己的语言文字太艰深了,太陈旧了,决决不合于新世界之用,所以中国人更该竭力提倡 Esperanto。拿一近似的事来做比例:现在中国该用国语来做文章,用国音来讲国语。那北方的声音语言,本来较为普通,和国音国语相差不甚远,慢慢地提倡国音国语还不妨事;若江浙和闽广,则土音方言,至为奇特,不能行远便用,那就非赶紧提倡国音国语不可了。

我的意思以为我们主张 Esperanto 的人,应该自己赶紧学 Esperanto,劝人赶紧学 Esperanto,自己学好了,该去教别人。学的人渐渐多起来,则中国知道 Esperanto 的好处的人也渐渐多起来了。到那时候,提议把 Esperanto 加入学校课程之中,想来也不是什么难事了。请看,三年前中国人对于白话文学的观念是怎样,现在又是怎样,这就可以做个比例。但一面介绍 Esperanto 的书籍杂志,也是很要紧的事。若单说"学了可以和各国人交换明信片"的话,那是不中用的。至于有人说这是"假文字""这是私造的符号",等之于"参茸戒烟丸"或"戒烟梅花参片",我们可以不必和他辩论,照着刘半农先生的"作揖主义"去对付他,就是最经济的办法。

钱玄同　一九一九,二,十

(第六卷第二号,一九一九年二月十五日)

英文"SHE"字译法之商榷(通信)

钱玄同　周作人

启明兄：

你译小说,于第三身的女性人称代名词写作"他女"。我想这究竟不甚好,是读"他"一个字的音呢,还是读"他女"两个字的音呢？我现在想出三种办法,写在下面,请你指教：

(甲)照日本译"彼女"的办法,竟写作"他女"二字,阳性者,则单称一"他"字。

(乙)照半农的意思,造一个新字。但半农所要造的"她"字,我以为不甚好。因为这字右半的"也"字,要作"他"字用,若使许叔重解此字之形,当云,"从女,从他省,他亦声"。我想照此意思,不如造一"妳"字,"他"字古写作"它",从"它"即从"他"。若解其形,当云,"从女,从它——它,古他字——它亦声"。如此,则"他"字和"女"字的意思都完全了。

(丙)简直实行我们平日的主张：中国字不够,就拿别国的字来补。不必别造新字,老实就写一个 she 字。写到这里,忽想起中国的"他"字,包括阴、阳、中三性。现在把阴性分出了,则"他"字所含之义,已较从前为狭；而阳性与中性同用一个字,也不大好。既如

英文"SHE"字译法之商榷(通信)

此,何妨竟全用 He、She、It 三字呢？若不用英文而用 Esperanto 的,li、si、gi 三字则更好。

这三种办法,叫我自己来批评,则第一种不甚妥当。因为日本的"彼女",意思是"那个女人",所以于文义上没有毛病,我们若写"他女"二字,则有些"不词"。第二种办法,可以用得。但每次要特铸许多"她"字,在事实上或者有点困难,也未可知。还有一层,我们对于汉字既认为不甚适用之物,则添造新字,好像觉得有些无谓。第三种办法,在我觉得是毫无不可。照你平日的持论,大概也可以赞成。这种办法,有人以为恐怕人家看了不懂。我以为这层可以不必顾虑。你译的那些小说,原是给青年学生们看的,不是给"粗识之、无"的人和所谓"灶婢厮养"看的。今后正当求学的学生,断断没有不认得外国字的,所以老实用了外国字,一定无碍。若是给"粗识之、无"的人和所谓"灶婢厮养"看的书,自然不能十分道地。遇到这种地方,或如你现在的办法,写作"他女"可也,或如普通的译法,He、She 改作"男""女",亦可也。这是我对于我自己的主张的批究。你的意见究竟怎样？请你答复。

弟钱玄同　一九一九,二,八

玄同兄：

你问"他女"这一个字怎么说法,我的意思是读作"他"字,"女"字只是个符号。我译《改革》这篇小说时,曾经说明,赞成半农那个"她"字,因为怕排印为难,所以改作这样。就是"从女,从他,他亦声"。又照小局面的印刷局排印"鹜"字作"族(下从鸟)"的办法,将"女"字偏在一旁。我写这样一个怪字,一面要求翻译上的适用；一面又要顾印刷局的便利；一面又教中国人看了,嘴里念着

"他"字,心里想着"女"字,合成一个第三身的女性人称代名词,是一个不得已的办法。我自己对于这一字的不满,便只在他是眼的文字,不是耳的文字,倘若读音而不看字,便不能了解,实是缺点,至于字形上的不三不四,尚在其次。这是我对于"他女"字的说明,若对于你所说的三种办法,我的意见是这样的:

(甲)照上文所说,"他女"这名称,不能适用,非但有些"不词",实际上背了用代名词的本意了。中国旧书中也有"生""女"的称呼,但那是名词,不能作代名词用。倘若名词可以兼代名词用,我们要代名词何用呢?(因此想起日本的"彼女",也不甚妥当。)

(乙)我既然将"她"字分开,写作"他女"用了,如用本字,自然没有不赞成的道理。照你说造一"她"字,文字学上的理由更为充足,我也极赞成。但这仍是眼的文字,还有点不足。所以非将他定一个与"他"字不同的声音才好。你前天当面和我说的,他读作 ta,她读作 te 也是一种办法。我又想到古文中有一个"伊"字,现在除了伊尹、孙洪伊等人名以外,用处很少,在方言里却尚有许多留遗的声音。我们何妨就将这"伊"字定作第三身女性代名词,既不必叫印刷局新铸,声音与"他"字又有分别,似乎一举两得。不知你以为如何?

(丙)中国字不够,就拿别国的字来补,原是正当办法。但连代名词都不够,那可真太难了。我极望中国采用 Esperanto,一面对于注音字母及国语改良,也颇热心。正如你所说,"新屋未曾造成以前,居此旧屋之人,自不得不将旧屋东补西修,以蔽风雨"。修补旧屋之时,如开一个天窗,缺一块玻璃自然不得不拿别国的东西来用。倘若连灶的砖还要求诸海外,便未免太费手脚。我们何妨亲

英文"SHE"字译法之商榷（通信） 211

自动手，练一堆烂泥烧几块四斤砖，聊以应用呢？我以为要教他们认识 li、si、gi 等字，须连上下文一起读。至于单用的时候，就是用在汉语中间时，便用第二条所说的新字。我本反对"金"旁一个"甲"字那宗字，却单独赞成"女"旁一个"它"或"也"字的代名词（用"伊"字更好），因为读到"钾"字的人，可以认得 Kalium。至于代名词，则不只是翻译上要用，便在"灶婢厮养"平常谈话写信看书报时，也是必不可少的。我的赞成新造怪字，更望以"伊"字代用，便因为这个缘故。至于补入中国文中的别国文字，应该用哪一种才好，那是别一问题，现在不及议论了。我的意见，总不赞成用某一国的国语，所以将 she 字借用一节，可以作罢了。

总之我对于这个代名词问题，毫无一定成见。哪一个方法好，我便遵行。但现在尚无决定的办法，我还暂且用我的旧方法写那二字一音的字。

周作人　二月十三日

启明兄：

复信敬悉。

特造"她"或"她"字而读"他"之古音如"拖"，现在仔细想想这个办法究竟不大好。因为：（一）我们一面主张限制旧汉字，一面又来添造新汉字，终觉得有些不对。（二）从旧字里造出新字，这新字又要读旧字的古音，矫揉造作得太厉害了。（三）非添铸字模不可，恐怕印刷局又要来找麻烦。要免去这三层，则用"伊"字最好。我且用个旧例来比方比方：如"考""老""寿"三字，意义全同，又是叠韵，于古为转注字（转注用章太炎师说），但后来分作三种用法，如"先考"不能称"先老"，"老人"不能称"考人"，"做寿"不能说"做老"或"做考"。若呼"老头子"曰"寿头开店的'老板'曰'寿板'"，这更是要挨嘴巴的了。意义相同而施用各异，久而久之，竟至彼此决不可通用者，就是荀子所谓"约定俗成谓之宜"的道理。我们行文，用定"他"字代男性，"伊"字代女性，等到渐渐成了习惯，也觉得彼此决不可通用了。所以我很赞成用"伊"字的办法。

玄同　二月十四日

（第六卷第二号，一九一九年二月十五日）

白话文的价值

朱希祖

昨天遇见一位老先生与一位朋友谈天。那老先生说道："白话的文与文言的文，皆是不可灭的。譬如着衣服：做白话的文，就如着布衣；做文言的文，就如着绫罗绸缎的衣。着得起绫罗绸缎的就是富人；那贫人着不起绫罗绸缎，只好着布的了。"我听了暗中笑。我常常说人家都喜欢做"衣裳文学"，偏偏这位老先生又要讲"衣裳文学了"。要晓得贫富，本不在衣裳上区别。那富的人固然也有着绫罗绸缎的衣，然而着布衣的，也尽有富的，并不为着了布衣，就失了他富的资格。那安分守己的贫人，固多着布衣，然而也有贫的人，要假装富人，着了绫罗绸缎，到人家面前去诳耀。试到我们江苏、浙江的街上去看看，着绫罗绸缎的人非凡之多。若到他们家里去看看，十之八九是穷得不堪的。也未见得因为他着了绫罗绸缎，就算他是富人。我们中国人只晓得假装门面，这种贫无聊赖的人，偷窃欺骗人家的钱来，做了绫罗绸缎的衣裳，着了去诳耀"只认衣裳不认人"的下流人物，就可以代表中国大多数文言的文章了。

又有几个人在那里批评白话的文的价值，以为总不如文言的文：

甲说道："白话的文太繁秽,不如文言的文简洁;白话的文太刻露,不如文言的文含蓄。所以白话的文是毫无趣味的。"

乙说道："白话的文,今天看了,一览无余,明天就丢掉了,断不能垂诸久远;文言的文色泽又美,声音又好听,使人日日读之不厌。所以孔子说,'言之无文,行而不远'。古人的文章所以能千古不朽者,就是用文言的缘故。所以我们雅人,只要学古;白话的文,由他们俗人作通俗文用罢了。"

丙说道："白话的文,车夫走卒都能为之;文言的文,非学士大夫不能为。"

我以为甲的主张,不过要制造伪的文章罢了。文章的好坏,不在繁简,从前顾亭林的《日知录》已经说过了,不必再辩。秽的一字,我不解,大约指着白话的文中骂人的语句,或批评人家,说得太不堪的样子。然而文言的文中,难道就没有这种弊病吗?你看《论语》《孟子》中,不批评人家则已,一批评人家,开口就是"禽兽""盗贼"等恶毒的骂言,"妾妇""穿窬""徒哺啜""贱丈夫"等不堪的嘲笑。你们方且以他们为圣贤,要崇拜他们的,不因此抹杀文言的文。所以这种弊病,不是白话的文专有的。若讲到含蓄,要分两层说。一对于字句的。作文言的文,以为字句必须含蓄,不许直说,所以措词或用古典,或用古字;造句或务简短,或求古奥。所以他们的句语,也有如谶词的,也有如灯谜的,也有如歇后语的,矫揉造作,一副假腔,如同做戏的戴了假面具,把真面目不露出来。到了这种地位,虽有很好的意思,含蓄在内,人家也不看出来了。从前田鸠说墨子的文,"多而不辩,恐人怀其文,忘其用,与楚人鬻珠,秦伯嫁女同类"(说详《韩非子外储说》左上),以华辞巧饰,自诧含蓄的,上者使人买椟还珠,下者徒饰空椟,竟无珠了。白话的文,把真面目刻露出来,即无此种毛病。一对于意思的。做文章时,意思含蓄不露,所谓引而不发,意在言外,使人自己去寻味;若豁然贯通,必如获了珍宝;自是文学的上品。此种好处,不但文言的文有之,白话的文亦有之。试看现在欧美、日本的白话小说、戏曲及新体的白话诗,皆有此种境界。所以未曾细读多读白话的文学作品,而漫欲批评白话文,全无是处。

乙的主张,不过要制造"古"的文章罢了。"古"的弊病,我下文再讲。若说白话的文不能传诸久远,试问《尚书》中《殷盘》《周诰》,多是古代的白话,何以能传诸久远呢?《水浒》《红楼梦》,我敢说再过数千年,也是不能磨灭的。况且最古的时代,文章本是代语言的,我们做白话的文,实在是最古的法则。然而人家不要误会,我们并不因为白话文是古的,然后要做它的。

丙的主张,不过要做"贵族"的文章罢了(学士大夫,即贵族的代名词)。晓得文学的事业,总以人的全部分为标准。若以少数贵族为标准,就是自私自利,这种文章,已无文学上的价值。我的朋友仲密君做了一篇平民文学,载在《每周评论》的第五期,讲得非凡透彻,我也不必再说。至于贵族的心理,以为"文章做到难懂,工夫就深极了;人家不懂,我独能懂,所以可贵。白话的文,人人能懂,车夫走卒皆能懂,所以不足贵"。实现在的新文学,非从科学哲学出来,即不能成立;用极深远的哲理,写以极浅近的白话。所以就外面看来,学士大夫能懂得,车夫走卒亦能懂得;若就内容的理由讲,不但车夫走卒不能懂,即旧派的学士大夫何尝能懂呢?

上文列的数家,不过中国的守旧派反对白话的文罢了。还有留学欧美,做外国的守旧派的,崇奉莎士比亚等贵族的文学,以为"外国文言何尝一致",亦来反对白话文学。

某君《中国文学改良论》云（见《东方杂志》第十六卷第三号）："语言若与文学合而为一，则语言变而文字亦随之而变。故英之Chancer去今不过五百余年，Spencer去今不过四百余年，以英国文字为谐声文字之故，二氏之诗，已如我国商周之文之难读；而我国，则周秦之书尚不如是，岂不以文字不变，始克臻此乎？向使以白话为文，随时变迁，宋元之文已不可读，况秦汉魏晋乎？此正文言分离之优点。乃论者以之为劣，岂不谬哉？且《盘庚》《大诰》之所以难于《尧典》《舜典》者（按：《舜典》已亡，今惟伪古文有《舜典》），即以前者为殷人之白话（按：《大诰》是周人的，非殷人的），而后者乃史官文言之记述也。故宋元语录，与元人戏曲，其为白话，大异于今，多不可解；然宋元之文章，则与今无别。论者乃恶其便利而欲增其困难乎？抑宋元以上之学，已可完全抛弃而不足惜，则文学已无流传后世之价值，而古代之书籍可完全焚毁矣，斯又何解于西人之保存彼国之古籍耶？"

某君攻击白话的文，较之中国的守旧派，程度自然高出百倍。他也晓得白话的文可以传诸久远；惟虑白话的文传诸久远而后，语言代变，恐后人不能懂。此乃某君之谬，今为分析辨之：

文学最大的作用在能描写现代的社会，指导现代的人生。此二事，皆非用现代的语言不可。其理由，下文再说。假使作文的时候就要离却现代的社会与人生，而欲为千秋万岁后的读者计划，则思想隐欲专制将来，文学上已无时代精神可表现。若要如此，则吾人不必再创新文学，只要死守旧文学已足。再进一步说，吾人之所以创新文学，实不满意于旧文学；吾人今日的新文学，过了百年千年，后人的智慧日进，必不满意于吾人所创的文学而视为旧文学。所以一代自有一代的文学，离却现代而欲预讲千百年后的将来，与离却现代而欲实现千百年前的过去同一谬见。

  文学的作家,与那供给现代人看的文学作品,截然是两事。供给现代人看的文学作品,必须以现代的白话写之。若文学作家所研究的文学书,自然不能限于现代的作品,必将自古以来文学的源流变迁,及自古以来一切文言、白话的文学作品,细细研究。文言、白话中因古今语变,有不懂的,必须研究言语学;我们中国亦有小学,即语言文字学;此皆所以通古今之邮者。盖学术思想,是递变而进化的,所以做白话文学的,一定也要保存古书,以观察过去进步之迹,然后可谋现代的进步。换一句话说,就是观察过去的不满足之处,以谋现代的建设,惟此是文学专家的事,并非要使现代的普通人类都读古书。现代的普通人,既然不是都要读古书,读古书让之文学专家,则后代的人亦是如此,又何患白话的文后人不懂耶?且某君但虑白话的文代变,恐防后人不懂;然则某君所指为文言的,如《尧典》中之"于变时雍""庶绩咸熙",《法言》中之"蠢迪检柙",《阙史》中之"虬户""铣溪",难道后人不通训诂故事就能懂吗?某君必以为"此是古人的书,自或不懂"。然今人中如章太炎先生、刘申叔先生的文,皆是文言的,某君以为不通训诂能全懂吗?可见性质古了,无论语言或文字,皆不能懂的。然而普通的人,对于《尧典》《法言》《阙史》等书,章太炎、刘申叔诸先生的文,皆不能懂,是不妨的;至于文学专家,若不懂以上所举的文章,则对于文学上且慢开口,因为他的学问尚未到此地位。能懂以上所举的文章,然后配讲白话文学的短长。

  不能辨别作家与作品的不同,中国守旧派与外国守旧派皆有此病。现代的作品,务使现代人皆能读之,如戏曲小说等是。现代的作家,不能使现代人皆能为之;盖作家必须通科学、哲学,然后能作文学的作品。某君谓："口语所用之字句多写实，文学所用之字句多抽象（这两句讲不通，我不值得驳）。执一英国农夫，询以 percedtpon, conception, consciunsness, freedom of will, reflection, stimulation, trancc, meditation, suggestion 等名词，彼固无从而知之，即敷陈其义，亦不易领会也。"科学、哲学上的名词，文学专家自当深通其义，此乃作家的学问。农夫只要能读文学作品，如小说、戏曲等。外国现代的小说、戏曲，岂专以科学、哲学上的抽象名词敷衍满纸吗？若农夫必须懂了 perception 等名词，然后读小说、戏曲，难道农夫必须自通几何学、矿学、机械学等，然后用新式的耕田机器吗？

我本来要说白话的文的价值，因为人家反对白话的文，所以费了许多说话，未曾讲到本题。今要讲到本题，尚须分两层讲：一是白话的文功用上的价值，二是白话的文本质上的价值。

一、白话的文功用上的价值分为三条：

（1）我常常听见学生们说："中国文有三难，一、难读；二、难解；三、难作。所以学了十几年文章，字句尚不通顺。"此指普通文言的文说。我以为作文如制器；同制一器，有学了一二十年才能成功的，有学了五六年即能成功的。其结果利益相等，人必求其速的而舍其缓的。作文亦然学文言的文，须一二十年成功；学白话的文，四五年即能成功，其余十数年，可腾出来专学各项科学及哲学。所以同是用了一二十年功，其结果，学白话的文的知识，超出于学文言的文的数十百倍。（文言的文，难读难解；白话的文，易读易解。两种利弊的比较，我于《北京大学月刊》第一期《文学论》中详言之。此不再说了。）

（2）作文言的文，文章虽做得甚巧，往往有拙于语言，不能应对的。然言语的功用，有较胜于文章的时候。若作白话的文，不必用功于作文,只要用功于说话,演说谈讲,随时随地可以为练习文章之用;所以有了思想,口可以达的,笔亦可以达的,说话与作文为一件事的两面,一举而有两利。学文言的文不注重思想,粗疏简陋;所以他们的一生,作文固多不通,说话也更多不通了。

(3)作白话的文,照他的口气写出来,句句是真话,确肖其为人。作文言的文,虽写村夫俗妇的说话,宛然是一个儒雅的人;写外国人的说话,亦宛然是一个中国辞章之士。中国文人多说假话,多装点门面语,文章是全然靠不住的;所以文学之士,人家看起来与倡优一样。作白话的文不能妆点,比较起来,是真一点。文章譬如美人:白话的文是不妆点的真美人,自然秀美;文言的文是妆点的假美人,全无生气。

二、白话的文本质上的价值分为二条:

(1)白话的文的本质,与文言的文的本质有广狭之不同。文言的文,无论骈文散文,皆以典雅为宗;世俗的语与外来的语,不典不雅,皆不许用于文章。桐城派的文人,往往骂苏轼、钱谦益辈用"释典"语;则今世一切科学、哲学的新语,皆在排斥之列。骈文的选词,虽无桐城派之严,然必须用丽典雅词,一切语言亦无从阑入。总之所谓典雅者,非古人已用的,断不敢用入文章,"刘郎不敢题'糕'字"即为此二派的代表。不知人事一日进化一日,思想一日复杂一日,若使新语不许用入文章,则思想既为古人所蔽,一切新事业就被它无形消灭;阻碍进化,其力甚大。所以举国皆用"夏正",则民国已无形取消;举国皆崇古学,则新学亦无从输入。日本维新四十年,已与欧美并驾齐驱;而吾国社会依然如故,皆因用旧日文言束缚的缘故。若打破古例,输入外来的新语,则文学的思想界,正如辟了数国的新疆土,又添了数国文学上的新朋友,岂不有趣?

然此事，或谓"用浅近文言的文，亦可做得到，只要不做旧式的骈文散文罢了"。不知一代的文学，总须表现一代社会的现象。文言的文只能伪饰贵族文人，至于社会全体的真相，非白话俗语不能传神毕肖。社会全体的真相不明，则文学家虽欲指陈它的利弊，亦无从开口。所以白话的文的领土，既能容纳一国的全社会，又能容纳外国的各社会，运用自在，活泼泼地；文言的文，既以古为质，范围又狭，与现代社会现代人生不相应，虽有文学而实无用，竟与死的一样。

（2）文学之对于人生，与食物同。食物的良否，视消化的难易与滋养料的多少而定。文言的文与白话的文滋养的多少，皆非一定。文言的文，滋养有多的，亦有少的。白话的文亦然。现在由科学、哲学的见地所成之白话的文，滋养料的丰富，固无可比；若宋元明清的白话语录、小说、戏曲及现今无学识的白话文，滋养料亦不多的。所以从滋养料上讲，白话的文与文言的文差不多。惟讲到消化，白话的本质，仿佛就是粥、饭、面包、牛乳、鸡子。文言的文，消化的容易，远不及白话的文了。一种食物既然不易消化，就有两种毛病：其一，食了未曾溶解，即排泄而出，虽有滋养料，亦不能提出补益身体。其结果，必成为贫血病，精神日渐萎顿，不堪做事，渐致不能支持身体。文言的文即有此弊：作的人愈经锻炼，读的人愈难溶解，囫囵吞咽，消化力自不健全。所以虽有好文学，亦无补于人生，反使社会毫无活力。其二，食了不易溶解，且有积滞于胸而不化的，百病从此而生，寿命亦自然短促。文言的文以古为质，读的人往往食古不化，作的人又必想尽种种方法，比喻他的句调，叫做什么"掷地作金声""精金百炼"……无非叫人读了凝积于胸，不易消去，致使社会上弊病百出，有人要做裨补滋养社会的事业反而生出许多阻力。可见消化容易,为食物第一急要条件。文学中,白话的文之胜于文言的文,其最大要义,即在此。世有反对白话新文学者,难道是不要吃粥、饭、面包、牛乳、鸡子,而要吃陈古千年钢铁样硬的糯米团子和糠粃团子吗？——就说白话的文不见得尽是粥、饭、面包、牛乳、鸡子那样的滋养料,也还可以说是新鲜的糠粃团子,食了纵少补益,也还无害于身体；若陈古千年钢铁样的糠粃团子,不但无益,而且有害！

(第六卷第四号,一九一九年四月十五日)

关于新文学的三件要事(通信)

潘公展　钱玄同

记者先生：

　　贵杂志提倡新道德，灌输新思想，建设新文学，真不愧为"新青年"。我自从读《新青年》，不到一年，觉得完全改变了旧日的态度，就是我朋友之中和我一样被感化的也不少，可见《新青年》是今日国中一线的曙光。要拯拔中国的青年，跳出旧家庭、旧社会束缚的势力，重新做他们的"人"，全靠这《新青年》了！

　　以上所说，不是我的虚誉，——《新青年》的声价，也未必要因我的虚誉而始增；我不过是本我良心上的意见，希望这《新青年》的势力普及全国罢了。

　　我对于《新青年》的主张，大体同意；而对于"文学革新"的问题，尤为赞成。我现在是小学校国文教员，所以就想把《新青年》中所主张的来实行。但在实行之前，觉得有许多困难：一般老古董和半新半旧的人的阻力，教科书的不能应用，教授时间的限制，学生家庭的迷信等。所以我想乘寒假期内，做一篇关于"革新文学与小学国文之教授"——将来或就以此为题目——的文章，将我个人对于实行改良文学方法写出来和识者讨论。现在因内容所包甚多，一时不能脱稿,将来做完了,总要寄上请诸位先生指教的。

再,我以为关于建设新文学,还有三件事是很要紧的,并且《新青年》里已经讨论过,现在把他写在后面,请诸君格外的努力去做。

(一)创作模范文学,或选定古人所做可以作为模范的文学书。——这一层包括自撰、自编、翻译、选订,种种。现在《新青年》上所刊载的,偶于翻译一面居多。

(二)编中国新文学所应用的"文法教科书"。——中国向来没有文法,教授上很感困难。现在既然要建设新文学,示人以"规矩准绳",那么文法的书一定要赶紧编好。

(三)审定今韵。——要做韵文,总逃不了韵——无韵诗似在例外。古韵既和今韵不同,那么今人要做韵文,用前代的韵觉得勉强,随意用韵,那又各人不同,所以审定标准韵实在是最要紧的事。前在《新青年》上好像看见有北京大学审定今韵的事,由玄同先生主任,不知道现在怎么样了?

这三件事想早已在诸位先生的筹划之中,不过我希望得切,所以写了出来。请诸位先生注意!

我对于白话诗的观念,以为较从前做诗,活泼得多,有生气得多。所以我虽没有研究过,却也"跃跃欲试",滥做了几首,并且以后立志总要这样做,定了我那练习白话诗的书名叫《独唱集》。因为我觉得做白话诗的宗旨,是要把我个人的自由意志情感,用最直接爽快的方法写出来;至于成诗不成诗,别人说是算不得诗,那就不问。并且因为我四围的人没有一个表同情的,所以取那"独唱无和"的意思,来把"独唱"两字做我的书名。但是我最喜欢献丑;俗人的面前我固不屑和他讲,至于那识者的面前,我很愿意把自己的陋作受他们的批评。所以我把我第一次所仿的白话诗,另用一张纸写好寄上,还要请诸先生忙中抽闲指示指示才好。

我现在没有什么要写了,但希望《新青年》发达,诸先生健康,并盼赐教。

一九一九年一月三十一日,潘公展上

公展先生:

先生褒奖《新青年》的话,同人实在不敢当。但是先生既然这样说法,则同人益当勉力做去。能得二十三岁的青年少几个人做"遗少",这是同人惟一的希望。

改良小学校园文教科书,实在是"当务之急"。改古文为今语,一方面固然靠着若干新文学家制造许多"国语的文学",一方面也靠小学校改用"国语教科书"。要是小学校学生人人都会说国语,则国语普及,绝非难事。小学校里用了国语,教员也容易讲,学生也容易懂,比那用国文的,一难一易,差得远了。这不是说空话,是有实证的。去年蔡孑民先生在北京办了一个孔德(Comte)学校。先把那国民学校第一年级改用国语教授,由我们几个人编了一本《国语读本第一册》。据教的人说比用坊间出版的国文教科书,学生要容易领会得多了。教了两个月,叫学生把读本上的句子改换几个字,居然能够改换改换(譬如"我有一支笔"改为"他有一本书";"我同我的弟弟到学校去"改为"我同我的姊姊到体操场去"之类)。这就因为国语的本身既容易了解,他的句法又是很活泼,简直是识字方块字。三四册以后,各课的文句,有很晦涩的,有太高古的,又有文理不甚通的,学生读了,和读《三字经》《神童诗》差不多。请问怎么能受益呢?先生要做的那篇文章,我以为这是现在极要紧的,已经脱稿了没有?我希望早日做成,早日发表,我是极想早点领教啊。

先生所说关于新文学的三件要事,具答如下：

(一)《新青年》里的几篇较好的白话论文,新体诗,和鲁迅君的小说,这都算是同人做白话文学的成绩品。"模范"二字,是断不敢说,不过很愿供给大家做讨论批评的材料罢了。周启明君翻译外国小说,照原文直译,不敢稍以己意变更。他既不愿用那"达旨"的办法,强外国人学中国人说话的调子,尤不屑像那"清室举人"的办法,叫外国文人都变成蒲松龄的不通徒弟。我以为他在中国近来的翻译界中,却是开新纪元的。至于选古人的白话文,我觉得此事甚难。若从严格论,现在所谓古文,都是古人的白话。佶屈聱牙的《周诰、殷盘》实在是当时的白话告示。有劳毛亨、郑玄、朱熹们诸公加笺注的《诗经》,实在是当时的白话诗。若就较近于今日之白话而论,惟有明清以来之小说。小说中较有价值者,不过《红楼梦》《儒林外史》两部书。然要在这两部书中选它几十节,却不容易。《水浒》和《元曲》,与现在的话实不相近;若宋儒语录,在现在看来,和苏东坡的策论一样的难懂。这两种,我以为都不当入选。

我又以为我们所以要做白话文的缘故,不过是"今人要用今语做文章,不要用古语做文章"两句话。那么,古人做得矫揉造作不合当时语言的文章,固不当学,就是古人做得很自然的白话文章,也不当学。因为在他当时是今语,该这样做;在我们现在已经变为古语,不该照样去学他。所以我个人的意见,我们很该照自己的话写成现在的白话文章,不必读了什么"古之白话小说",才来做白话文章。

(二)国语的文法书,的确很重要。现在北京大学的国文研究所,正在那里着手做这件事。

（三）现在做白话诗所用的白话，自然是全国中最普通的语言了。这种语言，就是一种不成文的国语。所以做白话诗所用的白话，可以说，就是国语。——做白话文的白话，自然也是这一类，自然也是国语——既然用国语做诗，那就该用国音押韵。一九一三年，读音统一会于制定三十九个注音字母之后，又审定常用字七千多字的音。这审定的就可说是这七千多字的标准国音。去年，教育部委托吴稚晖先生把这审定的七千多字的音编成一部书；吴先生又把和这七千多字同音的字，准照这七千多字的审定的音，也注上个音，附在后面，也有七千多字。合这一万五千字，做成一部《国音字典》。这字典，现在已经由商务印书馆印成，不久即可颁行。我以为今后做诗，可以照这标准国音用韵。凡《国音字典》里同母音的字，在《诗韵》里虽不同韵，现在尽可拿来押韵；《国音字典》里不同母音的字，在《诗韵》里虽同韵，现在断断不可拿来押韵。例如（下列之音，因注音字母的字模，除商务馆外，别的印刷局中尚未备此，故暂用罗马拼音代之）：

江（Chiang）阳（Yang）诸字可以押韵；

奇（Chi）希（Shi）西（Si）诸字可以押韵；

因（In）今（Chin）诸字可以押韵；

寒（Han）元（Yüan）删（San）先（Sian）覃（Tan）盐（Yan）咸（Shian）诸字可以押韵；

萧（Siau）肴（Shiau）豪（Han）诸字可以押韵；

庚（Keng）蒸（Cheng）诸字可以押韵，

之（Chih）低（Ti）眉（Mei）儿（Erh）诸字不可押韵；

来（Lai）雷（Lui）诸字不可押韵；

虞（Yu）模（Mu）诸字不可押韵；

喧(Shuan)门(Men)诸字不可押韵；

马(Ma)也(ye)诸字不可押韵。

总而言之，是现在的人，该用现在的国语做诗，该用现在的国音押韵。那从前的《诗韵》，只配丢在字纸篓里；或者拿去盖盖酒甏口，也还使得。到做诗的时候，丝毫用处也没有。（《诗韵》这样东西，就是在旧韵学上，也没有半点价值。研究"小学"的人，也很吐弃这书。）吾友刘半农君曾有反对把"规，眉，危，悲"等字与"支，之，诗，时"等字押韵之论（见《新青年》三卷三号），我很以为然。一般人都说刘君不懂古音——他们所谓古音，大概就是《诗韵合璧》罢。我倒要请问他们：诸君嘴里读"规，眉，危，悲"等字和"支，之，诗，时"等字，母音是一样的吗？假如嘴里读得不一样，不过据着《诗韵合璧》来骂人，那我又要请问：《诗经》不比《诗韵合璧》更古吗？第一首《关雎》中，把"服"字和"得""侧"二字押韵，把"采"字和"有"字押韵，把"笔"字和"乐"字押韵，诸公为什么不照办呢？好古而但知《诗韵合璧》，似乎还欠深造罢！

先生的白话诗几首，已经拜读了。窃谓在纯文学——诗、小说、戏剧中，描写口气的地方，固不妨用方言，以期曲肖。但方言中，往往有写不出字的。这写不出字的，约有三种：

（1）未曾制字者：如我们吴兴人称"他"为 Dji，乃"其"字；而称"他们"为 Dja，则未曾制字。

（2）或有其字而未曾考出者：如吴兴人称虾蟆之音为 Dien – dien – wu。这样的名目，似乎应该有个字，然而竟写不出来。

（3）虽有其字，而因古今音变，不能适用者：如吴兴人称"不要"为 Shiau，此实是"勿要"二字之合音。但"勿要"二字，照国音是 U – iau，照吴兴方音是 Feh – iau，则不能再拿来表 shiau 音。

我主张凡方音中写不出字的,将来可以直用《注音字母》去拼它的音,不必更造字。现在《注音字母》尚未普及,或姑用罗马拼音表之,亦可。惟不可用近似而不甚合之字。如大作中"我淴清"的"我"字,注云,"音 Nga"案,吴兴音之 Nga,其义实是"我们"而非"我"(大作此句中之 Nga,则为"我们的"),鄙意以为宜老老实实写 Nga 音,不必用近似之"我"字。未知尊见以为然否?

记者(钱玄同)　一九一九年九月二十二日

(第六卷第六号,一九一九年十一月一日)

同音字之当改与白话文之经济(通信)

陈懋治　胡适　钱玄同

适之先生：

有人问我两件事情，我不能答复，写出来请先生指教。

第一件是：前年我从日本回来，有人问我日本情形。我说："自欧战以后，商业十分发达，人民的富力增加了许多，所以各处地方的工厂也是格外发达了。"旁边有位先生听了这句话，将"工厂"二字误作"公娼"，我和他办明白了。又有一个人说道："今天这'工厂'二字，是第二次误会了。"因为那天早上有人问他杭州学校的情形，那人说："自从杭州近来有了公娼，学校里很受影响。"这听的人却误把"公娼"认为"工厂"。我于是有一个感想，像这种同音字，应该改作什么？前天有人又把"《每周评论》"误作"《美洲评论》"，这又应当怎么改？今天听见人说，蒋梦麟先生要买地毯，叫车夫拉到买地毯的地方去。车夫没有听明白，把他拉到了地坛。我住的察院胡同，打电话的时候，十次有九次，人都误听了是茶叶胡同。以上所说的，是要请教的一件。

第二件是：有人说，"用白话作文，固然好，但是字数不得不多，那就不能不多费时间和纸张，似乎有点不经济"。也请先生作一答语。

　　我想把"工厂"改作"制造厂","公娼"改作"公设的娼妓","美洲评论"改作"亚美利加洲的批评","每周评论"改作"每星期的评论"。字数多一点,似乎稍微累赘。但是我想,这四个头字的名词和成语,并不是普通白话里头的自然生产品,乃是从旧文学上遗传下来的,我们用惯了似乎觉得方便,实际上却有这同音异义易于误会的不方便。察院胡同似乎可说"就是'都察院'的'察院'两字",但是那个人若不知道都察院,仍是不得明白。

　　白话不经济的问题,我对那个人说的是:"在写的时候,白话似乎不经济,但是在学的时候,却非常经济。"这个答复,请先生指教指教。《东方杂志》第十六卷第三号所载南京高师胡先骕先生的一篇《中国文学改良论》,反对白话文字。这篇文章,在反对论中算是最有力量的了。务请先生辩正一番!

陈懋治上言

颂平先生:

　　来信所说的两件事,分答如下:

　　第一件,同音异义的复音字,究竟不很多,只要说话的人随时留意,就不致误会。先生改"工厂"为"制造厂","公娼"为"公设的娼妓"很好。在常说,"语言文字全是上下文的"(见《国民公报》),如"公娼"与"工厂"一类的名词,太短了,能拉长一点,更为稳当。至于地名如察院胡同之类,只需加上"上下文",如"西单牌楼……"等字,便不致错了。北京的地名,不但有音同的,竟有许多字同的。但是加上了"东四""西单""哈达门外""西城"等附加词,便不怕了。

先生说,"四个头字的名词和成语,乃是从旧文学上遗传下来的"。这话很是。中国文字太整齐了,实在是一个缺点。西文的书名,不妨长到二十个字。中文书名,至多不过五六个字。如"Journal of Philosophy' Psychology and Scientific Mothod",译成中文"哲学,心理学科学方法的杂志",就有些人见了摇头了!

第二件,白话不经济的问题,我也听见人说过。这话可以有两种答辩:

(1)他们所说的经济,不是真经济,而是偷懒;并且不过是暂时的偷懒,不是根本的偷懒。譬如我编讲义,用文言写了,岂不偷懒?但是上讲堂时,我不能不替自己作翻译,这番工夫躲得过吗?又如学生记我的讲义,他们听的是白话,又翻成文言,字虽少写了几个,究竟经济何在?若是翻译错了,失了原意,那更不经济了。所以要是做文言的文,一定要忍受心里翻译的不经济,忍受意义不正确的不经济,忍受文法不精密、不完全的不经济,忍受听者读者误解误听的不经济,这真是太不经济了。

(2)白话文字有一种根本上的大经济,就是先生说的"教育上的经济"。一句文言,懂得的有十人;一句白话,懂的有千人万人,可不是大经济吗?将来白话文的习惯养成了,提起笔来,有什么话,说什么话。像我写这信的样子,不用造句子,不用翻典故,不用掉书包。那时候,白语的真经济就更显著了。

以上是匆匆写的,先生以为何如?

胡先骕的驳议,是"似是而非"的。已有罗家伦君在《新潮》第一卷第五号里驳过他了。我也没有什么可加的意见。他有信来,说有一封信给我,已写了十分之六七。我等他那封信写成时再答他。

以上所答，都是百忙中偷空写的，定多不当的地方。听说玄同先生还要加一段详细的答语，我更可以少说几句了。

胡适

这封信所说的那两件事，颂平先生也曾经写信问过我，所以现在就在这里附答——

我对于第一件事，所见完全和颂平先生相同。我以为这种两个头字四个头字的名词和成语，除了那用得熟而又熟，早已变成一句普通语言的——如"总而言之""诸如此类""自然而然"之类——以外，在今语体的文章里，总不要去乱用它。并且要常常留意，可以改用一句普通话的，务必改用，才是。即如"每星期的评论"，这六个字何等明了。"星期"是嘴里常常说的，又是一个复音名词。"周"是嘴里所不说的（这名词是从日本贩来。其实日本称为"周间"，也是复音名词），又是一个单音名词。自然是"星期"比"周"要适用了。"每星期"之下加一个"的"字，文法便很完备了。这是我绝对赞成的。至于"地毯""察院胡同"之类，只要说得明白一点，就不至于弄错。因为"我要去买地毯"和"我要上地坛去"，这两句话说完全了，决不至于误会的。"察院"和"茶叶"无论南音北音，都不相同，说得清楚一点，也不会弄错的。

不过照上面所说的改法，有惰性的人一定反对，以为太麻烦。就是我们自己，虽然说的时候很明白，恐怕下笔的时候，惰性一发作，又要想少写几个字了。发生这种惰性的缘故，我以为大原因是由于写这种方块头的"不象形字"。为什么呢？因为这种"不象形字"，是一种极无道理，极麻烦，极不适用的记号；写这种记号，能够少写一些，便总想少写一些。加以从前的旧文章，本来不讲究什么文法，极重要的介词连词之类，都可以任意省略，任意颠倒，任意变换（但看一部《经传释词》，便可知道古人用"虚字"的杂乱无章）。我们现在还可以看得懂这种笼统含糊的文章，于是不知不觉，就爱用这两个头字四个头字的成语，爱做文法不完备的文章。我以为要根本改良这一种弊病，第一步，当规定一种极周密、极完备的语法。我们做今语体的文章，务必要处处合于语法，叫人家不至于看成一片糊涂帐。第二步，必须将这种极不适用的"不象形字"废去，改用字母拼音——这字母该用如何的形式，那是别一问题。若依我个人的主张简单说来，现在可以先用《注音字母》，将来慢慢地再改良——每一个"词"，无论一音二音三音四音，都连在一起写；两个词之间，空开半个字的地位；行款改用横行。总而言之，完全改用西文的写法。如此，则两个头字四个头字的名词才可以消灭净尽。——惟有我上文所举的"总而言之"等，可以存留。——先生所主张的改法可以完全实行。因为到此地步，如其不照先生所改的办理，还是沿用旧法，简直要变成一种莫名其妙的东西了。例如拼"公设的娼妓"作 Kungshe ti changchi（因为印刷局没有《注音字母》的铅字，所以暂且照普通罗马拼法拼音），"公娼"作 Kung Chang；拼"每星期的评论"作 Mei singchi ti Pinglun，"每周评论"作 Mci ChenPing Lun；前面的两个居然成字，居然有文法，后面的两个只是一个一个的声音，无论何人，一定照前面的两个写了。因为字母既比"不象形字"要容易写，写拼音的文字必须一个复音名词连写，几个名词分写，又有极显明的文法，非此，则无从明了。那么，单音名词因为有同音字混淆，于是只好不用了；复音名词若不连写，则不知那里到那里是一个名词，于是不得不连写了；没有显明的文法，则意思看不明白，于是文法上应有的字不能省略了。——

于是这些笼统含糊的两个头字四个头字的东西，完全宣告死刑了。

我对于第二件事，所见完全和适之先生相同。以为今语体的文章，多用复音的词，文法上应有的字一一写入，这都是使意义正确明显，写的人可以完全把意思表达出，看的人可以一看就明白，少费了许多锻炼揣测的瞎工夫，真可谓经济到极。我于今年五月里做过一篇《文学革新杂谈》，登在《北京高等师范学校周刊》第七十期。其中有一段话，现在引在下面：

我个人的意思，无非是说：愈分晰，愈精密，愈朗畅的文章，字数一定是愈多的。因为要它分晰，要它精密，要它朗畅，则介词、连词之类应该有的，一个也缺少不得；名词、动词之类，复音比单音的要明显，——譬如一个"道"字，最普通的有两个意义。若都用一个单音的"道"字，则容易误解。若用复音语，曰"道路"，曰"道理"，则一望便明白了——那就该用复音的。介词、连词应有尽有，名词、动词改用复音，那么，比到旧日的古文，它俩的字数，必至成了五与三的比例，或者竟至加了一倍——一般人觉得本来只要写三百个字就完事的，现在要写到五百个字才算完事。于是就说："这是不经济。"殊不知道在看的人一方面，假定一分钟能看二十个字，看那古文，因为文章笼统、粗疏、含糊，所以三百个字虽然十五分钟就已看完，可是还要仔细推求，才能明白。——说不定还有误会的地方——这仔细推求的时间，或者还要费上两三个十五分钟，也未可知。若看白话的文章，因为文章分晰、精密、朗畅，所以五百个字虽然要看到二十五分钟，可是看完了，意思也明白了，用不着再瞎费仔细推求的工夫。请问谁经济，谁不经济呢？

我对于这经济不经济的问题，意见就是这样。我常常觉得古代的文章所以简的缘故，实在是文法没有完备。例如《左传》第一句"惠公元妃孟子"，连写三个名词，中间竟没有虚字。若在汉唐以来的文章里，便须作"惠公之元妃曰孟子"，多了"之""曰"两个字，便觉得比《左传》明白。这就是后世文章进化的地方。若及今语，必作"惠公的元妃叫做孟子"，或再明显些，作"惠公的第一个夫人叫做孟子"。这个"曰"字在古文里作"说道""叫做"两个意义用，今语分做两个，这是更进化了。那些桐城谬种、选学妖孽，一定说"惠公元妃孟子"这个句法最好。他们这些人是不足深责的。我愿现在的明白人，不要来上"字简就是经济"这句"似是而非"的话的当！

从前听见人家讲笑话，说有一副对联，叫做"今年真好晦气全无财帛进门"，有两种读法：（1）"今年真好晦气，全无财帛进门。"（2）"今年真好，晦气全无，财帛进门。"又听说有两句话，叫做"雨落天留客天留人不留"，也有两种读法：（1）"雨落天留客，天留人不留。"（2）"雨落天，留客天，'留人不？''留！'"这种话头，是那些古老人最爱谈的。他们说，这是文章的妙处。其实从这种笑话里，就可以看出中国文法句法的含糊，"虚字"的缺少。我们现在正应该把含糊的弄清晰，缺少的一一补足，做极精密不能丝毫游移的文章，才是真经济！

以上所说，颂平先生以为然否？

      钱玄同　一九一九年十月廿四日

（第六卷第六号，一九一九年十一月一日）

写白话与用国音(通信)

郭惜黔　钱玄同

玄同兄：

　　(上略)据《新青年》里所说，大致你是最激烈的文学革命者。我现在还没有研究这件事，不敢说你所主张的是否。但就我个人的意思说，似乎现在社会，宜稍从容些进行，不必操之过急，反倒生出阻力。你想，我这话可还有一二分道理吗？废汉文一事，外间非难你的人颇多。据事实来说，一时似也办不到。我想现在要紧的是要言文合一，是要大多数的人应用的文字不要太艰深。譬如用典故，讲骈体等，似可设法先行除去。写白话，用方音(即国音，非必限于何一方)，似可尽先提倡。如能把寻常应用的字选择一遍，将笔画少，意义单纯，随便写写可以够用的字，做成一部简易字典，或编成教科书，凡初学作文时，便把这层工夫放在第一件，大致总可容易明白。如要研究文学，再做第二第三以次的工夫。一面著书的，出报的，都从这一方面着手，总要大家容易看，容易懂，方算有用。久而久之，自然认字不费事，读书不困难。个个人都能够从书报里慢慢儿晓得自己国家的地位，世界各国的情形，那就一切改革的事都容易下手了。这是我的理想，你说可以通得去吗？你的意见如何,能告诉我一点吗?我自己根底太浅薄,看见中国人新的太新了,旧的太旧了,我自己一个都搭不上,反叫我心中恍惚起来了。你是我的老朋友,现在你的学问又简直可以做我的先生,你替我想想,应该怎样做工夫,才是正道理呢?(下略)

弟郭惜黔上言　(民国)八年,三月,十五日

步陶兄:

老兄这封信里第二段的话,我句句都赞成。内中"个个人都能够从书报里……都容易下手了"几句话,尤为不刊之名论。现在的中国人的脑子,实在可怜。不是挨饿没的吃,就是吃日子搁久的臭鱼烂肉,再不然,就拿漏脯鸩酒来充饥。你想,这样办法,不是饿死,就是毒死。所以用现在的语言来做书办报,把二十世纪的人类应有的知识一件一件写将出来,救救他们的脑子,真是"功德无量"的事。至于我主张废汉文,虽然明明知道不是旦暮间就做得到的事,但我总觉得"人定可以胜天",世界上一切事情,我想到了,就该说,就该尽我之力做它几分。若说"汉文废灭不知当在何时",我以为这事本无一定。如其大家都觉得汉文不适用,都来鼓吹废灭的话,则数十年间,即可废去;如其人人意存观望,或以为不当废灭,则其命运虽再延五百年,亦是意中之事。所以我以为废灭之办得到、办不到,全在人为,不能靠着自然。

老兄说我"是最激烈的文学革命者",我看了这话,真是惭愧得很。我本是一个研究古董的废物,受了二十年的腐败教育,新的知识半点也没有。老兄和我是老同学,必定深知我的历史,何以竟加了我这样一个好头衔呢?我的讲文章革命,和胡适之、周启明、刘半农、陈独秀诸公真懂得新文学的,其观念完全不同。我是因为自

己受旧学之害者几及二十年,现在良心发现,不忍使今之青年再堕此陷阱;只因自己是过来人,故于此中之害知之较悉,于是常常在《新青年》空白的地方,用不雅驯的文笔,发几句极浅薄的议论。虽然要竭力摆脱古文的句调,顽旧的议论,究因陷溺太深,所以"乌烟瘴气""古今中外"的议论,终不免时时流露;连"稳健的新党"还是远赶不上,还说什么"激烈"呢?

至来信第三段所谓"新的太新,旧的太旧",这话我却不敢赞同。中国现在以两种人为最多:一种是僵尸相的旧人;一种是半死半活,不死不活,似死似活的"折中派"。真的新人,恐怕是很少很少。"新"既很少,则更无"太"之可言。外面的人看了《新青年》和《新潮》这类杂志,以为这是新人的新言论了。殊不知这些新人,都和"半路出家"的和尚一样,所以无论怎样,这旧气总是洗涤不尽。一些旧污也不染的新人,只能希望小学校的学生。但是也还不敢担保,说他们真能不染一些旧污。现在姑且说几句乐观的话,则此等小学生,自从今年"五四运动"以来,也颇受了一点刺激,似乎比到从前,颇添许多活泼气象。但愿以后少受他们的家庭教育,少读圣经贤传,少读那些"文以载道"的古文,多听些博爱、互助、平等、自由的真理的演讲,尽两手之能而常事工作。如此,则庶几可为将来新中国的新人物。至于我们自己,处在这种二十世纪欧洲大战以后的新时代,趁此脑筋尚未完全陈腐的时候,应该赶紧把身上背着的二十四部"相斫书""民贼家谱"里的黑暗旧道理尽力抛弃,对于现在已经渐发曙光的进化真理尽力赶上去研究;千万不要疑心它太新,"心中恍惚起来"!我们应该知道,人家的学问、道德、知识都是现代的;我们实在太古了,还和春秋以前一样。急起直追,犹恐不及,万不可再"徘徊歧路"了!

步陶！我们是老同学，我所以对你说这几句不客气的话，你大概不至于见怪罢。

　　　　弟钱玄同　一九一九年十月二十四日

（第六卷第六号，一九一九年十一月一日）

中文改用横行的讨论(通信)

钱玄同　陈大齐

百年吾友：

　　两年以来，我很主张写中国字应该照写西洋字的样子，改直行为横行。我所以主张改革的理由，有三层：

　　(1)今后的中文书里，必定常常要嵌进西文。那人名、地名，是不消说了。此外凡有译不正确的名词，如 Logie、Bolsheviki、Democracy 等字，译义为"论理学""过激派"（或广义派）"民本主义"，既嫌它意义不正确，译音为"逻辑""布尔札维克""德莫克拉西"写上要多笔画复杂，意义不连贯，声音又似是而非的汉字，又觉得麻烦讨厌，难于记忆。我以为这都应该老老实实写西文原字的。既然中文里常常要嵌进西文，西文既不能改写直行，则惟有把中文改写横行之一法。否则一行里面，要是嵌进了五六个西文，写的时候，看的时候，要把书本直搬横搬，手也吃力，眼睛也眩乱，嘴里又不能一口气读将下去，毫无理由，白白吃苦，真正冤枉极了。

　　(2)中文字形是正方的，本来可横可直，在不写西文的文章里，似乎横行也未尝不可。但是中文写法，还有一层不便之处，则自右而左是也。因为自右而左，所以写第二行的时候，手腕就碰在第一行上；要是遇到不容易吸墨的纸，则第一行未干的墨迹，都要印在手腕上了。若改自右而左为自上而下，则可免此病。有人说："这是你写字不会悬腕的缘故。要是你会悬腕，那未干的墨迹，怎会印在腕上呢？"我说："写字会悬腕的，只有书法家；普通的人，恐怕都和我一样，不会悬腕的。"我对于研究书法的人，虽不至如傅孟真君说的"吃饱饭，没事干，闲扯淡"（见《新潮》第一卷第三九五页），可是决不提倡这个，说是人人都该写好字，人人都该会悬腕写字。有人说："那么，何不单改自右而左为自左而右呢？何必牵连到横行直行上去呢？要知道字形正方的文字，虽然可横可直，但是中文因为自来习惯是直行的，所以写行书草书时，那笔势的连贯是自上而下的，如'曰'字'言'字之类；要是改了横行，恐怕写行草时有不便利。"我说："照第一层理由看来，横行实在比直行便利，实在是非改不可的。若讲到写行草，难道行草的笔势是不可改变的吗？那行草里遇到'曰'字旁'言'字旁的字，写'曰'字'言'字的笔势，就自左而右了。改用横行以后，单写'曰'字'言'字的时候，也可以仿照'曰'字旁'言'字旁的写法，这有什么为难呢？总而言之，写直行的时候，笔势当然是自上而下，改用横行，笔势当然是要改为自左而右。这是毫无疑义的，改改也毫不困难。"

（3）我们既然主张今后的中文非加标点符号不可，那就应该晓得，在印刷方面，排横行加标点符号比排直行加标点符号要便利。试举两例：（A）横行在每逗之后排"，""；"等号，其后即接排文字，两逗之间，约空每字三分之一地位排"，""；"等号，最为醒目。若排直行，或如《新青年》，于两逗之间不空，将"，""；"等号排在字的右旁，则排时若稍有移动，此号当属某字之下即不能明了；或如《每周评论》，将"、"号置于两逗之间，也占他一个字的地位，又未免太空，且未免占篇幅太多了。(B)如照《新青年》的款式，还有一层困难，即每句每逗的末了一个字，如是私名，或是书名，则此字之右旁既要排"——""～～"等号，又要排"，""。"等号，两号在同一地位，不能并容。所以《新青年》自从第四卷革新符号以来，遇到这个地方，两号必缺其一。因此，我们别想一法，今年春天，和适之、启明两君商酌，把私名号、书名号搬到字的左旁，期与句号逗号不相冲突。《新青年》从六卷五号起就照此改排了。但是我觉得这个办法，终究不大好。第一层，是一个字的笔势，大都是自左而右，写完一个字，在右旁加符号，是很便利的；如倒过去，在左旁加私名号、书名号，再在右旁加句号逗号，实在不甚便利。第二层，将来《注音字母》推行以后，必有许多书籍要在字的右旁加注音字母的，遇到每句每逗的末了一个字，那就《注音字母》和句号逗号又要冲突了。如其改为横行，则句号逗号在字的右旁，私名号、书名号在字的底下，注音字母在字的上面，毫无冲突。

以上三层，是我主张改中文为横行的理由。这些理由，纯粹是就应用一方面说的。记得今年春天，你曾经对我说："就生理学方面研究起来，看横行比较看直行要不费力。"这是根据学理立论，理由一定更为充足。现在我要请你把这就生理证明看横比看直便利的道理详详细细地告诉我，想来你总可以允许我这请求的。

钱玄同

玄同兄：

来书敬悉。你主张中文改用横行，就应用上举出了三层理由，很是周到。我想有反省的人总该赞成你的主张。我从前告诉你"看横行比较看直行要便利"，现在既然承你问我，我不妨约略写出点来，或者可以做你主张的帮助。

我们读书，除了那盲人以外，总是用眼睛看的。但是照生理学上说起来，那眼球的各部分并不是有同样的视力。网膜的正中点看东西最明白，周围的部分都不及它，这一点叫做中央小窝（Focua）。因为中央小窝看东西最明白，所以我们看东西的时候，总要把它的像映到中央小窝上去。这件事情，是很容易明白的。我们平时把东西放在眼睛面前，就是物像映在中央小窝上，便看得明白；假如放在旁边，物像不映到中央小窝上，便模模糊糊的看不清楚，就是这个道理。而中央小窝又很小，容不了很大的物像。倘然有一件大东西放在我们眼睛面前，只有一部分能够照在中央小窝上，其余的部分只能照在中央小窝外的网膜上。因为如此，所以只有一部分看得清楚，其余的部分便不能很明白。但是我们既注意了一件东西，要去看它，总想把它的全体看明白。而中央小窝又小，容不下很大的物像。这个时候，我们必须移眼球，次第地看过去，才能把这东西全体看见。所以眼球的运移，在看东西的时候，是一种极重要的作用。不过眼球的运移是很快的，所以往往我们自己不大觉得。

身体上无论哪一部分的运动，都靠着筋肉的伸缩。眼球也是如此。眼球所靠的有六条筋肉：内直筋，外直筋，上直筋，下直筋，上斜筋，下斜筋。眼球往左或往右的时候，只要有一条筋肉作用，便能发生运动的现象。至于往上或下的时候，单有一条筋肉作用，不能发生运动。往上的时候，一定要上直筋和下斜筋共同作用；往下的时候，一定要下直筋和上斜筋共同作用。所以眼球的左右运动只靠一条筋肉的作用，眼球的上下运动却靠两条筋肉的复合作用。单有一条筋肉作用，用力较小。用力小，自然是较为安逸，或为容易。要两条筋肉共同作用，用力便大。用力大了，自然是较为劳苦，较为困难。这个道理，可以用事实来证明的。我们画一个很精确的正方形在纸上，我们试拿来一看，总觉得左右的两条边较长，上下的两条较短。明明是一个正方形，我们看过去，却变成了一个长方形，不是正方形了。这是什么缘故呢？正因为上下看较为劳苦，较为困难，左右看较为安逸，较为容易。两方一比较，便生出一长一短来了。正如我们走路，同是走十里路，初走的时候，人还不曾疲倦，十里路不觉得远，走到后来，人疲倦了，十里路便觉得很远。现在把这左右看容易、上下看困难的道理应用到读书上面去，便可知道横读容易，直读困难。我讲这句话，或者有人反对我，说："我们直读并不觉得比横读困难。"这句反对的话也有道理。我们读书的人从读"赵钱孙李""天地玄黄"的时候起，便是直读，直读惯了，自然不觉得直读比横读困难，或者竟是比直读要容易些。倘然就那些没有读书的人——直读横读的习惯都没有的人——而论，横读一定比直读要便利。这是就上文所说的可以推想而知的。再进一步说，假如我们从小便养成了横读的习惯，则现在读书一定也比现在的直读要便利许多。总而言之，直读已经成了习惯，自然不觉得不便利，假使直读横读都未成习惯，或都成了同程度的习惯，则横读一定较为便利。

　　横读和直读比较，前者是比较经济的习惯。我们想养成一种习惯，岂有弃了那经济的而反取那不经济的道理呢？即使那不经济的习惯已经养成，我们也应该打破了它，另养成一种更经济的习惯，好救将来的损失。

陈大齐

（第六卷第六号，一九一九年十一月一日）

国语的进化

胡适

一

现在国语的运动总算传播得很快很远了。但是全国的人对于国语的价值，还不曾有明了正确的见解。最错误的见解就是误认白话为文言的退化。这种见解是最危险的阻力。为什么呢？因为我们既认某种制度文物为退化，决没有还肯采用那种制度文物的道理。如果白话真是文言的退化，我们就该仍旧用文言，不该用这退化的白话。所以这个问题——"白话是文言的进化呢？还是文言的退化呢？"——是国语运动的生死关头！这个问题不能解决，国语文与国语文学的价值便不能确定。这是我所以要做这篇文章的理由。

我且先引那些误认白话为文言的退化的人的议论。近来有一班留学生出了一种周刊，第一期便登出某君的一篇《评新旧文学之争》。这篇文章的根本主张，我不愿意讨论，因为这两年的杂志报纸上早已有许多人讨论过了。我只引他论白话退化的一段：

  以吾国现今之文言与白话较,其优美之度,相差甚远。常谓吾国文字至今日虽未甚进化,亦未大退化。若白话则反是。盖数千年来,国内聪明才智之士虽未尝致力于他途,对于文字却尚孳孳研究,未尝或辍。至于白话,则语言一科不讲者久。其乡曲愚夫,闾巷妇稚,谰言俚语,粗鄙不堪入耳者,无论矣。即在士夫,其执笔为文亦尚雅洁可观,而听其出言则鄙俗可噱,不识者几不辨其为斯文中人。……以是入文,不惟将文学价值扫地以尽,且将为各国所非笑。

  这一段说文言"虽未甚进化,亦未大退化",白话却大退化了。我再引孙中山先生的《孙文学说》第一卷第三章的一段:

  中国文言殊非一致。文字之源本出于言语,而言语每随时代以变迁,至于为文虽亦有古今之殊,要不能随言语而俱化。……始所歧者甚仅,而分道各驰久且相距愈远。顾言语有变迁而无进化,而文字则虽仍古昔,其使用之技术实日见精研。所以中国言语为世界中之粗劣者,往往文字可达之意,言语不得而传。是则中国人非不善为文而拙于用语者也。亦惟文字可传久远,故古人所作,模仿匪难。至于言语,非无杰出之士妙于修辞,而流风余韵无所寄托,随时代而俱湮,故学者无所继承。然则文字有进化而语言转见退步者,非无故矣。抑欧洲文字基于音韵,音韵即表言语。言语有变,文字即可随之。中华制字以象形、会意为主,所以言语虽殊而文字不能与之俱变。要之,此不过为言语之不进步,而中国人民非有所缺于文字,历代能文之士其所创作突过外人,则公论所归也。盖中国文字成为一种美术,能文者直美术专门名家,既有天才,复以其终身之精力赴之，其造诣自不易及。……

孙先生直说"文字有进化而语言转见退步"，他的理由大致也与某君相同。某君说文言因为有许多文人专心研究，故不曾退步；白话因为没有学者研究，故退步了。孙先生也说文言所以进步，全靠文学专家的终身研究。他又说，中国文字是象形、会意的，没有字母的帮助，故可以传授古人的文章，但不能记载那随时代变迁的言语。语言但有变迁，没有进化；文字虽没有变迁，但用法更"精研"了。

我对于孙先生的《孙文学说》曾有很欢迎的介绍(《每周评论》第三十一号)，但是我对于这一段议论不能不下一点批评。因为孙先生说的话未免太笼统了，不像是细心研究的结果。即如他说"言语有变迁而无进化"，试问他可曾研究言语的"变迁"是朝什么方向变的？这种"变迁"何以不能说是"进化"？试问我们该用什么标准来定哪一种"变迁"为"进化"的，哪一种"变迁"为"无进化"的？若不曾细心研究古文变为白话的历史，若不知道古文和白话不同之点究竟在什么地方，若不先定一个"进化""退化"的标准，请问我们如何可说白话"有变迁而无进化"呢？如何可说"文字有进化而语言转见退步"呢？

某君用的标准是"优美"和"鄙俗"。文言是"优美"的，故不曾退化；白话是"鄙俗可噱"的，故退化了。

但是请问我们又拿什么标准来分别"优美"与"鄙俗"呢？某君说，"即在士夫，其执笔为文亦尚雅洁可观，而听其出言则鄙俗可噱，不识者几不辨其为斯文中人"。请问"斯文中人"的话是怎样说法？难道我们都该把"我"字改作"予"字，"他"字改作"其"字，满口"雅洁可观"的"之""乎""者""也",方才可算做"优美"吗?"梦为远别啼难唤,书被催成墨未浓"固可算是美,"衣裳已施行看尽,针线犹存未忍开"又何尝不美?"别时间语在心头,哪一句依他到底?"完全是白话,又何尝不美?《晋书》说王衍少时,山涛称赞他道:"何物老妪,生宁馨儿!"后来不通的文人把"宁馨"当做一个古典用,以为很"雅",很"美"。其实"宁馨"即现在苏州、上海人的"那哼"。但是这班不通的文人一定说"那哼"就"鄙俗可噱"了。《王衍传》又说王衍的妻郭氏把钱围绕床下,衍早晨起来见钱,对婢女说:"举阿堵物去。"后来的不通的文人又把"阿堵物"用做一个古典,以为很"雅",很"美"。其实"阿堵"即苏州人说的"阿笃",官话说的"那些"。但是这班不通文人一定说"阿笃""那些"都是"鄙俗可噱"了!

所以我说,"优美"还需要一个标准,"鄙俗"也需要一个标准。某君自己做的文言未必尽"优美",我们做的白话未必尽"鄙俗可噱"。拿那没有标准的"优美""鄙俗"来定白话的进化、退化,便是笼统,便是糊涂。

某君和孙先生都说文言因为有许多文人终身研究,故不曾退化。反过来说,白话因为文人都不注意,全靠那些"乡曲愚夫、闾巷妇稚"自由改变,所以渐渐退步,变成"粗鄙不堪入耳"的俗话了。这种见解是根本错误的。稍稍研究言语学的人都该知道,文学家的文学只可定一时的标准,决不能定百世的标准。若推崇一个时代的文学太过了,奉为永久的标准,那就一定要阻碍文字的进化。进化的生机被一个时代的标准阻碍住了,那种文字就渐渐干枯,变成死文字或半死的文字。文字枯死了,幸亏那些"乡曲愚夫,闾巷妇稚"的白话还不曾死,仍旧随时变迁:变迁便是活的表示,不变迁便是死的表示。稍稍研究言语学的人都该知道,一种文字枯死或麻木之后,一线生机全在那些"乡曲愚夫,闾巷妇稚"的白话。白话的变迁,因为不受那些"斯文中人"的干涉,故非常自由。但是自由之中,却有个条理次序可寻。表面上很像没有道理,其实仔细研究起来,都是有理由的变迁,都是改良,都是进化!

简单一句话,一个时代的大文学家至多只能把那个时代的现成语言,结晶成文学的著作,他们只能把那个时代的语言的进步,作一个小小的结束。他们是语言进步的产儿,并不是语言进步的原动力。有时他们的势力还能阻碍文字的自由发达。至于民间日用的白话,正因为文人学者不去干涉,故反能自由变迁,自由进化。

二

本篇的宗旨只是要证明上节末段所说的话,要证明白话的变迁并非退步,而是进化。

立论之前,我们应该定一个标准:怎样变迁才算是进化?怎么变迁才算是退步?

这个问题太大,我们不能详细讨论,现在只能简单说个大概。

一切器物、制度都是应用的。因为有某种需要,故发明某种器物,创造某种制度。应用的能力增加,便是进步;应用的能力减少,便是退步。例如车船两物都是应付人类交通运输的需要的。路狭的地方有单轮的小车,路阔的地方有双轮的骡车;内河有小船,江海有大船。后来陆地交通有了人力车、马车、火车、汽车、电车,水路交通有了汽船,人类的交通运输更方便了,更稳当了,更快捷了。我们说小车、骡车变为汽车、火车、电车是大进步,帆船、划船变为汽船也是大进步，都只是因为应用的能力增加了。一切器物、制度都是如此。

语言文字也是应用的。语言文字的用处极多，简单说来，（一）是表情达意，（二）是记载人类生活的过去经验，（三）是教育的工具，（四）是人类共同生活的惟一媒介物。我们研究言语文字的退化、进化，应该根据这几种用处，定一个标准："表情达意的能力增加吗？记载人类经验更正确明白吗？还可以做教育的利器吗？还可以做共同生活的媒介物吗？"这几种用处增加了，便是进步；减少，便是退化。

现在先泛论中国文言的退化。（一）文言达意表情的功用已减少至很低的程度了。禅门的语录，宋明理学家的语录，宋元以来的小说，都是文言久已不能达意表情的铁证。（二）至于记载过去的经验，文言更不够用。文言的史书、传记只能记一点极简略、极不完备的大概。为什么只能记一点大概呢？因为文言自身太简单了，太不完备了，绝不能有详细写实的记载，只好借"古文义法"做一个护短的托词。我们若要知道某个时代的社会生活的详细记载，只好向《红楼梦》和《儒林外史》一类的书里寻去。（三）至于教育一层，这二十年的教育经验更可以证明文言的绝对不够用了。二十年前，教育是极少数人的特殊权利，故文言的缺点还不大觉得。二十年来，教育变成了人人的权利，变成了人人的义务，故文言的不够用，渐渐成为全国教育界公认的常识。今年全国教育会的国语教科书的议案，便是这种公认的表示。（四）至于做社会共同生活的媒介物，文言更不中用了。从前官府的告示，《圣谕广训》一类的训谕，为什么要用白话呢？不是因为文言不能使人懂得吗？现在的阔官僚到会场演说，摸出一篇古文或骈文或韵文的文章，哼了一遍,一个人都听不懂;明天登在报上,多数人看了还是不懂!再看我们的社会生活——在学校听讲、教授、演说,命令仆役、叫车子,打电话、谈天、辩驳——哪一件是用文言的?我们还是"斯文中人",尚且不能用文言做共同生活的媒介,何况大多数的平民呢?

以上说语言文字的四种用处,文言竟没有一方面不是退化的。上文所说,同时又都可证明白话在这四方面没有一方面的应用能力不是比文言更大得多。

总括一句话,文言的种种应用能力久已减少到很低的程度,故是退化的;白话的种种应用能力不但不曾减少,反更加发达了,故是进化的。

现在反对白话的人,到了不得已的时候,只好承认白话的用处,于是分出"应用文"与"美文"两种,以为"应用文"可用白话,但是"美文"还应该用文言。这种区别含有两层意义。第一,他承认白话的应用能力,但不承认白话可以作"美文"。白话不能作"美文",是我们不能承认的。但是这个问题和本文无关,姑且不谈。第二,他承认文言没有应用的能力,只可以拿来作无用的"美文"。即此一端,便是文言报丧的讣闻,便是文言死刑判决书的主文!

天下的器物、制度绝没有无用的进化,也绝没有用处更大的退化!

三

上节说文言的退化和白话的进化,都是泛论的。现在我要说明白话的应用能力是怎样增加的,就是要说明白话怎样进化。上文我曾说:"白话的变迁,因为不受文人的干涉,故非常自由。但是自由之中,却有个条理次序可寻。表面上很像没有道理,其实仔细研究起来,都是有理由的变迁,都是改良,都是进化!"本节所说,只是要证明这一段话。

从古代的文言变为近代的白话,这一大段历史有两个大方向可以看得出:(一)该变繁的渐渐变繁了。(二)该变简的都变简了。

(一)该变繁的都变繁了。变繁的例很多,我只能举书几条重要的趋向。

第一,单音字变为复音字。中国文中,同音的字太多了,故容易混乱。古代的字的尾音除了韵母之外,还有 p、k、t、m、n、ng、h 等,故区别还不很难;后来只剩得韵母和 n、ng、h 几种尾音,更容易彼此互混了。后来"声母"到处都增加起来,如轻唇、重唇的分开,如舌头、舌上的分开,等等,也只是不知不觉地要补救这种容易混乱的缺点。最重要的补救方法还是把单音字变为复音字。例如"师""狮""诗""尸""司""私""思""丝"八个字,有许多地方的人读成一个音,没有分别。有些地方的人分作"尸"(师、狮、诗、尸)、"厶"(私、司、思、丝)两个音,也还没有什么分别。但是说话时,这几个字都变成了复音字:"师傅""狮子""死尸""尸首""偏私""私通""职司""思想""蚕丝",故不觉得困难。所以我们可以说,单音字变成复音字,乃是中国语言的一大进化。这种变化的趋势起得很早,《左传》里的议论文已有许多复音字,如"散离我兄弟,扰乱我同盟,倾覆我国家……倾覆我社稷,帅我蟊贼,以来荡摇我疆场"。汉代的文章用复音字更多。

可见这种趋势在文言本身已有了起点,不过还不十分自由发达。白话因为有会话的需要,故复音字也最多。复音字的造成,约有几种方法:

（1）同义的字并成一字。例如"规矩""法律""刑罚""名字""心思""头脑""师傅"……

（2）本字后加"子""儿"等语尾。例如"儿子""妻子""女子""椅子""桌子""盆儿""瓶儿"……这种语尾，如英文之 – let，德文之 – chen，– lein，最初都有变小和变亲热的意味。

（3）类名上加区别字。例如"木匠""石匠"，"工人""军人"，"会馆""旅馆"，"学堂""浴堂"……

（4）重字。例如"太太""奶奶""慢慢""快快"……

（5）其他方法，不能遍举。

这种变迁有极大的重要。现在的白话所以能应付我们会话讲演的需要，所以能做共同生活的媒介物，全靠单音字减少，复音字加多。现在注音字母所以能有用，也只是因为这个缘故。将来中国语言所以能有采用字母的希望，也只是因为这个缘故。

第二，字数增加。许多反对白话的人都说白话的字不够用。这话是大错的。其实白话的字数比文言多得多。我们试拿《红楼梦》用的字和一部《正续古文辞类纂》用的字相比较，便可知道文言里的字实在不够用。我们做大学教授的人，在饭馆里开一个菜单，都开不完全，却还要说白话字少，这岂不是大笑话吗？白话里已写定的字也就不少了，还有无数没有写定的字，将来都可用注音字母写出来。此外文言里的字，除了一些完全死了的字之外，都可尽量收入。复音的文言字，如"法律""国民""方法""科学""教育"等字，自不消说了。有许多单音字，如"诗""饭""米""茶""水""火"等字，都是文言、白话共同可用的。将来做字典的人，把白话小说里用的字和各种商业、工艺通用的专门术语搜集起来，再加上文言里可以收用的字和新学术的术语，一定比文言常用的字要多好几十倍(文言里有许多字久已完全无用了,一部《说文》里可删的字也不知多少)。

以上举了两条由简变繁的例。变繁的例很多,如动词的变化,如形容词和状词的增加……我们不能一一列举了。章太炎先生说:

> 有农牧之言,有士大夫之言。……而世欲更文籍以从鄙语,冀人人可以理解则文化易流,斯则左矣。今言"道""义",其旨固殊也。农牧之言"道"则曰"道理",其言"义"亦曰"道理"。今言"仁人""善人",其旨亦有辨也。农牧之言"仁人"则曰"好人",其言"善人"亦曰"好人"。更文籍而从之,当何以为别矣?夫里间恒言,大体不具。以是教授,是使真意讹淆,安得理解也?(《章氏丛书·检论五》)

这话也不是细心研究的结果。文言里有许多字的意思最含混,最分歧。章先生所举的"道""义"等字,便是最普通的例。试问文言中的"道"字有多少种意义?白话用"道"字的许多意义,每个各有分别,例如"道路""道理""法子"等。"义"字也是如此。白话用"义气""意义""意思"等词来分别"义"字的许多意义。白话用"道理"来代"义"字时,必是"义不容辞"一类的句子,因为"义"字这样用法与"理"字本无分别,故白话也不加分别了。即此一端,可见白话对于文言应该分别的地方,都细细分别;对于文言不必分别的地方,便不分别了。白话用"好人"代"仁人""善人",也只是因为平常人说"仁人君子"本来和"善人"没有分别。至于经书里说的"仁人",本不是平常人所常见的(如"惟仁人放流之"等例),如何能怪俗话里没有这个分别呢？总之，文言有含混的地方,应该细细分别的,白话都细细分别出来,比文言细密得多。上文章先生所举的几个例,不但不能证明白话的"大体不具",反可以证明白话的变繁、变简都是有理由的进化。

（二）该变简的都变简了。上文说白话比文言更繁密、更丰富,都是很显而易见的变迁。如复音字的便利,如字数的加多,都是不能否认的事实。现在我要说文言里有许多应该变简的地方,白话里都变简了。这种变迁,平常人都不大留意,故不觉得这都是进化的变迁。我且举这条最容易明白的例。

第一,文言里一切无用的区别,都废除了。文言里有许多极无道理的区别。《说文·豕部》说,豕生三月叫做"豯",一岁叫做"豵",二岁叫做"豝",三岁叫做"豜";又牝豕叫做"豝",牡豕叫做"豭"。《马部》说,马二岁叫做"驹",三岁叫做"䭴",八岁叫做"𫘛";又马高六尺为"骄",七尺为"騋",八尺为"龙";牡马为"骘",牝马为"骒"。《羊部》说,牡羊为"羝",牝羊为"牂";又夏羊牝曰"羭",夏羊牡曰"羖"。《牛部》说,二岁牛为"犊",三岁牛为"犙",四岁牛为"牭"。这些区别都是没有用处的区别。当太古畜牧的时代,人同家畜很接近,故有这些繁琐的区别。后来的人,离开畜牧生活日远了,谁还能记得这些麻烦的区别？故后来这些字都死去了,只剩得一个"驹"字代一切小马,一个"羔"字代一切小羊,一个"犊"字代一切小牛。这还是不容易记的区别,所以白话里又把"驹""犊"等字废去了,直用一个"类名加区别字"的普通公式,如"小马""小牛""公猪""母猪""公牛""母牛"之类,那就更容易记了。三岁的牛直叫做"三岁的牛",六尺的马直叫做"六尺的马",也是变为"类名加区别字"的公式。从前要记无数烦难的特别名词,现在只记得这一个公式就够用了,这不是一大进化吗?(这一类的例极多,不能遍举了。)

第二,繁杂不整齐的文法变化,多变为简易划一的变化了。我们可举代名词的变化为例。古代的代名词很有一些麻烦的变化。例如:

(1)"吾""我"之别。"如有复我者,则吾必在汝上矣。"又:"如有用我者,吾其为东周乎?"又:"今者吾丧我。"可见"吾"字该用在主位,"我"字该用在目的位。

(2)"尔""汝"之别。"……丧尔子,丧尔明,尔罪三也。而曰汝无罪欤?"可见名词之前的形容代词(主物位,白话的"你的")应该用"尔"。

(3)"彼""之""其"之别。上文的两种区别后来都渐渐地失掉了,只有第三身的代名词,在文言里至今还不曾改变。"之"字必须用在目的位,决不可用在主位。"其"字必须用在主物位。

这些区别,在文言里不但没有废除干净,并且添上了"余""予""侬""卿""伊""渠"等字,更麻烦了。但是白话把这些无谓的区别都废除了,变成一副很整齐的代名词:

第一身　　我,我们,我的,我们的。
第二身　　你,你们,你的,你们的。
第三身　　他,他们,他的,他们的。

看这表,便可知白话的代名词把古代剩下的主位和目的位的区别一齐删去了。主物位虽然分出来,但是加上"的"字语尾,把"形容词"的性质更表示出来,并且三身有同样的变化,也更容易记得了。不但国语如此,就是各地土话用的代名词虽然不同,文法的变化也都大致相同。这样把繁杂不整齐的变化,变为简易划一的变化,确是白话的一大进化。

这样的例,举不胜举。古文"承接代词"有"者""所"两字,一个是主位,一个是目的位。现在都变成一个"的"字了:

(1)古文。(主位)为此诗者,其知道乎?

(目的位)播州非人所居。

(2)白话。(主位)作这诗的是谁?

(目的位)播州不是人住的。

又如古文的"询问代词"有:"谁""孰""何""奚""曷""胡""恶""焉""安"等字。这几个字的用法很复杂(看《马氏文通》二之五),很不整齐。白话的询问代词只有一个"谁"问人,一个"什么"问物,无论主位、目的位、主物位都可通用。这也是一条同类的例。

我举这几条例来证明,文言里许多繁复不整齐的文法变化在白话里都变简易划一了。

第三,许多不必有的句法变格,都变成容易的正格了。中国句法的正格是:

(1)鸡鸣。狗吠。

(格)主词—动词。

(2)子见南子。

(格)主词—外动词—止词。

但是文言中有许多句子是用变格的。我且举几个重要的例:

(1)否定的外动词的止词若是代名词,当放在否定词与动词之间。

(例)莫我知也夫! 不作"莫知我"。

吾不之知。不作"不知之"。

吾不汝贷。不作"不贷汝"。

（格）主词—否定词—止词—外动词。

白话觉得这种格是很不方便的,并且没有理由,没有存在的必要。因此白话遇着这样的句子,都改做正格:

（例）我不认识他。

我不赦你。没有人知道我。

（2）询问代词用做止词时（目的位）,都放在动词之前:

（例）吾谁欺？客何好？客何能？问臧奚事？

（格）主词—止词—外动词。

这也是变格。白话也不承认这种变格是有存在的理由的,故也把它改过来,变成正格:

（例）我欺谁？你爱什么？你能做什么？

（格）主词—外动词—止词。

这样一变,就更容易记得了。

（3）承接代词"所"字是一个止词（目的位）,常放在动词之前:

（例）己所不欲,勿施于人。

天所立大单于。

（格）主词—止词—动词。

白话觉得这种倒装句法也没有保存的必要,所以也把它倒过来,变成正格:

（例）你自己不要的,也不要给人。

天立的大单于。

（格）主词—动词—止词。

这样一变,更方便了。

以上举出的三种变格的句法,在实用上自然很不方便,不容易懂得,又不容易记得。但是因为古文相传下来是这样倒装的,故那些"聪明才智"的文学专门名家都只能依样画葫芦,虽然莫名其妙,也只好依着古文大家的"义法"做去!这些"文学专门名家",因为全靠机械地熟读,不懂得文法的道理,故往往闹出大笑话来。但是他们绝没有改革的胆子,也没有改革的能力,所以中国文字在他们的手里实在没有什么进步。中国语言的逐渐改良,逐渐进步——如上文举出的许多例——都是靠那些无量数的"乡曲愚夫,闾巷妇稚"的功劳!

最可怪的,那些没有学问的"乡曲愚夫,闾巷妇稚"虽然不知不觉地做这种大胆的改革事业,却并不是糊里糊涂地一味贪图方便,不顾文法上的需要。最可怪的,就是他们对于什么地方应该改变,什么地方不应该改变,都极有斟酌,极有分寸。就拿倒装句法来说,有一种变格的句法,他们丝毫不曾改变:

(例)杀人者。知命者。

(格)动词—止词—主词。

这种句法,把主词放在最末,表示"者"字是一个承接代词。白话也是这样倒装的:

(例)杀人的。算命的。打虎的。

这种句法,白话也曾想改变过来,变成正格:

(例)谁杀人,谁该死。谁不来,谁不是好汉。谁爱听,尽管来听。

但是这种变法,总不如旧式倒装法的方便,况且有许多地方仍旧是变不过来:

(例)杀人的是我。

这句若变为"谁杀人,是我",上半便成疑问句了。

(又)打虎的武松是他的叔叔。

这句决不能变为"谁打虎,武松是他的叔叔"!

因此白话虽然觉得这种变格很不方便,但是他又知道变为正格更多不便,倒不如不变了罢。

以上所说,都只是要证明白话的变迁,无论是变繁密了或是变简易了,都是很有理由的变迁。该变繁的,都变繁了;该变简的,都变简了;就是那些该变而不曾变的,也都有一个不能改变的理由。改变的动机是实用上的困难,改变的目的是要补救这种实用上的困难,改变的结果是应用能力的加多。这是中国国语的进化小史。

这一段国语进化小史的大教训:莫要看轻了那些无量数的"乡曲愚夫,闾巷妇稚"!他们能做那些文学专门名家所不能做又不敢做的革新事业!

(民国)八年十二月二十三(日)夜十一时

(第七卷第三号,一九二〇年二月一日)

减省汉字笔画的提议

钱玄同

前几天,独秀先生对我说:"表中国国语的文字,非废去汉字、改用拼音不可。"这个意思,我现在是极端赞成的。但是我以为拼音文字,不是旦暮之间就能够制造成功的,更不是粗心浮气、乱七八糟把音一拼,就可以算完事的。造成拼音文字,第一步是规定语法,第二步是编成字典。有了这两样东西,才能有拼音文字出现。做这两样东西,必须专心一致,仔细研究,经过许多次数的修改,才能完美无缺,可以施行。所以这几年之内,只是拼音文字的制造时代,不是拼音文字的施行时代。加以中国社会的喜欢守旧、反对改良,那么,拼音文字制成以后,恐怕还要经过许多波折,费上无数口舌,才能通行。我以为我们就使讲"一相情愿"的话,这拼音新文字的施行,总还在十年之后。如此,则最近十年之内,还是用汉字的时代。汉字的声音难识,形体难写,这是大家知道的。今后社会上一切事业发展,识字的人一天多一天,文字的用处自然也是一天多一天,这也是大家知道的。既然暂时还不得不沿用汉字,则对于汉字难识、难写的补救,是刻不容缓的了。我们断不可存一种心:以为这汉字既然不过十年的命运,就可以任其自然,不加改良。

要知道若不改良，则汉字阻碍这十年之内的文化发展，其力量甚大。现在试举一例。今后学校里的学生抄讲义，是一件很重要的事。现在学生用毛笔在文章格纸上抄楷书字的讲义的办法，是万万不可再行的了，必须照日本学生的办法，用钢笔在 note book 上抄讲义，教员一句话讲完，学生也跟着写完，这才不至误事。但是用这样抄讲义的法子，这字体必须大大减省，才能缩短写字的时间。这就是字体非减省不可的一个重要证据。

现在对于汉字声音难识的补救，已经有了注音字母了。这注音字母，到了拼音文字已经通行以后，再回头看这种东西，自然是极笨重、极可笑的。可是在现在还不得不沿用汉字的时候，实在是补救汉字缺点的一种重要东西。

至于对于汉字形体难写的改良，即就上面所说抄讲义这件事看来，已可证明这种改良，在现在是需要甚急，非赶紧着手去做不可的了。我是很高兴做这件事的。现在打定主意，从一九二〇年一月起，来做一部书，选取普通常用的字三千左右，凡笔画繁复的，都定他一个较简单的写法。那本来笔画很简的，如"一""二""上""下""天""人""尺""寸"等字，自然无须改作。就是在十画以内的字，如其没有更简的写法，也可以不必改。照此办法，预计这三千字的笔画，平均总可减少一半。如"钱"字写作"纟"，减十六画为二画；"恭"字写作"恭"，减十画有九画；"執"字写作"执"，减十一画为六画。减得多的和减得少的扯匀了计算，所以说可以减少一半笔画。笔画减少一半，则写字的时间，自然可以缩短一半。况且字体简单，就容易写会，大可减少——或废除——学校里的"习字"科的时间。我那部书，大约有三四个月的工夫，就可以做成。抄用的简体字，大都是固有的，新造的很少。因为新造有两层困难：一则逐字重造，不但麻烦，并且有些字还造不好；二则一个人造的字，很难得多数人的同意，用那固有的，则可免争执，推行较易，——况且既有现成的拟体字，拿来应用，岂不省事？不过到了那不得已的时候，也只好仿照那固有的简体字的形式，造上几个新的。现已预计，采旧的有五类，造新的有三类，列之如下：

a. 采取古字：如"围"作"囗"，"胸"作"匈"，"集"作"亼"。

b. 采取俗字：如"聲"作"声"，"體"作"体"，"劉"作"刘"。

c. 采取草书：如"東"作"东"，"爲"作"为"，"行"作"丿"。此种须有限制。那彼此笔画联系纠结的草书字，实在不容易写，要是不能拆断的，就不采用。

d. 采取古书上的同音假借字：如"譬"作"辟"，"导"作"道"，"拱"作"共"。此种有时亦须限制。有些借字，在古时候因为和本字同音，所以可以通借，现在两个字的音不同了，那就不能通借了（这是指这个借字在现在常用的说。要是这个借字现在已经不用的，那也就不妨把他的音改读为本字的音而借为本字用）。又如"譬""导""拱"和"辟""道""共"等字，现在国语里都不单用，已经合成为"譬如""引导""拱手"和"道路""共同"等字音词（"辟"字在国语里竟不甚用得着："大辟""刑辟"都是古语；"复辟"这句野蛮话，也不是常要用着的）。所以"辟如"和"复辟"、"引导"和"道路"、"拱手"和"共同"，虽然同用一字，但是各有各的义，彼此可以绝不相干，也决不至于误会。要是遇到那些本字和借字在国语里都是有单用的，那就不可借用了。

e. 采取流俗的同音假借字：如"薑"作"姜"，"驚"作"京"，"腐"作"付"。"姜"字只有人姓用着它，"京"字只有地名用着它，人姓和地名，都是"托名标志"，没有意义的，所以把"姜""京"借为"薑"

"驚",在意义上是决不会混淆的。"付"字在国文里虽然单用,但是"腐"字在国语里却不单用,如"豆腐""腐败""腐烂""陈腐"都是复音语。那么,"付"和"豆付""付败""付烂""陈付",也是各有各的义,彼此可以绝不相干,也决不至于误会。所以借"付"为"腐",也是可以借得的。

f. 新拟的同音假借字:如"範"作"范","預"作"予"。这是准照 e 类的办法新拟的。

g. 新拟的借义字:如"旗"作"𰀀","鬼"作"甶","脑"作"凶"。"𰀀"本音 ian,"甶"本音 fu,"凶"本音 sin,和"旗""鬼""脑"三字的音不同,但是字义相同。现在"𰀀""甶""凶"三字已经废弃不用,成为死字了,我们何妨拿来"废物利用"呢?我尝以为象形文字本来没有一定的读音。譬如"☉"字中国古音可以读为 nit,今音可以读为 jik,英人可以读为 sun,日本人可以读为 Hi。因为这字只是画了一个太阳,本没有规定的读音记在里面,所以可以随便读它。我主张读"𰀀""甶""凶"为"旗""鬼""脑",就是这个意思。

h. 新拟的减省笔画字:如"厲"作"厉","蠱"作"蛊""襲"作"袭"。因为"萬"字作"万","蟲"字借"虫","龍"字借"龙",所以"厲""蠱""襲"三字援例省改。但是这一类字,总以少造为宜。如"厲""蠱""襲"三字,因为笔画过繁,从前又没有简单的别体,所以援例省改。至于那从前有简体的,或曾经借用他字的,那就不用新造了。

总而言之,抱定惟一的主张曰"减省笔画"。所以无论古字、俗字、本字、借字、楷书、草书,只要合于这个主张的,都可以采取。

这种简体字,应该从学校里用起,因为学生写字的时候很多,他们需要简体字很急的缘故。国民学校的学生,从进学校起,就认这种新字,无须再认旧字。那大一点的学生,已经认过好多旧字的,可以就他原来"习字"科的时间,改为认新字和练习写新字,以每星期两小时计,至多不过两年,一定可以完全认得、完全会写。以后便可以把"习字科"废除。费上一百四十小时的学习,可以得到以后写字的大便利,这实在是很经济的!

假如有人以为简体的俗字可以采用,那没有俗字的,只可新造,不可采用古字,那么,我要声明:我主张采用古字,只是因为古字中有好多笔画简单的,我们叫它复活,拿它来用,觉得比较新造要省事——就是新造一个,也不过把笔画改简,其实和用简笔的古体一样,——绝对不含有复古的思想在内。

假如有自命为懂得"国故"的人来攻击,我们本可不理,因为我们本不是主张保守"国故"的,我们认定文字是要合用的,不是一成不变的。但是如要对付他们,却很容易,只消把"古已有之"四个字抬出来,就可以堵住他们的嘴。我现在姑且出几条"策问"来问问他们:

(1)《说文·序》说:"李斯取史籀'大篆'或颇省改,所谓'小篆'者也。"这所说的"省改",不就是减省笔画吗?(不但此也,商朝的甲骨刻辞,商、周两朝的钟鼎款识里,已经有许多简体字了。)

(2)《说文》中所谓"从某省""某省声"不是减省笔画吗?

(3)周朝的鈢(即"壐"字)文,汉朝的砖文,魏、齐的造像,以及古钱上所刻的,不是简体字很多吗?

(4)近人翻刻的宋朝的《京本通俗小说》和元朝的《古今杂剧三十种》,这两部书里,俗体小写的字不是很多很多吗?

他们如其真懂"国故"的,看了我这几条"策问",一定不再开口了。假如他们蛮不讲理,以为惟古人可以减省,今人则无此权利,这样颟顸的人，那就绝对不用去理他了。

假如他们看了上面的"策问"，莫名其妙，只能抬出《字学举隅》来吓人，那便是八股陋儒、状元、翰林而已，配不上谈"国故"！我们应该可怜他智识浅短，不可和他计较。

这种简体字如其通行，则我以为印刷用的铅字应该完全改铸。铅字笔画的多少，在印刷方面，固然不生时间快慢的问题，但是如其书写用新字、印刷用旧字，则学习的人非认两种字不可，那便闹到求简反繁了。

刻简体字的字模，我以为应该用楷书的笔势，不可用所谓"宋体字"的笔势。因为简体字既采及草书，难保不有几个笔势圆转的字，要是刻成"宋体字"的形式，却太不好看了。

我以为简体字既须一一新铸，最好把常用的复音字铸成一个字模，以便今后印刷改良，可以逐词分开，如印西洋书之式。（我是主张汉文应该改为横行的，所以以为这种复音字的字模，应该铸成横列的式样。）

我以为简体字的字模，最好连着注音字母铸上去，以补汉字声音的缺陷。汉字无论"象形""谐声"，到了汉魏以后，"形"和"声"的功用都已失去，只能当作一个无意识的记号看待。（简体字更不必说。所以无论什么字，都要拿注音字母去补上它的音。）好在铅字多些笔画，是不要紧的。简体字加上注音字母，那笔画的多少，不过和现在通行的字相等。但是若沿用现在通行的字印刷，则认字者须认两种字，太不经济。若用简体字加注音字母印刷，则印刷体和书写体一律，在认字方面固然经济，并且因此又可以记得字音。笔画的多少虽然相等，而效用则大不相同了。至于书写，当然无须加注音字母，以图省便。用了这种简体字，字典的分部才能改良。楷书字的分部，本来是极困难的事。《玉篇》和《类篇》，照着《说文》分部，于字义虽合，可是无从检查，当然不适用。《字汇》和《康熙字典》，别定部居，定者虽自以为便于检查，其实还是很难。所以现在有林玉堂君的《汉字索引制》，想要改用新法来分部。但是现在通行的字，笔画彼此"参伍错综"，林君用最简的点、画、直、钩……来分部，我觉得还是不甚适用。若把笔画改简了，再去掉许多小画、短直和横斜的笔势，利林君的方法，大可应用了。

(第七卷第三号，一九二〇年二月一日)

中学国文的教授

胡适

我是没有中学国文教授的经验的。虽然做过两年中学学生，但是那是十几年前的经验，现在已不适用了。况且当这个学制根本动摇的时代，我们全没有现成的标准可以依据，也没有过去的经验可以参考。我这个完全门外汉居然敢来高谈中学国文的教授，真是不自量力了！但是门外汉有时也有一点用处。"内行"的教育家，因为专做这一项事业，眼光总注射在他的"本行"，跳不出习惯法的范围。他们筹划的改革，总不免被成见拘束住了，很不容易有根本的改革。门外旁观的人，因为思想比较自由些，也许有时还能供给一点新鲜的意见，意外的参考材料。古人说的"愚者一得"大概也是这个道理。这就是我这回敢来演说"中学国文的教授"的理由了。

（一）中学国文的目的是什么？

我们现在既没有过去的标准可以依据，应该自己先定一个理想的标准。究竟中学的国文应该做到什么地位？究竟我们期望中学毕业生的国文到什么程度?

民国元年的《中学校令施行细则》第三条说:国文要旨在通解普通语言文字,能自由发表思想,并使略解高深文字,涵养文学之兴趣,兼以启发智德。

这一条因为也是理想的,并不曾实行,故现在看来还没有什么大错误。即如"通解普通语言文字"一句,在当初不过是欺人的门面话,实在当时中学的国文与"普通语言"是无关系的。但是到了现在国语通行的时候,这八个字反更有意义了。又如"并使略解高深文字"一句,当日很难定一个界说,现在把国语和古文分开,把古文来解"高深文字",这句话便更容易解说了。

元年定的理想标准,照这八年的成绩看来,可算得完全失败。失败的原因并不在理想太高,实在是因为方法大错了。标准定的是"通解普通语言文字",但是事实上中学(校)教授的并不是普通的语言文字,乃是少数文人用的文字,语言更用不着了!标准又定"能自由发表思想",但是事实上中学教员并不许学生自由发表思想,却硬要他们用千百年前的人的文字,学古人的声调文体,说古人的话,一直不要自由发表思想!事实上的方法和理想上的标准相差这样远,怪不得要失败了!

我承认元年定的标准不算过高,故斟酌现在情形,暂定一个中学国文的理想标准:

(1)人人能用国语(白话)自由发表思想——作文、演说、谈话,都能明白通畅,没有文法上的错误。

(2)人人能看平易的古文书籍,如《二十四史》《资治通鉴》之类。

(3)人人能作文法通顺的古文。

(4) 人人有懂得一点古文文学的机会。

这些要求不算苛求吗？

（二）假定的中学国文课程

定了标准,方才可谈中学国文的课程。现行的部定课程是：

第一年：讲读,作文,习字。　　　　　　共七

第二年：讲读,作文,习字,文字源流。　　共七

第三年：讲读,作文,习字,文法要略。　　共五

第四年：讲读,作文,文法要略,文学史。　共五

依我们看来,现在中学校各项功课平均每周男校三十四时,女校三十三时,未免太重了。我们主张国文每周至多不能过五时,四年总数应在二十时以下。现在假定每周五时,暂定课程表如下：

年一：国语文一,古文三,语法与作文一。　共五

年二：国语文一,古文三,文法与作文一。　共五

年三：演说一,古文三,文法与作文一。　　共五

年四：辩论一,古文三,文法与作文一。　　共五

这表里删去的学科是习字、文字源流、文学史、文法要略四项。写字决不是每周一小时的课堂习字能够教得好的,故可删去。现有的《文法要略》《文字源流》,都是不通文法和不懂文字学的人编的,读了无益,反有害(孙中山先生曾指出《文法要略》的大错,如谓鹄与猿为本名字,与诸葛亮王猛同一类)！文学史更不能存在。不先懂得一点文学,就读文学史,记得许多李益李颀老杜小杜的名字,却不知道他们的著作,有什么用处？

又这表上"国语文"只有两时。我的理由是：(1)第二、三年的

演说和辩论都是国语与国语文的实习,故这两年可以不用国语文了;(2)我假定学生在两级小学时已有了七年的国语,可以够用了。

(三)国语文的教材与教授法

先说国语文的教材。共分三部。

(1)看小说。看二十部以上、五十部以下的白话小说。例如《水浒》《红楼梦》《西游记》《儒林外史》《镜花缘》《七侠五义》《二十年目睹之怪现状》《恨海》《九命奇冤》《文明小史》《官场现形记》《老残游记》《侠隐记》《续侠隐记》等。此外有好的短篇白话小说,也可以选读。

(2)白话的戏剧。此时还不多,将来一定会多的。

(3)长篇的议论文与学术文。因为我假定学生在两级小学已有了七年的白话文,故中学只教长篇的议论文与学术文,如戴季陶的《我的日本观》,如胡汉民的《惯习之打破》,如章太炎的《说六书》之类。

教材一层,最须说明的大概是小说一项。一定有人说《红楼梦》《水浒》等书有许多淫秽的地方,不宜用作课本。我的理由是:(1)这些书是禁不绝的。你们不许学生看,学生还是要偷看。与其偷看,不如当面看,不如有教员指导他们看。举一个极端的例:《金瓶梅》的真本是犯禁的,很不容易得着。但是假的《金瓶梅》——石印的,删去最精彩的部分,只留最淫秽的部分,却仍旧在各地火车站公然出卖!列位热心名教的先生可知道吗?我虽然不主张用《金瓶梅》作中学课本,但是我反对这种"塞住耳朵吃海蜇"的办法!(2)还有一个救弊的办法,就是西洋人所谓"洗净了的版本"(Expurgated edition），把那些淫秽的部分删节去，专作"学校用本"，即如柏拉图的《一夕话》（sgmposium）两译本，一是全本，一是节本。商务印书馆新出一种《儒林外史》，比齐省堂本少四回，删去的四回是沈琼枝一段事迹，因为有琼花观求子一节，故删去了。这种办法不碍本书的价值，很可以照办。如《水浒》的潘金莲一段尽可删改一点，便可作中学堂用本了。

次说国语文的教授法。

（1）小说与戏剧。先由教员指定分量——自何处起，至何处止——由学生自己阅看。讲堂上只有讨论，不用讲解。

（2）指定分量之法，须用一件事的始末起结作一次的教材。如《水浒》劫"生辰纲"一件事作一次，闹江州又是一次；《儒林外史》严贡生兄弟作一次，杜少卿作一次，娄家弟兄又作一次；又《西游记》前八回作一次。

（3）课堂上讨论，须跟着材料交换，不能一定。

例如《镜花缘》上写林之洋在女儿国穿耳缠足一段，是问题小说，教员应该使学生明白作者"设身处地"的意思，借此引起他们研究社会问题的兴趣。又如《西游记》前八回是神话滑稽小说，教员应该使学生懂得作者为什么要写一个庄严的天宫盛会被一个猴子捣乱了。又如《儒林外史》写鲍文卿一段，教员应该使学生把严贡生一段比较着看，使他们知道什么叫做人类平等，什么叫做衣冠禽兽。

（4）无论是小说还是戏剧，教员应该点出布局，描写的技术，文章的体裁，等等。

（5）读戏剧时，可选精彩的部分令学生分任戏里的人物，高声演读。若能在台上演做，那更好了。

(6)长篇的议论文与学术文,也由学生自己预备,上课时教员指导学生讨论。讨论应注重:

（甲）本文的解剖:分段,分小节。

（乙）本文的材料如何分配使用。

（丙）本文的伦理:看好文章的思想条理,远胜于读一部法式的伦理学。

（四）演说与辩论

须认明这两项是国语与国语文的实用教法。凡能演说、能辩论的人,没有不会做国语文的。做文章的第一个条件只是思想有条理,有层次。演说辩论最能帮助学生养成有条理系统的思想能力。

(1)择题。演说题须避太抽象、太笼统的题目。

如"宗教",如"爱国",如"社会改造"等题,最能养成夸大的心理、笼统的思想。从前小学堂国文题如"富国强兵策"等,就是犯了这个毛病。中学生演说应该选"肥皂何以能去污垢？""松柏何以能冬青？""本村绅士某某人卖选举票的可耻"一类的具体题目。辩论题须选两方面都有理可说的题,如"鸦片宜严禁"只有一个方面,是不可用的。

(2)方法。演说辩论的班次不宜人数太多,太多了一个人每年轮不着几回;也不宜太少,太少了演说的人没有趣味。每班可分作小组,每组不可过十六人。演说不宜太长,十分钟尽够了。演说的人须先一星期就选定题目,先作一个大纲,请教员看过,然后每段发挥,作成全篇演说。辩论须先分组,每组两人,或三人。选定主张或反对的方面后,每组自己去搜集材料,商量分配的方法、发言的先后。辩论分两步。第一步是"立论",每组的组员按预定的次序发言。第二步是"驳论",每组反驳对手的理由。预备辩论时,每组须计算反对党大概要提出什么理由来,须先预备反驳的材料。这种预备有两大益处:(1)可以养成敏捷精细的思想能力;(2)可以养成知识上的互助精神。辩论演说时,教员与学生各备铅笔,记录可批评的论点与知识,下次上课时,大家提出讨论。

(五)古文的教材与教授法

先说中学古文的教材。

(1)第一学年。第一年专读近人的文章。例如梁任公、康长素、严几道、章行严、章太炎等人的散文,都可选读。此外还应该多看小说。林琴南早年译的小说,如《茶花女遗事》《战血余腥记》《撒克逊劫后英雄略》《十字军英雄记》《朱树人的稿者传》等书,都可以看。还有著作不多的学者,如蔡子民《答林琴南书》、吴稚晖《上下古今谈序》,又如我的朋友李守常、李剑农、高一涵做的古文,都可以选的。平心而论,章行严一派的古文——李守常、李剑农、高一涵等在内——最没有流弊,文法很精密,论理也好,最适宜于中学模范近古文之用。

(2)第二、三、四学年。后三年应该多读古人的古文。我主张分两种教材。

(甲)选本。不分种类,但依时代的先后,选二三百篇文理通畅、内容可取的文章。从《老子》《论语》《檀弓》《左传》,一直到姚鼐、曾国藩,每一个时代文体上的重要变迁,都应该有代表。这就是最切实的中国文学史,此外中学堂用不着什么中国文学史了。

(乙)自修的古文书。最重要的还是学生自己看的书。一个中学堂的毕业生应该看过下列的几部书:

(a)史书:《资治通鉴》或《四史》(或《通鉴纪事本末》)。

(b)子书:《孟子》《墨子》《荀子》《韩非子》《淮南子》《论衡》等。

(c)文学书:《诗经》是不可不看的。此外可随学生性之所近,选习两三部专集,如陶潜、杜甫、王安石、陈同甫之类。

我拟的中学国文课程中最容易引起反对的,大概就在古文教材的范围与分量。一定有人说:"从前中学国文只用四本薄薄的古文读本,还教不出什么成绩来,现在你定的功课竟比从前增多了十倍! 这不是做梦吗?"

我的回答是:

第一,从前的中学国文所以没有成效,正因为中学堂用的书只有那几本薄薄的古文读本。我们试回头想想,我们自己做古文是怎样学的? 是单靠八九十篇古文得来的,还是靠看小说看古书得来的? 我自己从来背不出一篇古文,但是因为我自小就爱看小说、看史书、看杂书,所以我还懂得一点古文的文法。古文的选本都是零碎的,没头没脑的,不成系统的,没有趣味的。因此,读古文选本是最没有趣味的事。因为没有趣味,所以没有成效。我可以武断现在中学毕业生能通中文的,都是自己看小说看杂志得来的,决不是靠课堂上几本古文选本得来的。我因此主张用"看书"来代替"讲读"。与其读王安石的《读孟尝君传》,不如看《史记》的《四公子列传》;与其读苏轼的《范增论》,不如看《史记》的《项羽本记》;与其读林琴南的一部古文读本,不如看他译的一本《茶花女遗事》。

第二,请大家不要把中学生当小孩子看待。现在学制的大弊就是把学生求知识的能力看得太低了。现在各级学堂的课程,都是为下下的低能儿定的,所以没有成绩。现在要谈学制革命,第一步就该根本推翻这种为下下的低能儿定的课程学科!

第三,我这个计划是假定两级小学都已采用国语做学科书了。国语代替文言以后,若不能于七年之内使高小毕业生做通顺的国语文,那便是国语教育的大失败。学生既通国语,又在中学第一年有了国语文法(见下),再来学古文,应该更容易好几倍,成绩应该加快好几倍。已通一国文字的人,再学第二国文字时,成绩要快得多。这是我深信不疑的。所以我觉得我拟的中学古文课程并不是梦想,是可以用实地试验来决定的。

再说古文的教授法。上文说的用看书来代讲读,便是教授法的要点。每周三小时,每年至多不过四十周,合起来不过一百二十点钟,若全靠课堂上的讲读,一年能讲得几篇文章?所以我主张,学校但规定学科内容的范围与程度,教员自己分配每一课的分量,学生自己去预备本日指定的功课。学生须自己翻查字典,自己加句读,自己分章分节。上课时,只有三件事可做:

(1)学生质问疑难,请教员帮助解释。教员可先问本班学生有能解释的没有,如没有人能解释,教员方可替他们解释。

(2)大家讨论所读的书的内容。教员提出论点,引起大家讨论。教员不当把一点钟的时间自己占据去,教员的职务在于指点出谈论的错误或不相干的讨论。

(3)教员可以随时加入一些参考材料。例如读章行严的文章时,教员应该讲民国三四年的政治形势,使学生知道他当时为什么主张调和,为什么主张联邦。

此外的方法，上文第三章已讲过，可以参用，不必重说了。

（六）文法与作文

从前教作文的人大概都不懂文法，他们改文章全无标准，只靠机械地读下去，读得顺口便是，不顺口便不是，总讲不出为什么要这样做，为什么不可那样做。以后中学堂的国文教员应该有文法学的知识，不懂文法的，决不配做国文教员。所以我把文法与作文并归一个人教授。

先讲文法。

第一年，专讲国语的文法。要在一年之内，把白话文法的要旨都讲完。为什么先讲国语的文法呢？（1）因为学生有了八年的国语文，到中学一年的时候，应该把国语文的"所以然"总括起来讲解一遍，作一个国语教育的结束。（2）因为先有了国语的文法作底子，后来讲古文的文法便有了一种参考比较的材料，便更容易懂得了。（我现在编一部国语文法草案，不久可以成书，此地不能细说国语文法的怎样编法了。）

第二、三、四年，讲古文的文法。

（1）用书。现在还没有好文法书。最好的书自然还要算《马氏文通》。《文通》有一些错误矛盾的地方，不可盲从；《文通》又太繁了，不合中学堂教本之用。但是《文通》究竟是一部空前的奇书，古文文法学的宝库。教员应该把《文通》仔细研究一遍，懂得了，然后可以另编一部更有条理、更简明易晓的文法书。

（2）教授法。讲古文的文法应该处处同国语的文法对照比较，指出同的地方和不同的地方，何以变了，变的理由何在，变的长处或短处在什么地方。让我举几个例。

（例一）白话说："我骗谁？"古文要说："吾谁欺？"白话说："你爱什么？你能做什么？"古文要说："客何好？客何能？"这是不同的句法。比较的结果得一条通则："若外动词的止词是一个疑问代名词，这个疑问代名词在白话里须放在外动词之后，在古文里须在外动词之前主词之后。"

（例二）《论说》阳货欲见孔子一章，阳货在路上教训了孔子一顿，孔子答应道："诺，吾将仁矣。"同类的例如"原将降矣""赵将亡矣"，既用表示未来的"将"字，何以又用表示完了的"矣"字呢？再看白话说"大哥请回，兄弟去了""大哥多喝一杯，我要走了"，这是相同的句法。比较起来，可得一条通则："凡虚拟（Subjunctive）的将来，白话与古文都用过去的动词，古文用'矣'，白话用'了'。"

分得更细一点，可得两式：

甲式	乙式
虽千万人吾往矣。	赵将亡矣。
我去了。	他要死了。

这种比较的教法功效最大。此外还可用批评法：由教员寻出古文中不命文法的例句，使学生指出错在何处，何以错了。我从前曾举林琴南"而方姚卒不之踣"一句，说踣是内动词，不该有"之"字作止词。这种不通的句子古文里极多。前天上海《晶报》上有人举孟子"天油然作云，沛然下雨，则苗勃然兴之矣"一句，以为"兴"是内动词，不可有"之"字作止词。这个例很可为林先生解嘲！这一类的例，使学生批评，可以增长文法的兴趣，可以免去文法的错误。

次讲作文。

（1）应该多做翻译，翻白话作古文，翻古文作白话文。翻译的用处最大：一是练习文法的应用。例如讲动词的止词时，可令学生翻译"己所不欲，勿施于人""无所不能""他什么都不"等句，使他们懂得止词的位置有种种不同的变法。二是译长篇可使学生练习有材料的文字。作文最忌没有话说。翻译现成的长篇，先有材料作底子，再讲究怎样说法，便容易了。

（2）若是出题目做的文章，应注意几点：（a）最好是令学生自己出题目；（b）千万不可出空泛或抽象的题目；（c）题目的要件是第一要能引起学生的兴味，第二要能引学生去搜集材料，第三要能使学生运用已有的经验学识。

（3）学生平日做的笔记、杂志文章、长篇通信，都可以代替课艺。教员应该极力鼓励学生写长信，做有系统的笔记，自由发表意见。这些著作往往比敷衍的课艺高无数倍。往往有许多学生平日不能做一百字的《汉武帝论》，却能做几千字的白话文通信。这种事实应该使做教员的人起一点自责的觉悟！

（4）作文的时间不可多，至多二周一次。作文都该拿下堂去做。

（5）改文章时，应该根据文法。合文法的才是通，不合文法的便是不通。每改一句，须指出根据哪一条文法通则。例如有学生做了"而方姚卒不之躇"，我圈去"之"字，须说明"之"字何以不通。又如学生做了"客好何？"，我改为"客何好？"或"客好何物？"，也须说明古文何以不可说"客好何？"。

（6）千万不可整篇涂去，由教员重做。如有内容论理上的错误，可由教员批出，但不可代做。

（七）结论

我这篇《中学国文的教授》，完全是理想的。一个人的理想自然是有限的，但我希望现在和将来的中学教育家肯给我一个试验的机会，使我这个理想的计划随时得用试验来证明哪一部分可行，哪一部分不可行，哪一部分应该修正。没有试验的主观批评是不能使我心服的。

　　我演说之后，有许多人议论我的主张，以为我对于中学生的期望太高了。有人说："若照胡适之的计划，现在高等师范国文部的毕业生还得重进高等小学去读书呢！"这话固然是太过，但我深信我对于中学生的国文程度的希望，并不算太高。从国民学校到中学毕业是整整的十一年。十一年的国文教育，若不能做到我所期望的程度，那便是中国教育的大失败！

　　　　　　　　　　　　（民国）九年三月二十四日北京

　　　　　　　　　　（第八卷第一号，一九二〇年九月一日）

注音字母的讨论

罗国杰　吴敬恒　施见三

（一）

稚晖先生：

学生对于注音字母的当中有多少怀疑的地方，(一)是介母和韵母复合时的韵调，(二)是五声应该以何地为标准，(三)是五声交互连用时之音变不应该研究吗？——以上三种问题，现在把它分层写在下面，望先生一一加以教训，并赐答复，那是十分感激的。

（一）介母和韵母复合时的韵调

介母的产生，实在是原因于"ㄚ""ㄛ""ㄜ"等韵母不够，利用它齐齿合口等呼法，如"ㄚ""ㄛ"等韵母复合，另外造成一种新韵母，来补足韵母的意思。那么，新韵母（介母和韵母复合的韵母）的读法，不但是呼法改变，简直连韵调也应该改变了。

先生昨天对学生说："介母ㄨ和韵母ㄚ复合时，为嘴形好看与自然的缘故，应该读成官话之'蛙'音，不当读为广州之'窝'音。因为读'窝'音时之嘴形，很不好看和不自然。"但依学生肤见，以为官话之"蛙"音，实非正式的合口音；并且和"ㄚ"韵的韵调，也没有什么分别；那么，"丫"和"ㄨ丫"的韵调相同，就失却利用介母的呼法，创造新韵调之韵母的原意。在事实上"ㄌㄨ丫"简直也可以改为"ㄌㄨ"了。照此看来，这个"ㄨ"母，除了充当"声母"和"韵母"时，简直是用不着的东西。——这岂不是失掉介母的功用吗？所以学生主张"ㄨ丫"的读法当读成广州之"窝"音，其韵调要与"丫"韵完全不同，那么，才合利用介母造成新韵调之韵母的意思，其余"一""ㄩ"等两介母和它韵母复合时，也应该另成一种新韵调。至于先生说："好看……不好看……自然……不自然"，大概由于心理上和习惯上的作用——先生以为不好看和不自然，想是平时少见这样嘴形，当作很奇怪；平时少用这样嘴形，觉得很生硬。——简直是和我们初学京音时一样，不然，何以我们广东人读这"窝"音时又不觉得"不好看"和"不自然"呢？所以"不好看"和"不自然"两件事，等待见惯用惯，就没有问题了。

（二）五声应该以何地为标准？

教育部公布注音字母之部令中，对于声调问题，仅列阴平、阳平、上、去、入五声，并没有指定应该以何地之五声为标准，对于语音统一上，难保不发生窒碍。何故呢？因为五声没有标准，那就各地自成声调，平仄完全不同，因此会话上容易发生误会，这不是统一语音的最大窒碍吗？所以会说北音的，未必会说南音，也未必会听南音。其中的原因，虽由于声韵微有不同，然而声调差异，平仄不能完全一样，也算是其中大大的缘故。据他的意见，以为五声读法，因为各地风土语气之区别，而千差万殊，实难强令一致（见九年十二月二十四日教育部训令），我以为他未免过虑太甚了。注音字母以京音中之官音占最大部分，其中也许有几个字母，为各地所难发的。他对于难发的字母，尚且认为有普及的必要，难道注音字母的字音都能够拼出,而声调的高低(平仄的差异),还弄个不清楚吗?所以我主张对于五声的问题,应该择定最适宜的地方所用者为标准。

(三)五声交互连用时之音变不应该研究吗?

这个问题,王璞先生所编纂的实用国语会话弁言中,也曾说及。他说:"一句话里边,有两上声在一处,如'我想'二字,必须将'我'字扬起,然后说下去始能雅听……"这话却是不错!但是他只有对于两上声连用时的说法,至于其余四声,同声连用和异声互用时,没有一一加以研究。所以研究注音字母者有识得标准音,而对于白话文中的句语,往往读不出来。虽有时勉强读去,但总觉得很生硬和不自然。至于应用于交际上的会话,更不消说了。那么,音调改变的问题,一天没有研究清楚,虽然认识这几十个注音字母,到底于实际上也没什么用处。

上面所讲三种问题,对于推行注音字母的当中,学生认为有研究之必要,但是学生所见不过是如此,识见还是十分浅陋,不知道对不对?仍要静候先生矫正的,请了,祝先生康健!

(民国)十年五月廿三日　罗国杰

(二)

罗先生:

注音字母能引起的问题,直接的(先生的第一问题)、间接的(先生的第二、三问题)多到不可胜言。况且各人对于他的目的不同,故对于甲目的人说的话,又可引起乙目的人的怀疑。例如兄弟常不满意于四声的分别,因为他阻碍低级教育不小,而且他只是六朝以来一种美术，古学家亦不大以为然。故对于注重通俗教育的先生们，便用片面的主张，劝他们不必对于一般普通人，增加这个麻烦。单教注音字母，只需几天工夫。若兼教那实际不大紧要的四声，便增加半年工夫，也还叫人败兴。若只要教几天工夫，可以实行的机会，增多了不可思议的数量。要教半年，便阻难重重，简直可以终是教不成，亦未可定。然我这种说话，只是对于甲目的论调。兄弟并没有意思，劝学校内怀着乙目的的学者，自身亦不必研究（但兄弟有一个偏见，以为注音字母的拼音，断断不可认做文字。高等学者讲四声的美术，应该对了汉字自己讲，不应该有了注音字母，才对他的助手讲）。所以两人谈话，若更把各人的目的，针对着讨论，尤容易得到一个接近。否则误会了，又转出一个误会，必两人本同意的也可生起疑问。如先生的第一问，说ㄨㄚ何以读蛙不读窝。兄弟说，因为ㄨㄚ是蛙，ㄨㄛ才是窝。这两个音，粤音与国音相同。那是人人可以了解的。先生说ㄚ母加ㄋ介母ㄨ应该韵调不同。兄弟说，这自然不同。ㄚ国音读阿粤音读鸦，ㄨㄚ国音粤音皆读蛙。鸦与蛙的不同，是没有一个人不能分别的。然则ㄌㄨㄚ为"勒蛙"二字之合音，ㄌㄚ为"勒鸦"二字之合音，其不同亦人人觉知。何以会在事实上ㄌㄨㄚ简直可改为ㄌㄚ呢？

至于兄弟所谓口腔好看不好看，那是别一问题。比如中国与法国，都有口音。日本与英国便没有。ㄩ在形式上较为不好看。故如ㄅㄧㄉㄨ，各国大都有着那个音。惟到了ㄅㄩ，便世界人人都不喜欢它。所以ㄨㄚ这合母，有ㄍㄨㄚ是个瓜，有ㄎㄨㄚ是个夸，有ㄓㄨㄚ是个挝，有ㄕㄨㄚ是个耍，有ㄏㄨㄚ是个花。其余ㄌㄨㄚㄆㄨㄚ等，都没有。就是ㄉㄨㄚ亦没有。或者就是嫌它不好听，说的时候，口腔亦不好看。先生问ㄨㄚ何以不读纯粹合口。兄弟说，我想它因为太合了，亦嫌不好看。所以把ㄨ字将它一合，马上再将ㄚ字把它一开，变成不开不合，那造音的朋友，只造ㄨㄚ的音，他才痛快。这虽也有一部分的理趣，然毕竟是我们路上同行时讲的滑稽闲话。因为我在惠州会馆，曾对各位说：那世人选择语音固然都含一好看不好看的意思，然而好看亦没有一定的标准。你以为不好看的，他却以为好看，都是一个习惯。倘使有一种古怪人，他偏拿嘴巴歪了起来说话以为最好看，那就我们不歪的，都变成不好看了。比如英语的 Th，说的时候，要把舌尖先向齿外一送，马上拖了回来才发此音。这是我们家乡娇养的小孩，惯做这种状态。若被老顽固的道学父亲见了，必遭斥责。哪知英人亦不是生而能言，必要到了四五岁，才把这个说法，教他女子，看做一件重要事项。相反如此，可笑不可笑呢？有过这番说话，那就先生所谓"所以不好看和不自然两件事，待见惯用惯，就没有问题了"，我两人正是同意。故我在路上，还作那滑稽闲话，不怕先生误会。哪里料到先生还是误会。构成这误会，恐怕还是说话多了，只割取一部分来讨论的缘故。

然而先生所谓"韵调"，毕竟我亦是不懂。先生说ㄨㄚ不读蛙，当读广州的窝。但又一个广州人对我说，ㄨㄚ读蛙，窝应读ㄨㄛ。我不敢代广州人判断，请先生自与广州人讨论为好。先生对于四声，要择定适宜的地方所用者为标准，这是国音中应有的一件事。但于注音字母为间接的问题。因为东董冻，它只能总拼起一个ㄉㄨㄥ来。它的职务，在使东董冻，叫它不至于读成中肿仲。中肿仲，它能拼起一个ㄓㄨㄥ来对付。要它分别东董冻是平上去，就要另请一位点子先生出来，替它点在左角右角。然而把那位点子先生，不点在ㄓㄨㄥ上，直点到东董冻自己身上去，仍用蒙馆先生请朱笔点个红圈,也是一样。所以兄弟说四声问题,是注音字母间接的问题。照先生的意思,有了四声点子,或者有了红圈,广州人读广州的平上去,上海人读上海的平上去,还是不满意。必要拣定一个平上去才好。这件事,虽于兄弟个人的理想,看得那个声的不同,与音的不同,比较起来,一个是重大,一个是微末。声差了一点,于国语统一,没有多少窒碍。先生的"最大窒碍"四字,恐是用得太重了一点。但是能够读一个统一,终是研究国音应有的事。那么,这件事与注音字母,更是间接的间接了。非但注音字母没有那种能力,便是点子先生与红圈,也没有这个能力。因为点子只能点出四声,不能告诉我们那声应当怎样出口。对于那怎样出口的问题,也不是难事。只要说明五声(若北音只有阴平、阳平、上、去,没有入声。入声是教育部恐怕去了这名目,老顽固要造反,存这个名目骗人的。若要请教育部的人读个北方入声出来听听,便要了他的性命,也不能照办),谁是最高,谁是次高,谁是又次,谁是最低,或谁是最长,谁是次长,谁是又次,谁是最短,这个问题,马上解决了。无非"东冬"可以完全一样,"东董冻"必使高低长短,终分个不同,于是同音之字,可减少误会而已。岂知语言必连上下文,不连上下文的,终不成为语言。如兄弟突然写起注音字母无头无尾,只有ㄊㄨㄥㄗ二字。即使ㄊㄨㄥ在左下角点了,说明阳平,并说明最短最低,ㄗ在左上角点了,说明上声,并说明次长次高,然而先生能晓得我说的什么吗?甲或猜为"童字",乙或猜为"铜子",丙或猜为"铜梓",但说的人,却指着夕照与豆花"同紫",夜凉随山月更清。

你想不连着上下文,不写汉字,要请教注音字母,同着四声点子,就唱起完全了解的曲子来,我们细想能不能呢?所以四声问题,是汉文或国语应讲的问题,不是注音字母包办的问题。有了注音字母,东董冻,便可不至于读成中肿仲,已有一个好处,东董冻中肿仲,在不识字人,不至于对它瞠目茫然。竟居然三个读了ㄉㄨㄥ音出来,三个读了ㄓㄨㄥ音出来,已有第二个好处。广州人读天地玄黄,读的是ㄊㄧㄥㄉㄟㄩㄣㄏㄨㄜㄥ。现在有了它,竟可以读ㄊㄧㄢㄉㄧ一ㄩㄢㄏㄨㄤ,读了先生所谓标准音出来,这是第三个好处。它已经有这三个好处,于声音也已经尽了一个大部分的职务。它不过四十个字,花了各位的脑力,要不了四两,出了如此的便宜代价,得了这许多利益,为什么我们因为官话还是蓝青,说不到漂亮,去做个内城老斗,于是还把它奚落,说是"认识得几个注音字母,到处于实际上没有什么用处"呢?注音字母也要笑我们贪得无厌了。注音字母是一双草鞋,它只能帮我的忙,使我们于实际上,跑路不割碎脚的;它还要供我们去拜客会亲,叫门公见了我们的脚,拿上客之礼相待,那注音字母也要笑我们痴愚了。兄弟因先生失望于注音字母太厉害,故说这个笑话,一面慰藉先生,一面也叫第三人不至于扫兴。

至于先生第三个五声连用交互问题,这更关涉了美词学的问题,于注音字母,更间隔了十八层。并且于五声问题,亦就根本推翻。两个上声同用,一个可以扬起,扬起云者,实际上已换了一声,特讳言之,故叫它做扬起。并且王先生的所谓扬起"我"字,只是对了甲目的而言。若说终归只是上一字扬起,没有如此简单罢。比如说,"我想如此,你想如何?",那一定是"我"字扬起。若说,"我想的是如此,我做的未必如此",只一定是"我"字沉下,"想"字扬起了。这种美词法,那粗浅的一部分,便是初读外国文的,他们也要讲,只是又一问题。注音字母做梦也不想去干涉这种的一切。但兄弟是浅陋得很,说得太肤浅。恐先生的意思,别有深切的注定，我或所答非所问，请恕我罢。

吴敬恒谨白

（三）

稚晖先生：

　　先生对于学生"注音字母"的疑点，解释得十分详细，真是令学生获益不少了。可是广东人对于"注音字母"很多不甚注重。漫讲各府、州、县没有注重，就算是广州城内小学校里头的教育，也有许多没有推行呢。方才学生所举"注音字母"的疑点，不过是对于"注音字母"推行上的偏见，并不是对于"注音字母"有所失望，所以我很希望先生快把这"注音字母"，设法推行于广州和各地——这真是对于广东教育前途造福不浅了！但学生方才所请教的"注音字母"，其中不免有多少误会之点，万望先生原谅。感激！感激！

　　学生现在对于"注音字母"直接的问题，还有多少意思未曾完了，想先生"教人不倦"，必不以为琐屑。如今且把它拾掇写出来，还请先生指教，指教！

　　现在先把学生所谓的"韵调"的意思补述一番，因为这"韵调"的意思，学生当时说得未免笼统，不但先生当时看了会发生误会，就是学生现在看来，也觉得不甚了然，所以特地把它再来补述，总或有多言之诮，亦所不计。

　　当时学生所讲的"韵调"不同，不是指那"蛙"和"鸦"的嘴形读法，有些少差异，而它所拼出的"勒蛙"和"勒鸦"的字音有些少不同，才算是韵调不同。学生所要讲的韵调不同，就是指那个母和韵母复合时一读，没有带某韵中得余韵，才算是韵调不同，如那"斜"

"窝"等,假使不把那读"斜"和"窝"时的嘴形完全张开,断不会带有一种"ㄚ"的余韵,非如那"蛙"音一读时,不待嘴形完全张开,一听就知道他带有一种"ㄚ"的余韵。所以学生的偏见,认那"蛙"和"鸦"的韵调是相同的。因此,国语统一筹备会的审音委员会,他不说"ㄈㄨㄥ"可以改为"ㄈㄥ",偏要说那"ㄈㄨㄚ"可以改为"ㄈㄚ"(前误写为ㄉㄨㄚ改为ㄉㄚ)。大概也是因为"ㄈㄨㄚ"和"ㄈㄚ"的读音,虽然微有差异,然而韵调相同,就算把它改变,也是不大要紧的。但是学生所说"ㄚ"和"ㄨㄚ"皆韵调不同,又不是说那"ㄚ"和"ㄨㄚ"的元音不同,和"ㄥ"与"ㄥㄨ"一样,——简直连元音都要改变,因为改变元音,是说不过去的。因为它读新元音时的嘴形完全张开到怎样,总不会带有"ㄚ"韵中的余韵,那么,学生所说那韵调不同,仍要读某音时,把这嘴形完全张开,要带有某韵中的余韵,所以说到韵调上也是没有变更的。现在还要把学生所要请教于先生的事情快些说出来,免得越说越远。

照这"蛙"和"鸦"看来,它的读法,已经有点不同,而它所拼成的"勒蛙"和"勒鸦",也是有些差异,似无法再把"蛙"的读法,改变为"窝"。学生偏要主张把造音先生们所定"蛙"的读法,改变为窝,——这岂不是庸人自扰吗?但是学生所主张的,是要它完全适合合口的呼法。因为正式的合口呼,和未合口时的韵调,是不同的,不能因它读法有点不同,就不至于改变。所以先生说"蛙"的读法,不开不合,学生也就是不满意它的不开不合。换言之,"蛙"的读法既不是全开又不是全合,是一个半合口音,因此和"鸦"的韵调,也没有什么分别。所以学生主张要把"蛙"的读法改为"窝",因为这个窝音适于"ㄚ"的合口呼并且和"ㄚ"的韵调不同的缘故。"蛙"和"鸦"的韵调相同,上面已经说过,但何以见得"窝"是"ㄚ"

的合口呼呢？因为我们读"蛙"音时，渐渐把这嘴合拢起来，至如读"ㄨ"时的嘴形十分相近为止，那时这个"蛙"的声气，再被那嘴形一合，就生出异样的声音而变为窝，因此知道"窝"才是"ㄚ"的正式合口呼，所以主张要把它读成"窝"音。

倘造音先生们以"窝"的读法，不比得"蛙"时那么经济，因为"窝"的读法，它嘴形所用的力量要多一点，并且比"蛙"再合，未免延长时间，为经济的起见，不能不把它读成"蛙"，所以"蛙"音实含有语音进化中的痕迹。

既是这样说，学生以为必要把那"注音字母"里头，特别注明"ㄨ"和各韵母复合时的呼法，为半合口呼，免得学习"注音字母"的人，发生误会。就算后来"注音字母"发达的时代，也不至有人对于现在造音的先生们，发表不满意的论调。不知先生以为然否？

（民国）十年六月二日　罗国杰谨上

（四）注音字母的五声问题

施见三

前几天我看见《群报》登出罗先生给吴稚晖先生一封信，讨论注音字母问题。他那五声标准的问题，是我向来怀疑不能解决的。因此我很注意吴先生的复信，希望得一个解决。哪知昨天《群报》登出吴先生的复信，我看完了，一发怀疑。不揣愚陋，就将我的疑点写出，请大家讨论。

吴先生说："四声的分别，是六朝以来一种美术，于实际上没大要紧。"我想，四声是不是美术的作品，且不必论，但说实际上没要

注音字母的讨论　　　　　　　　　　　　　　　　　　　291

紧,我就怀疑得很。注音字母的用法,不外下列两项:(一)为统一国语,令那识字的人,看着字母,可以得到正确的国音;(二)教育普及,令那不识字的人,看着字母,可以懂得文学上的说话。就第一项说,若没有五声标准,就姓吴的可以读作姓武,姓施的可以读作姓石,姓李的可以读作姓黎。如果一句话里头,五声完全弄错,这话就难听得很了。那么,怎能通习正确的言语呢? 就第二项说,那注音字母,自然是要普及到低级知识的人了。但是不分清五声,那同声同韵的字很多,就容易多出误会。假如有人写着一张字条,给那不识字的人看,那字条里头一句,注着ㄊ一ㄧㄍㄅㄍㄌㄈㄨㄣㄠㄍㄨㄦ几个字母,他可以猜是"你们该负保国的义务",也可以猜是"你们该负包裹的衣物",这可不是笑话么? 照这样说来,那字母上没有五声的分别,就不行了。吴先生又说:"单教字母,只需几天工夫,若兼教五声,便加多半年,也是不行。"我不见得教字母这般容易,教五声便这样麻烦。如果四声是全没有用的东西,就可以不理它,若实际上还有用着它的地方,就是麻烦一点,也是要讲呢。

（五）

《群报》记者执事:

　　贵报前登罗先生赐复,复论及ㄨㄚ之合口问题,恒因繁忙,未曾早复为歉。罗先生要求一纯粹合口,故于ㄨㄚ尚有商量。其实开齐合撮,皆古人粗大段之归类,非音理当限于四。发音家重于圆唇、非圆唇。口状则有开、合、半合等。而我古法,开合亦各有四等。今法并八为四,于事实则便,于分类更疏矣。故依鄙见,ㄨㄚ本非纯粹合口,照音读之自合。

因罗先生讨论四声问题，引起施先生之高论，近来热心此事者颇多，甚可喜也。施先生标题为《注音字母的五声问题》，我所谓没大紧要者，即是这问题。若四声自身问题，固是一种美术，然长短分别，究属沿自汉魏以来。多一分别，终算进化。然这是汉字自身问题，无关于注音字母。最明白易辨者，即是注音字母自身，并无分别四声之能力。故另作一点，点于四角。今可名之曰四声点（五声、七声、八声、九声，皆纵分横分，各异其名，十六两还是一斤）。如此，汉字自汉字，注音字母自注音字母，四声点自四声点，今从性质之便利，分别之如下文。

汉字，记义者也。

注音字母，记音者也。

四声点，记声者也。

四声点可记于注音字母之四角，亦可记于汉字之四角。从前旧法，点本为圈，圈四声于汉文字角，由来已久。今之四声改点，惟形变耳，实未变也。故于注音字母，毫无连带关系。注音字母或于特别必要时，请它帮忙，亦无不可。恒复罗先生，以为无大紧要者，正谓其帮忙之处极不多耳。

（一）即施先生"为统一国语"问题。彼夫"看着字母，可以得到正确国音"，此注音字母之所以作也。例如"荒"，广州读为ㄈㄛㄥ，国音则公定为ㄏㄨㄤ，如仍读ㄈㄛㄥ则认为不正确。倘读为ㄏㄨㄤ即认为正确。其事毕矣。至于荒之为清平，从周颙、沈约以来，已认了一千五百年（实则高诱、何休等已早认）。国音未尝改也。今通国学校，亦已教之二十年。见荒而告学生以清平，乃教师之本职。何待注音字母出世，方议及也。至于点不点，我国习惯，于"民之所好好之，民之所恶恶之"，旧法仅于好好恶恶，作朱圈四个。未尝遍将"民之所"等字,一例涂红。涂红之法,且绝迹于教科书。何以注音字母出世,反欲复古。即欲复古,何不仍点于汉文,必欲点之于注音字母,致发生一个问题,叫做"注音字母的五声问题"。此岂非新鲜之问题耶?

故"注音字母的五声问题"于统一国语,恒承认完全为不紧要也。(至于汉字自身的五声问题,或视为紧要,或视为不紧要,已有两千年,今本无人议及更张,故可不论。)

至于常有人抽象地发表评论,以为倘然但见有注音字母ㄏㄨㄤ,则为荒为皇为慌,皆不可辨矣。然即点为清平,为荒为盲能辨乎?即点为浊平,为皇为黄能辨乎?

凡办到一物而求其正确,必先立有明确之前提。既有荒皇慌三汉文之前提,而后发问此三字正确之声为何声,则荒为清平,皇为浊平,慌为上声(在广东或称清上),做教师者所应知。问注音字母,注音字母可敬谢曰:请你去问老韵书足矣。问明了,请"四声点"去点了。点在我身上,固好。即用你的老本事,点到汉文老大哥身上,也好?倘有荒黄两个广州汉文,欲发问而求两字国音之正确。则老字典老韵书皆不能作答。必亦敬谢曰:你去查国音字典,它当请注音字母来告诉你。若国音字典没有注音字母,便告诉你不来。此注音字母惟一之所由作也。

即使让一步来说,有人曰四声虽老韵书所有,然国音亦当理会。则对曰,只何消说得呢?国音字典明载四声,而且于注音字母外("外"字宜特别的注意),又颁行五声点,满足人正确之要求,已可云无憾。惟四声问题,自是别一个问题。既然定国音之人,于四声未尝改变旧法,则道一文风同已二千年,于今之统一问题上,纤毫不生关系。于注音字母,更完全不生关系,若闹起一个"注音字母的五声问题"，真可认为滑稽之问题。

又有人云，常闻四声南北不同，这更何消说得，然这不是个个字的问题，乃概括的问题。即欲研究数言可毕，曰广州某声最高最长，某声次之，某声又次之。北京某声，当广州某声，某又当某，作四个比较便了，作五个比较，更道地了。作九个比较，最道地了，在恒个人判断，广州与北京之高下长短，实可算大同。惟南北皆与中部则大异。然这事完全完全与注音字母丝毫无关也。

以上答明五声问题，在注音字母，毫无关系（以彼此为两事也），在统一国语，绝不紧要。（以四声本有旧法，未变动也。）

（二）即施先生的"教育普及"问题，借注音字母，便利不识字人是也。恒上文坚决地断定注音字母，与四声问题无关，非敢武断特欲说得过火一点，使人深刻注意。共知注音字母之作四声本无恙，四声还照旧法，于统一国音，但理会注音字母足矣，四声不成问题也。至于便利不识字人，四声点（注意，四声点自四声点，四声自四声，不可并为一谈）原亦可介绍而为帮忙之物，即上文恒称"注音字母，或于特别必要时，请它帮忙，亦无不可"是也。在统一国语条内，认为完全不生"注音字母的五声问题"，且戏疵之曰"滑稽问题"者，所以严其界说。因恒目击南北皆因此问题，在官话教师之留难，在学生之疑虑，教授濡滞不必说，从而畏废者纷纷，乃一统一国语上之大魔障。故欲以严格的辨别，撤除此魔障，施先生倘不以恒之前说为非者，当表有同情。至于问"注音字母的五声问题"的名词，到底可有与否，则在本条，固定可承认。

孔子曰，言非一端而已，夫固各有所当也。但亦不算紧要，正是个帮忙问题。彼四声点并无万能。

恒当至诚地奉告朋友，欲注音字母代用汉文，完全不可能也。

施先生奢望，而欲进不识字人以"文学上的说话""恐定得大失望之结束"。例如：

吴先生之"吴"即点了浊平声，倘有人寄书于施先生曰，注音字母五声问题，此ㄨ先生之所视为紧要也。倘先生误ㄨ必为吴摇头曰，吴先生并不以为紧要，而不知彼实言此吾先生之所视为紧要也。

至此，施先生必生两否定。一曰，此不能误会。因连上下文，则可不误。我则曰，正是这个意思。有上下文，自然难误。我正"惟一"欲取此意，以慰施先生者也。安有有了上下文，"你们该负保国的义务"，能误为"你们该负包裹的衣物"者乎？即使作为格言，如烟草公司之法标于电杆。然在电杆上者，知为格言，即是暗示之上下文。断无特别标于柱上，而作"你们该负包裹的衣物"之词也。况格言特标电杆，何不汉字及注音并列，而独标注音字母乎？

二曰写信决无通文，而至于用"吾先生"也。此虽我亦承认其无有，然充"文学上"三字之意味，亦何不可之有。还向施先生，"你们该负保国的义务"一语，能用之于不识汉文，仅识注音字母之人乎？因亦已含有"文学上"之意味也。若告不识字人，应作"你们应该有担当保护国家的义务"，愈浅显，又连了上下文，愈不容易误会四声点之纷纷胡为哉（有相当时亦要用）？

恒前天在教育会作一个试验，虽不曾完全通过，也不曾完全失败。所有不大赞同之人，彼惟觉其艰涩难知，未尝言其全难达意也。我今再写在贵报上，再与施先生及施先生所称第三人者，为第二次之试验。倘真无一人了解者，我方服我之完全失败。今我先将上下文给予各位。我在第五次教育大会，演说注音字母，言及通俗办法，不得已省去四声，即或四声完全弄错，亦未尝不可达意。如其不信，我有一张写错四声的话，揭呈诸位先生之前，作一个最后的结束。这一张所写如下文（悉用广州音）：

帝吾此，交郁带回，注为线省蛮税

众话敏郭蛮税（原本话作化，系我误读广州音所致，然错了字母，还有人懂，亦可证上下文之为力大也）。

这种四声完全弄错，且有汉文本字，炫乱人目，尚且以达意，何况注音字母？本空洞无物，而且不至于音音读错，岂反不可达意乎？

然我只证明"注音字母四声问题"之不大紧要，我未尝欲人决不用四声点也。既四声点为现成之物，而施先生意中，又觉写者读者，四声熟悉无比，则写到注音字母书件时，随便点上就是了，有什么讨论呢？至于施先生要讲不识字人，而知文学上的说话，正即恒欲借注音字母，粗浅的使他写信，进步的助他识字，我们二人同意。至于字矣，则必有义告之曰：

　ㄉㄨㄥ　　　　　ㄉㄨㄥ　　　　　ㄉㄨㄥ
　　东　东方也　　董　董事也　　冻　冷也寒也

义显而平上去立显，因施先生深信广东不识字人无一不知四声也。故从前无注音字母时，作浅俗白话书，传布不识字人，亦从未见字字圈出四声。施先生若曰他口中四声自不误，谁要他知道某字即系某声，或不尽知；则敬对曰，到了问题了，四声者，四而已，五而已，多则九而已，十而已，（最近陈振先生以浊上读易清去，多一声曰十声。其实以理想分别之，一百声可也。）字则无穷者也。彼所难者，某字不知确为某声。某字某声，枝节教之，日月移于上，精神敝于中，时日既多，厌倦尤易，此恒之所以称为难也。何如仅教以注音字母，使连了上下文以达意，到了果能进而识字，踏到文学上，应教四声，为致四声乎。施先生乃曰，"使这样麻烦也要教"。恒以为对汉字发此决心可矣。对注音字母，不必受此麻烦也。恒当至诚地奉告朋友，欲注音字母代用汉文，完全不可能也。故四声者，识字人之所应知，而且已知，不当牵涉注音字母也。注音字母推其完全将形状四声等一扫而空，而于下级的传布愈易，而且愈有用。此意话头甚长，紧忙不及写。另有一文，将于七月或八月之广东教育会杂志续登之。请贵报及诸先生在彼斥正之可也。

吴敬恒白

（第九卷第二号，一九二一年六月一日）

国语文法的研究法

胡适

第一篇　导言

什么是国语？我们现在研究国语文法，应该先问：什么是国语？什么是国语的文法？

"国语"这两个字很容易误解。严格说来，现在所谓"国语"，还只是一种尽先补用的候补国语，并不是现在的国语。这句话的意思是说，这一种方言已有了做中国国语的资格，但此时还不曾完全成为正式的国语。

一切方言都是候补的国语，但必须先有两种资格，方才能够变成正式的国语：

第一，这一种方言，在各种方言之中，通行最广。

第二，这一种方言，在各种方言之中，产生的文字最多。

我们试看欧洲现在的许多国语，哪一种不是先有了这两项资格的？四百年前，欧洲各国的学者都用拉丁文著书通信，和中国人用古文著书通信一样。那时各国都有许多方言，还没有国语。最初成立的是意大利的国语。意大利的国语起先也只是突斯堪尼（Tuscany）的方言，因为通行最广，又有了但丁（Dante）、鲍卞曲（Boccacio）等人用这种方言做文学，故这种方言由候补的变成正式的国语。英国的国语当初也只是一种"中部方言"，后来渐渐通行，又有了乔叟（Choucer）与卫克立夫（Wycliff）等人的文学，故也由候补的变成正式的国语。此外法国、德国，及其他各国的国语，都是先有这两种资格后来才变成国语的。

我们现在提倡的国语，也具有这两种资格。第一，这种语言是中国通行最广的一种方言——从东三省到西南三省（四川、云南、贵州），从长城到长江，那一大片疆域内，虽有大同小异的区别，但大致都可算是这种方言通行的区域。东南一角虽有许多种方言，但没有一种通行这样远的。第二，这种从东三省到西南三省，从长城到长江的普通话，在这一千年之中，产生了许多有价值的文学的著作。自从唐以来，没有一代没有白话的著作。禅门的语录和宋明的哲学语录自不消说了。唐诗里已有许多白话诗；到了晚唐，白话诗更多了。寒山和拾得的诗几乎全是白话诗。五代的词里也有许多白话的词。李后主的好词多是白话的。宋诗中更多白话。邵雍与张九成虽全用白话，但做得不好；陆放翁与杨诚斋的白话诗便有文学价值了。宋词变为元曲，白话的部分更多。宋代的白话小说，如《宣和遗事》之类，还在幼稚时代。自元到明，白话的小说方才完全成立。《水浒传》《西游记》《三国志》，代表白话小说的"成人时期"。自此以后，白话文学遂成了中国一种绝大的势力。这种文学有两层大功用：（一）使口语成为写定的文字，不然，白话决没有代替古文的可能；（二）这种白话文学书通行东南各省，凡口语的白话及不到的地方，文学的白话都可侵入，所以这种方言的领土遂更扩大了。

这两种资格,缺了一种都不行。没有文学的方言,无论通行如何远,决不能代替已有文学的古文,这是不用说的了。但是若单有一点文学,不能行到远地,那也是不行的。例如广东话也有绝妙的"粤讴",苏州话也有"苏白"的小说。但这两种方言通行的区域太小,故必不能成为国语。

我们现在提倡的国语是一种通行最广最远又曾有一千年的文学的方言。因为它有这两种资格,故大家久已公认它做中国国语的惟一候选人,故全国人此时都公认它为中国国语,推行出去,使它成为全国学校教科书的用语,使它成为全国报纸杂志的用语,使它成为现代和将来的文学用语。这是建立国语的惟一方法。

什么是国语文法?凡是一种语言,总有它的文法。天下没有一种没有文法的语言,不过内容的组织彼有大同小异或小同大异的区别罢了。但是,有文法和有文法学不同。一种语言尽管有文法,却未必一定有文法学。世界文法学发达最早的,要算梵文和欧洲的古今语言。中国的文法学发生最迟。古书如公羊谷梁两家的《春秋传》,颇有一点论文法的话,但究竟没有文法学出世。清朝王引之的《经传释词》,用归纳的方法来研究古书中"词"的用法,可称得一部文法书。但王氏究竟缺乏文法学的术语和条理,故《经传释词》只是文法学未成立以前的一种文法参考书,还不曾到文法学的地位。直到马建忠的《文通》出世(光绪二十四年,西历一八九八年)方才有中国文法学。马氏自己说:"上稽经史,旁及诸子百家,下至志书小说,凡措字遣辞,苟可以述吾心中之意以示今而传后者,博引相参,要皆有一成不变之例。"(《文通》前序)又说:"斯书也,因西文已有之规矩,于经籍中求其所同所不同者,曲证系引,以确知华文义例之所在。"(后序)到这个时代,术语也完备了,条理也有了,方法也更精密了,故马建忠能建立中国文法学。

中国文法学何以发生得这样迟呢? 我想,有三个重要的原因。第一,中国的文法本来很容易,故人不觉得文法学的必要。聪明的人自能"神而明之",笨拙的人也只消用"书读千遍,其义自见"的笨法,也不想有文法学的捷径。第二,中国的教育本限于很少数的人,故无人注意大多数人的不便利,故没有研究文法学的需要。第三,中国语言文字孤立几千年,不曾有和他种高等语言文字相比较的机会。只有梵文与中文接触最早,但梵文文法太难,与中文文法相去太远,故不成为比较的材料。其余与中文接触的语言,没有一种不是受中国人的轻视的,故不能发生比较研究的效果。没有比较,故中国人从来不曾发生文法学的观念。

这三个原因之中,第三原因更为重要。欧洲自古至今,两千多年之中,随时总有几种平等的语言文字互相比较,文法的条例因有比较遂更容易明白。我们的语言文字向来没有比较参证的材料,故虽有王念孙、王引之父子那样高深的学问,那样精密的方法,终不能创造文法学。到了马建忠,便不同了。马建忠得力之处,全在他懂得西洋的古今文字,用西洋的文法比较参考的材料。他研究"旁行诸国语言之源流,若希腊若拉丁之文词,而属比之,见其字别种而句司字所以声其心而形其意者,皆有一定不易之律;而因以律夫吾经籍子史诸书,其大纲盖无不同。于是因所同以同夫所不同着"(后序)。看这一段,更可见比较参考的重要了。

但是马建忠的文法只是中国古文的文法。他举的例,到韩愈为止,韩愈到现在又隔开一千多年了。《马氏文通》是一千年前的古文文法,不是现在的国语的文法。马建忠的大缺点在于缺乏历史进化的观念,他把文法的条例错认作"一成之律,历千古而无或少变"(前序)。其实从《论语》到韩愈,中国文法已经过很多的变迁了;从《论语》到现在,中国文法也不知经过了多少的大改革!那不曾大变的只有那用记诵模仿的文法勉强保存的古文文法。至于民间的语言,久已自由变化,自由改革,自由修正;到了现在,中国的文法——国语的文法与各地方言的文法,久已不是马建忠的"历千古而无或少变"的文法了。最明显的例,如古文"莫我知""不汝贷""未之见",这一类的否定动词用代名词作止词时,止词必须在动词之前。现在的白话便不用这种通则,便改成了"没有人知道我""不晓你""不曾见过他"。这些用作止词的代名词都移到动词的后面去了。

懂得这个道理,方才可讲"国语的文法"。因国语是古文慢慢地变出来的,国语的文法也是古文的文法慢慢地改革修正出来的,古文的文法虽是很容易,但它的里面还有许多没有道理的条例。如上文举的例"莫我知""不汝贷""未之见",何以这三个止词——我、汝、之一定要放在动词之前?何以"不知命""不知人"等用名词作止词,便不能移在动词之前呢?何以不可说"不命知""不人知"呢?这种条例,就是古文大家也不能说出所以然与所以不然的道理,何况普通一般国民呢?古文家只晓得模仿古人,故古人说"莫我知",他也说"莫我知",全不晓得何以不说"莫知我"的理由。但是一般小百姓是不怕得罪古人的。他们觉得"莫我知"一类的文法实在不方便,故他们不知不觉地遂把它改成"没有人知道我""不晓你""不曾见过他",都改成更容易懂的文法了(参看《新青年》七卷三号我的《国语的进化》)。这一类的例极多,我不能多举,我以后在本书还要随时详细说明中国古文演化到国语的趋势。现在我只能说一个大意。古文文法里有许多很繁杂的规矩,被几千年的守旧文人用全力保留到于今,被政府用科举的法子强迫一般文人遵守到于今。但是大多数的国民是没诵读古书的,是不用做那"未之有也""莫我知也夫"的文章的,是在学校与科举的势力范围之外的。他们说话的目的只有两项:一是方便,二是容易懂得。他们拿这两个标准来修正中国语言,努力朝着这两方面做去,用"快刀斩乱麻"的手段,把几千年的古文家糊里糊涂地保守下来和马建忠认为"历千古而无或少变"的文法,都痛痛快快地改变了:该保留的都保留了,该变简的都变简了,该变细密的都变细密了,不规则的都变规则的了。这种变更的结果,便是我们现在的国语文法。

国语文法不是我们造得出的,它是几千年演化的结果,它是中国"民族的常识"的表现与结晶。"结晶"一个名词最有意味。譬如雪花的结晶或松花蛋(即皮蛋)上的松花结晶,你说它是有意做成的罢,它确是自然变成的,确是没有意识作用的;你说它完全无意识罢,它确又很有规则秩序,绝不是乱七八糟的;雪花的结晶绝不会移作松花的结晶。国语的演化全是这几千年"寻常百姓"自然改变的功劳,文人与文法学者全不曾过问。我你这班老祖宗并不曾有意地改造文法,只有文法不知不觉地改变了。但改变的地方,仔细研究起来,却又是很有理的,的确比那无数古文大家的理性还高明多!因此我们对于这种玄妙的变化,不能不脱帽致敬,不能不叫它一声"民族的常识的结晶"!

第二篇　文法的研究法(上)

我这部讲义最注重的一点就是研究文法的方法。为什么我要这样注重方法呢？第一，因为现在虽有古文的文法学，但国语的文法学还在草创的时期，我们若想预备做国语文法学的研究，应该先从方法下手。建立国语文法学，不是一件容易做的事。方法不精密，决不能有成效。第二，一种科学的精神全在它的方法，方法是活的，是普遍的。我们学一种科学，若单学得一些书本里的知识，不能拿到怎样求得这些知识的方法，是没有用的，是死的。若懂得方法，就把这些书本里的知识都忘记了，也还不要紧，我们不但求得出这些知识来，我们还可以创造发明添上许多新知识。文法学也是如此，不要说我们此时不能做一部很好的国语文法书，就是有了一部很好的文法书，若大家不讲究文法学的方法，这书终究是死的，国语文法学终究没有继续进步的希望。古人说"鸳鸯绣取从君看，不把金针度与人"，这是很可鄙的态度。我们提倡学术的人应该先把"金针"送给大家，然后让他们看我们绣的鸳鸯，教他们来绣一些更好更巧妙的鸳鸯！

研究文法的方法，依我看来，有三种必不可少的方法：（一）归纳的研究法，（二）比较的研究法，（三）历史的研究法。

这三种之中，归纳法是根本法，其余两种是补助归纳法的。

（一）归纳的研究法。

平常论理学书里说归纳法是"从个体的事实里求出普通的法则"的方法。但是这句话是很含糊的，并且是很有弊病的。因为没有下手的方法，故是含糊的；因为容易使人误解归纳的性质，故有弊病。宋朝的哲学家讲"格物"，要人"即物而穷其理"。初看去，这也是"从个体的事实里求出普通的法则"的归纳法了。后来王阳明用这法子去格庭前的竹子，格了七天，格不出什么道理来，自己反病倒了。这件事很可使我们觉悟：单去观察个体事物，不靠别的帮助,便想从个体事物里抽出一条通则来,是很不容易做到的事,也许竟是不可能的事。从前中国人用的"书读千遍,其义自见"的笨法,便是这一类的笨归纳。

现在市上出版的论理学书,讲归纳法最好的,还要算严又陵先生的《名学浅说》。这部书是严先生演述耶芳斯(Jevaus)的《名学要旨》做成的。耶芳斯的书虽然出版得很早,但他讲归纳法实在比弥尔(J. S. Mill.穆勒·约翰)一系的名学家讲得好。耶芳斯的大意是说归纳法其实只是演绎法的一种用法。分开来说,归纳法有几步的工夫:

第一步,观察一些同类的"例";

第二步,提出一个假设的通则,来说明这些"例";

第三步,再观察一些新例,看它们是否和假设的通则相符合。若无例外,这通则便可成立。若有例外,须研究此项例外是否有可以解释的理由。若不能解释,这通则便不能成立。一个假设不能成立,便须另寻新假设,仍从第二步做起。这种讲法的要点在于第二步提出假设的通则。第三步即用这个假设做一个大前提,再用演绎的方法来证明或否证这个假设的大前提。

这种讲法,太抽象了,不容易懂得,我且举一条例来说明它。白话里常用的"了"字,平常用来表示过去的动词,如"昨天他来了两次,今天早晨他又来了一次",这是容易懂得的。但是"了"字又用在动词的现在式,如:

大哥请回,兄弟去了。

又用在动词的将来式,如:

你明天八点钟若不到此地,我就不等你了。

你再等半点钟,他就出来了。

这种"了"字自然不是表示过去时间的,它表示什么呢?这种用法究竟错不错呢?

我们可试用归纳法的第一步,先观察一些"例":

(例一)他若见我这般说,不睬我时,此事便休了。

(例二)他若说"我替你做",这便有一分光了。

(例三)他若不肯过来,此事便休了。

(例四)他若说"我来做",这光便有二分了。

(例五)第二日他若依前肯过我家做时,这光便有三分了。

我看了《水浒传》这几条例,心里早已提出一个假设:这种"了"字是用来表示虚拟的口气(Subjunctive Mood)的。上文引的五个例,都是虚拟(假定)的因果句子:前半截虚拟的"因"都有"若"字表出,故动词可不必变化;后半截虚拟的"果"都用过去式的动词表出,如"便休了""便有了"都是虚拟的口气。因为是虚拟的,故用过去式的动词表示未来的动作。

这个假设是第二步。有了这个假设的通则,我再做第三步,另举一些例:

(例六)我们若去求他,这就不是品行了。(《儒林外史》)

(例七)若还是这样傻,便不给你娶了。(《石头记》)

这两例都与上例相符合。我再举例:

(例八)你这中书早晚是要革的了。(《儒林外史》)

(例九)我轻身更好逃窜了。(《儒林外史》)

这都是虚拟的将来,故用"了"字。我再举例:

(例十)只怕你吃不得了。(《水浒传》)

(例十一)可怜我哪里赶得上,只怕不能够了。(《石头记》)

(例十二)押司来到这里,终不成不进去了。(《水浒传》)

这都是疑惑不定的口气,故都用虚拟式。我再举例:

(例十三)好汉息怒。且饶恕了,小人自有话说。(《水浒传》)

(例十四)不要忘记了许我的十两银子。(《水浒传》)

(例十五)你可别多嘴了。(《石头记》)

这些本是命令的口气,因为命令式太重了,太硬了,故改用虚拟的口气,便觉得婉转柔和了。试看下文的比较,便懂得这个虚拟式的重要。

(命令的口气)　　　　(虚拟的口气)

　　放手!　　　　　　放了手罢。

　　不要忘记!　　　　不要忘了。

　　别多嘴!　　　　　你可别多嘴了。

我举这些例来证明第二步提出的假设"这种'了'字是用来表示虚拟的口气的"。这个假设若是真的,那么,这一类的"了"字应该都可用这个假设去解释。第三步举的例果然没有例外,故这条通则可以成立。

这种研究法叫做归纳的研究法。我在上文说过,归纳法是根本法。凡不懂得归纳法的,决不能研究文法。故我要再举一类的例,把这个方法的用法说明格外明白些。

马建忠作《文通》用的方法很精密,我们看他自己说他研究文法的方法:

古经籍历数千年传诵至今。其字句浑然,初无成法之可指。乃同一字也,同一句也,有一书迭见者,有他书互见者。是宜博引旁证。互相比拟,因其当然以进求其所同所异之所以然而后著为典则义类照然。(例言)

他又说：

愚故罔揣固陋,取《四书》《三传》《史》《汉》,韩文,……兼及诸子,语(国语),策(国策),为之字栉句比。

繁称博引。比例而同之触类而长之。穷古今简篇,字里行间,涣然冰释,皆有以得其会通。

这两段说归纳的研究法都很明白。我们可引《文通》里的一条通则来做例:

(例一)寡人好货。寡人好色。寡人好勇。(《孟子》)

(例二)客何好？客何事？客何能？(《史记》)

例一的三句,都是先"主词"次"表词"次"止词"(主词,《文通》作起词。表词,《文通》作语词)。例二的三句都是先"主词"次"止词","表词"最后。何以"寡人好货"的"货"字不可移作"寡人货好"？何以"客何好"不可改作"客好何"？

我们用归纳法的第一步,看了这例二的三个例,再举同类的几个例:

(例三)吾何修而可以比于先王观也？(《孟子》)

(例四)生揣我何念？(《史记》)

看了这些例,我们心里起一个假设:

(假设一)"凡'何'字用作止词,都该在动词之前"。这是第二步。我们再举例:

(例五)夫何忧何惧？(《论语》)

(例六)客何为也？(《史记》)

这些例都可以证明这个假设可以成为通则。我们且叫它"通则一"。这是第三步。

这个"何"字的问题是暂时说明了。但我们还要进一步，问："何以'何'字用作止词便须在动词之前呢？"我们要解答这问题，先要看看那些与"何"字同类的字是否与"何"字有同样的用法。先看"谁"字：

（例七）寡人有子，未知其谁立焉？（《左传》）

（例八）朕非属赵君当谁任哉？（《史记》）

（例九）吾谁欺？欺天乎？（《论语》）

从这些例上，可得一个通则：

（通则二）"凡'谁'字用作止词，也都在动词之前。"

次举"孰"字的例：

（例十）后之人，其欲闻仁义道德之说，孰从而听之？（韩愈）

次举"奚"字：

（例十一）问臧奚事，则挟策读书；问穀奚事，则博塞以游。（《庄子》）

（例十二）子将奚先？（《论语》）

次举"胡""曷"等字：

（例十三）胡禁不止？（《汉书》）

（例十四）曷令不行？（《汉书》）

我们看这些例，可得许多小通则；可知何、谁、孰、奚、胡、曷等字用作止词时，都在动词之前。但这些字都是"询问代名词"，故我们又可得一个大通则：

"凡询问代名词用作止词时，都该在动词之前。"这条通则，我们可再举例来试证；若没有例外，便可成立了。

得了这条通则,我们就可知道"客何好"的"何"字所以必须放在"好"字之前,是因为"何"字是一个询问代词用作止词。这就是《文通》的《例言》说的"博引旁证,互相比拟,因其当然,以进求其所同所异之所以然"。我们若把上文说的手续合为一表,便更明白了:

客何好？客何能？
吾何修？ } 通则一　凡"何"字作止词,应在动词前。
夫何忧何惧？

未知谁立？
当谁任哉？ } 通则二　凡"谁"字作止词,应在动词前。
吾谁欺？

孰从而听之？} 通则三　"孰"字同。

问臧奚事？
问穀奚事？ } 通则四　"奚"字同。

胡禁不止？} 通则五　"胡"字同。

曷令不行？} 通则六　"曷"字同。

总通则　凡询问代名词用作止词时,都在动词之前。

这就是《文通》自序说的"比例而同之,触类而长之……皆有以得其会通"。这就是归纳的研究法。

(第九卷第三号,一九二一年七月一日)

国语文法的研究法(续前号)

胡适

第三篇　文法的研究法(中)

(二)比较的研究法。

比较的研究法可分作两步讲。

第一步,积聚些比较参考的材料,越多越好。在国语文法学上,这种材料大部分是各种"参考文法",约可分作四类:

(1)中国古文文法,——至少要研究一部《马氏文通》。

(2)中国各地方言的文法,——如中国东南各省的各种方言的文法。

(3)西洋古今语言的文法,——英文法、德文法、法文法、希腊拉丁文法等。

(4)东方古今语言的文法,——如满蒙文法、梵文法、日本文法等。

第二步,遇着困难的文法问题时,我们可寻思别种语言里有没有同类或大同小异的文法。若有这种类似的例,我们便可拿它们的通则来帮助解释我们不能解决的例句。(1)若各例彼此完全相同,我们便可完全采用那些通则。(2)若各例略有不同,我们也可用那些通则来做参考,比较出所以同和所以不同的地方,再自己定出新的通则来。

我且举上篇用的虚拟口气的"了"字作例。我们怎样得到那个假设呢?原来那是从比较参考得来的。我看了《水浒传》里的一些例,便想起古文里的"矣"字,似乎也有这种用法——也有用在现在和未来的时间的。例如:

诺,吾将仕矣。(《论语》)

原将降矣。(《左传》)

如有复我者,则吾必在汶上矣。(《论语》)

如有不嗜杀人者,则天下之民皆引领而望之矣。(《孟子》)

我于是翻开《马氏文通》,要看他如何讲法。《文通》说:

矣字者,所以决事理已然之口气也。已然之口气,俗间所谓"了"字也。凡"矣"字之助句读也,皆可以"了"字解之。(九之三)

《文通》也用"了"字来比较"矣"字,我心里更想看他如何解释。他说:言效之句,率以"矣"字助之。(《孟子》如有不嗜杀人者,则天下之民皆引领而望之矣。)……"矣"字者,决已然之口气也。而"效"则唯验诸将来。"矣"字助之者,盖"效"之发见有待于后,而"效"之感应已露于先矣。(言效之句即我说的虚拟的效果句子。)

这一段话的末句说得很错误,但他指出"言效之句,率以'矣'

字助之"一条通则,确能给我一个"暗示"。我再看他讲"吾将仕矣"一类的文法:

"吾将仕矣"者,犹云,吾之出仕于将来,已可必于今日也。……其事虽属将来,而其理势已可决其如是而无他变矣。

他引的例有"今日必无晋矣""孺子可教矣""三年无改于父之道,可谓孝矣"等句。他说这些"矣"字"要不外了字之口气"。他说:

"了"者,尽而无余之辞。而其为口气也,有已了之了,则"矣"字之助静字即形容词而为绝句也,与助句读之往事也。有必了之了,则"矣"字之助言效之句也。外此诸句之助"矣"字而不为前例所概者,亦即此已了必了之口气也。是则"矣"字所助之句,无不可以"了"字解之矣。

我看了这一段,自然有点失望。因为我想参考"矣"字的文法来说明"了"字的文法,不料马氏却只用了"了"字的文法来说明"了"字的文法来讲解"矣"字的文法。况且他只说"已了必了之口气",说得很含糊不明白。如孔子对阳货说"吾将仕矣",绝没有"必了"的口气,绝不是如马氏说的"吾之出仕于将来,已可必于今日"的意思。又如他说"言效之句"所以用"矣"字,是因为"效之发见有待于将来而效之感应已露于先矣",这种说法,实无道理。什么叫做"效之感应"?

但我因《文通》说的"言效之句"遂得着一点"暗示"。我因此想起这种句子在英文里往往用过去式的动词来表示虚拟的口气。别国文字里也往往有这种办法。我因此得一个假设：我们举出的那些"了"字的例，也许都是虚拟的口气罢？

我得着这个"假设"以后的试证工夫，上章已说过了。我要请读者注意的是：这个假设是从比较参考得来的。

白话里虚拟口气的"了"字和古文里的"矣"字，并不完全相同，如"请你放了我罢"一类的句子是古文里没有的，和别国文字里的虚拟口气，也不完全相同。如英文之虚拟口气并不单靠过去式的动词来表示。别国文字也如此。但不同之中，有相同的一点，就是虚拟的口气有区别的必要。马氏忽略了这个道理，以为一切"矣"字部可用"已了""必了"两种"了"字来解说，所以他说不明白。我们须要知道，那些明明是未了的动作何以须用那表示已了的"矣"字或"了"字？我们须要知道，古文里"已矣乎""行矣，夫子！""休矣，先生！"一类的句子，和白话里"算了罢""请你放了我罢""不要忘了那十两银子"，绝不能用"已了，必了"四个字来解说只有"虚拟的口气"一个通则可以包括在内。

这一类的例是要说明比较参考的重要的。若没有比较参考的材料，处处全靠我们从事实里"挤"出一些通则来，那就真不容易了。我再举一类的例来说明没有参考材料的困难。六百多年前，元朝有个赵德，著了一部《四书笺义》，中有一段说：

> 吾我二字，学者多以为一义，殊不知就己而言则曰吾因人而言则曰我。"吾有知乎哉？"就己而言也。"有鄙夫问于我"，因人之问而言也。

清朝杨复吉的《梦兰琐笔》引了这段话又加按语道：

按此条分别甚明。"二三子以我为隐乎？"我，对二三子而言。"吾无隐乎尔"，吾，就己而言也。

"我善养吾浩然之气"，我，对公孙丑而言，吾就己而言也。

后来俞樾把这一段抄在《茶香室丛抄》卷一里，又加上一段按语道：

以是推之，"予唯往求朕攸济"，予即我也，朕即吾也，"越予冲人，不卬自恤"，予即我也，卬即吾也，其语似复而实非复。

我们看这三个人论"吾我"二字的话，便可想见没有参考文法的苦处。第一，赵德能分出一个"就己而言"的吾，"因人而言"的我，总可算是读书细心的了。但这个区别实在不够用，试看《庄子》"今者吾丧我"一句，又怎样分别"就己""因人"呢？若有"主词""止词"等等文法术语，便没有这种困难了。第二，杨复吉加的按语说"此条分别甚明"，不料他自己举出的四个例便有两个是大错的！"我善养吾浩然之气"，这个"我"字与上文的几个"我"字，完全不同！这个"吾"字和上文的几个"吾"字，又完全不同！倘使当时有了"主格""受格""领格"等术语、通则可作参考比较的材料，这种笑话也可以没有了。第三，俞樾解释"予""朕""卬"三个字，恰都和赵德的通则相反！这种错误也是因为没有文法学的知识作参考，故虽有俞樾那样的大学者，也弄不清楚这个小小的区别。到了我们的时代，通西文的人多了，这种区别便毫不成困难问题了。我们现在说：

"吾""我"二字，在古代文字中，有三种文法上的区别：

（甲）主格用"吾"为常。

（例）吾有知乎哉？

　　　吾其为东周乎？

　　　吾丧我。

（乙）领格用"吾"。

（例）吾日三省吾身。

　　　犹吾大夫崔子也。

　　　吾道一以贯之。

（丙）受格（止词司词）用"我"。

（例一）夫召我者，而岂徒哉？如有用我者，吾其为东周乎？

　　　　如有复我者，则吾必在汶上矣。

以上为外动词的"止词"。

（例二）有鄙夫问于我。

　　　　孟孙问孝于我。

　　　　善为我辞焉。

以上为介词后的"司词"。

这些区别，现在中学堂的学生都懂得了，都不会缠不清楚了。

故有了参考比较的文法资料，一个中学堂的学生可以胜过许多旧日的大学问家。反过来说，若没有参考比较的文法资料，一个俞樾有时候反不如今日的一个中学生！

现在我们研究中国文法，自然不能不靠这些"参考文法"的帮助。我们也知道，天下没有两种文法是完全相同的；我们也知道，中国的语言自然总有一些与别种语言不相同的特点。但我们决不可因此遂看轻比较研究的重要。若因为中国语言文字有特点,就菲薄比较的研究,那就成了"因为怕跌倒就不敢出门"的笨伯了!近来有人说,研究中国文法须是"独立的而非模仿的"。他说:

何谓独立的而非模仿的中国文字与世界各国之文字(除日本文颇有与中国文相近者外),有绝异者数点:其一,主形;其二,单节音,且各字有平上去入之分;其三,无语尾等诸变化;其四,字词(《说文》"词,意内言外也"),文位确定。是故如标语(即《马氏文通》论句读编卷系七〈适按此似有误系或是象之误〉所举之一部分),如足句之事,如说明语之不限于动字,如动字中"意动""致动"(如"饮马长城窟"之饮,谓之致动;"彼白而我白之"之第二白字,谓之意动)。等之作成法,如词与语助字之用:皆国文所特有者也。如象字比较级之变化,如名字中固有名字普通名字等分类,如主语之绝对不可缺:皆西文所特有,于国文则非甚必要。今使不研究国文所特有,而第取西文所特有者,一一模仿之,则削足适履,扞格难通,一也;比喻不切,求易转难,二也;为无用之分析,徒劳记忆,三也;有许多无可说明者,势必任诸学者之自由解释,系统既异,归纳无从,四也;其勉强适合之部分,用法虽亦可通,而歧义必所不免,五也;举国中有裨实用之变化而牺牲之,致国文不能尽其用,六也。

是故如主张废灭国文,则已;若不主张废灭者,必以治国文之道治国文,决不能专以治西文之道治国文也。(《学艺杂志》第二卷第三号,陈承泽《国文法草创》页五至六)

陈先生这段话是对那"模仿"的文法说的。但他所指的"模仿"

的文法既包括《马氏文通》在内（原文页六至八、注六），况且世间决无"一一模仿"的笨文法，故我觉得陈先生实在是因为他自己并不曾懂得比较研究的价值，又误把"比较"与"模仿"看做一事，故发这种很近于守旧的议论。他说的"必以治国文之道治国文"一句话，和我所主张的比较的研究法，显然处于反对的地位。试问，什么叫做"以治国文之道治国文"？从前那种"书读千遍，其义自见"的笨法，真可算是几千年来我们公认的"治国文之道"！又何必谈什么"国文法"呢？到了谈什么"动字""象字""主语""说明语"等文法学的术语，我们早已是"以治西文之道治国文"了，——难道这就是"废灭国文"吗？况且，若不从比较的研究下手，单用"治国文之道治国文"，我们又如何能知道什么为"国文所特有"，什么为"西文所特有"呢？陈先生形容那"模仿"文法的流弊，说"其勉强适合之部分，用法虽亦可通，而歧义必所不免"。我请问，难道我们因为有"歧义"，遂连那"适合的部分"和"可通的用法"都不该用吗？何不大胆采用那"适合"的通则，再加上"歧义"的规定呢？陈先生又说"有许多无可说明者，势必任诸学者之自由解释，系统既异，归纳无从"。这句话更奇怪了。"学者自由解释"，便不是"模仿"了，岂不是陈先生所主张的"独立的"文法研究吗？何以这又是一弊呢？

　　中国语言文字的研究，这几千年来，真可以算是"独立"了几千年。"独立"的困难与流弊还不够使我们觉悟吗？我老实规劝那些高谈"独立"文法的人：中国文法学今日的第一需要是取消独立，但"独立"的反面不是"模仿"，是比较与参考。比较研究法的大纲，让我重说一遍：

　　遇着困难的文法问题时，我们可寻思别种语言里有没有同类或大同小异的文法。

若有这种类似的例,我们便可拿他们的通则来帮助释我们不能解决的例句。

若各例彼此完全相同,我们便可完全采用那些通则。

若各例略有不同,陈先生说的"歧义",我们也可用那些通则来做参考,比较出所以同和所以不同的地方,再自己定出新的通则来。

第四篇　文法的研究法(下)

(三)历史的研究法。

比较的研究法是补助归纳法的,历史的研究法也是补助归纳法的。

我且先举一个例来说明归纳法不用历史法的危险。我的朋友刘复先生著了一部《中国文法通论》,他也有一长段讲"文法的研究法"。他说:

研究文法,要用归纳法,不能用演绎法。

什么叫做"用归纳法而不用演绎法"呢?譬如人称代词(即《文通》的指名代字)的第一身(即《文通》的发语者)在口语中只有一个"我"字,在文言中却有"我、吾、余、予"四个字。假使我们要证明这四个字的用法完全相同,我们先应该知道,代名词用在文中,共有主格、领格、受格三种地位(即《文通》的主次、偏次、宾次);而领格之中又有附加"之"字与不附加"之"字两种;受格之中又有位置在语词(Verb)之后和位置在介词之后两种。

于是我们搜罗了实例,来证明他:

A. 主格。

1. 我非生而知之者。(《论语》)

2. 吾日三省吾身。(《论语》)

3. 余虽为之执鞭。(《史记》)

4. 予将有远行。(《孟子》)

B. 一、领格,不加"之"字的。

1. 可以濯我缨。(《孟子》)

2. 非吾徒也。(《论语》)

3. 既无武守,而又欲易余罪。(《左传》)

4. 是予所欲也。(《孟子》)

B. 二、领格,附加"之"字的。

1. 我之怀矣,自贻伊戚。(《左传》)

2. 吾之病也。(韩愈《原毁》)

3. 是余之罪也夫!(《史记》)

4. 如助予之叹息。(欧阳修《秋声赋》)

C. 一、受格,在语词后的。

1. 明以教我。(《孟子》)

2. 嫂尝抚汝指吾而言曰。(韩愈《祭十二郎文》)

3. 女为惠公来求杀余。(《左传》)

4. 尔何曾比予于管仲!(《孟子》)

C. 二、受格,在介词后的。

1. 为我作君臣相悦之乐。(《孟子》)

2. 为吾谢苏君。(《史记》《张仪列传》)

3. 与余通书。(《史记》)

4. 天生德于予。(《论语》)

到这一步,我们才可以得到一个总结,说"我、吾、余、予"四个字,用法完全一样。这一种方法,就叫作归纳法。

(《中国文法通论》页一七)

这一大段,初看起来,很像是很严密的方法;细细分析起来,就露出毛病来了。第一个毛病是:这一段用的方法实在是演绎法,不是归纳法;是归纳法的第三步(看本书第二篇),不是归纳法的全部。刘先生先已打定主意"要证明这四个字的用法完全相同",故他只要寻些实例来证实这个大前提,他既不问"例外"的多少,也不想说明"例外"的原因,也不问举的例是应该认为"例外"呢,还是应该认为"例"。如 C.一(2)"嫂尝抚汝指吾而言曰"一句,这"吾"字自是很少见的,只可算是不懂文法的韩退之误用的"例外",不能用作"例"。此外如 A.(1),在《论语》里确是"例外",B.一(1)与 B.二(1)都是诗歌,也都是"例外"。若但举与大前提相符合作"例",不比较"例"与"例外"的多少,又不去解释何以有"例外",这便是证明一种"成见"不是试证一种"假设"了。所以我说他是演绎法,不是归纳法。

第二个毛病更大了。刘先生举的例,上起《论语》,下至韩愈欧阳修,共占一千五百年的时间!他不问时代的区别,只求合于通则的"例",这是绝大的错误。这一千五百年中间,中国文法也不知经过了多少大变迁。即如从孔子到孟子的二百年中间,文法的变迁已就很明显了。孔子称他的弟子为"尔、汝",孟子便称"子"了;孔子时代用"斯",孟子时代便不用了;阳货称孔子用"尔",子夏曾子相称亦用"尔、汝",孟子要人"充无受尔汝之实",可见那时"尔,汝"已变成轻贱的称呼了。即如"吾、我"二字,在《论语》《檀弓》时代，区别得很严。"吾"字用在主格，又用在领格，但决不用在受格；"我"字专用在受格，但有时要特别着重"吾"字，便用"我"字代主格的"吾"字，如"尔爱其羊，我爱其礼""我非生而知之者""我则异于是"，都是可以解释的"例外"。到了秦汉以后，疆域扩大，语言的分子更复杂了，写定了的文言便不能跟着那随时转变的白话变化。白话渐渐把指名代词的"位次"（Cane）的区别除去了，但文字里仍旧有"吾、我、尔、汝"等字。后人生在没有这种区别的时代，不会用这种字，故把这些字随便乱用。故我们不可说"吾、我"两字用法完全相同。

我们只可说，"吾、我"两字在《论语》《檀弓》时代的用法是很有区别的；后来这种区别在语言渐渐消灭，故在文字也往往随便乱用，就没有区别了。

如此，方才可以懂得这两个字在文法上的真正位置。"余、予"二字也应该如此研究。我们若不懂得这四个字的历史上的区别，便不能明白这四个字所以存在的缘故。古人不全是笨汉，何以第一身的指名代词用得着四个"用法完全相同"的字呢？

这种研究法叫作"历史的研究法"。

为什么要用历史的研究法呢？我且说一件故事：

清朝康熙皇帝游江南时，有一天，他改了装，独自出门游玩。他走到一条巷口，看见一个小孩子眼望着墙上写的"此路不通"四个字。皇帝问他道："你认得这几个字吗？"那孩子答道："第二个是'子路'的路字，第三个是'不亦说乎'的不字，第四个是'天下之通丧'的通字。只有头一个字我不曾读过。"皇帝心里奇怪，便问他读过什么书。他说读过《论语》。皇帝心里更奇怪了：难道一部《论语》里没有一个"此"字吗？他回到行宫，翻开《论语》细看，果然没有一个"此"字。皇帝便把随驾的一班翰林叫来,问他们《论语》里共有几个"此"字。他们有的说七八十个,有的说三四十个,有的说二三十个,皇帝大笑。

这个故事很有意思。顾亭林《日知录》说:

《论语》之言"斯"者七十,而不言"此";《檀弓》之言"斯"者五十有二,而言"此"者一而已。《大学》成于曾氏之门人,而一卷之中言"此"者十九。语言轻重之间,世代之别,从可知矣。

其实何止这个"此"字?语言文字是时时变易的,时时演化的。当语言和文字不曾分离时,这种变迁演化的痕迹都记载在文字里,如《论语》《檀弓》与《孟子》的区别,便是一例。后来语言和文字分开,语言仍旧继续不断的变化,但文字却渐渐固定了。故虽然有许多"陈"迹的文法与名词保存在文字里,但这种保存,完全是不自然的保存,是"莫名其妙"的保存。古人有而后人没有的文法区别,虽然勉强保存,究竟不能持久,不久就有人乱用了。我们研究文法,不但要懂得那乱用时代的文法,还应该懂得不乱用时代的文法。有时候,我们又可以看得相反的现象:有时古代没有分别的,后来倒有分别。这种现象也是应该研究的。故我们若不懂得古代"吾、我"有分别,便不懂得后来这两个字何以并用;若不懂得后来"吾、我"无分别,便不懂白话曾用一个"我"字的好处;若不懂得古代主格与领格同用"吾"字,便不懂得后来白话分出"我"与"我的"的有理。

因为我们要研究文法变迁演化的历史,故须用历史的方法来纠正归纳的方法。

历史的研究法可分作两层说：

第一步：举例时，当注意每个例发生的时代。每个时代的例排在一处，不可把《论语》的例和欧阳修的例排在一处。

第二步：先求每一个时代的通则，然后把各时代的通则互相比较。

（a）若各时代的通则是相同的，我们便可合为一个普通的通则。

（b）若各时代的通则彼此不同，我们便应该进一步，研究各时代变迁的历史，寻出沿革的痕迹，和所以沿所以革的原因。

我们可举白话文学里一个重要的例。前年某省编了一部国语教科书，送到教育部请审查。教育部审查的结果，指出书里"这花红的可爱""鸟飞的很高"一类的句子，说"的"字都应改作"得"字。这部书驳回去之后，有人对部里的人说："这一类的句子里《水浒传》皆作'得'，《儒林外史》皆作'的'，你们驳错了。"后来陈颂平先生把这事告诉我，我的好奇心引我去比较《水浒传》《石头记》《儒林外史》三部书的例，不料我竟因此寻出一条很重要的通则。

先看《水浒传》的例，都在第一回及楔子。

（1）最易踢得好脚气毬。

（2）高俅只得来淮西临淮州。

（3）这高俅我家如何安得着他？

（4）小的胡乱踢得几脚。

（5）你既害病，如何来得？

（6）俺如何与他争得？

（7）免不得饥餐渴饮。

（8）母亲说他不得。

（9）此殿开不得。

（10）太公到来,喝那后生:"不得无礼!"

（11）极是做得好细巧玲珑。

（12）母亲说得是。

（13）史进十八般武艺:一一学得精熟,多得王进尽心指教,点拨得件件都有奥妙。

（14）方才惊诿得苦。

（15）惊得下官魂魄都没了。

（16）惊得洪太尉目瞪口呆。(此句亚东本作"的",后见光绪丁亥同文本果作"得",可见举例时不可不注意版本。我作"尔汝篇"论领格当用"尔",今本《虞书》有"天之历数在汝躬"一句,然《论语》引此句正作"黎躬"。可见《尚书》经过汉人之手已不可靠了。)

次举《石头记》的例,都在卷二十二至卷二十五。

（17）薛大妹妹今年十五岁,虽不是整生日,也算得将笄之年。

（18）别人拿他取笑,都使得。

（19）贾环只得依他……宝玉只得坐了。

（20）你但凡立得起来,到你大房里……也弄个事儿管管。

（21）告诉不得你。

（22）等那件事成了,可也加倍还得起他。

（23）婶娘身上生得单弱,事情又多,亏婶娘好大精神,竟料理的周周全全,要是差一点,早累的不知怎样了。

（24）只见一个十五六岁的丫头,生的倒也十分精细干净。[比较上文(23)"生得单弱"一条,及下文(25)条》]

（25）只见这人生的长容脸面,长挑身材。

(26) 舅舅说的有理。[比较上文(12)条]

(27) 说的林黛玉扑嗤的一声笑了。

(28) 吓的这个调儿,这只管胡说!

(29) 树上桃花吹下一大斗来,落得满身满书满地都是花片。

(30) 弄得你黑眉乌嘴的。

(31) 林黛玉只当十分荡得利害。

(32) 但问他痛得怎样。

再举《儒林外史》的例,都在楔子一回。

(33) 世人一见功名便舍着性命去求他。自古及今哪一个是看得破的。

(34) 只靠着我替人家做些针黹生活寻来的钱,如何供得你读书?

(35) 不然,老爷如何得知你会画花?

(36) 有什么做不得?

(37) 彼此呼叫,还听得见。

(38) 我眼见得不济事了。

(39) 都不得有甚好收场。

(40) 闹得王冕不得安稳。

(41) 这个法却定的不好。

(42) 一阵怪风刮的树木都嗖嗖的响。

(43) 王冕同秦老吓的将衣袖蒙了脸。

(44) 娘说的是。

(45) 这也说得有理。[比较上文(44)条]

(46) 照耀得满湖通红。

(47) 尤其绿得可爱。

(48) 乡间人见画得好,也有拿钱来买的。

以上从每部书里举出的十六个例,共四十八个例。《水浒传》最早(依我的考证,是明朝中叶的著作),比《儒林外史》与《石头记》要早二百多年。《水浒传》的十六个例一概用"得"字。《石头记》与《儒林外史》杂用"得""的"两字。这种排列法是第一步下手工夫。

第二步,求出每一个时代的例的通则来做比较。

我们细看《水浒传》的十六个例,可以看出两种绝不相同的文法作用:

(甲)自(1)至(10)的"得"字,都含有可能的意思。"踢得几脚"即"能踢几脚","如何安得""如何来得""如何争得"即"如何能安""如何能来""如何能争","免不得"即"不能免","说他不得"即"不能说他"。以上是表"能够"的意思。"开不得"即"不可开","不得无礼"即"不可无礼"。以上是表"可以"的意思。

(乙)自(11)至(16)的"得"字,是一种介词,用来引出一种状词或状词的分句的。这种状词或状词的分句都是形容前面动词或形容词的状态和程度的。这个"得"字的意义和"到"字相仿(得与到同声,一音之转),大概是"到"字脱胎出来的。"说得是"即"说到是处"。"惊諕得苦"即"惊諕到苦处"。"学得精熟"即"学到精熟的地步"。"惊得洪太尉目瞪口呆"即"惊到洪太尉目瞪口呆的地步"。这都是表示状态与程度的。凡介词之后都该有"司词",但"得"字之后,各词可以省去,故很像无"司词"。其实是有的,看到字诸例便知。

于是我们从《水浒传》的例里求出两条通则:

通则一:"得"字是一种表示可能性的助动词,它的下面或加止词,或加足词,或不加什么。

通则二:"得"字又可用作一种介词,用在动词或形容词之后,引起一种表示状态或程度的狀词或狀语。

其次,我们看《石头记》的十六个例,可分出三组来:

第一组,(17)至(22)六条的"得"字都是表示可能的助动词。如"也算得"等于"也可算"。"只得依他"等于"只能依他"。"立得起来"等于"能立起来"。"还得起他"等于"能够还他"。这一组没有一条例外。

第二组,(23)至(28)六条,七次用"的",一次用"得",都是表示状态或程度的状语之前的"介词"。(23)条最可注意:"生得单弱""料理的周周全全""累的不知怎样了","生得"的"得"字明是误用的"例外"。下文(24)(25)两条都用"生的"更可证(23)条的"得"字是"例外"。

第三组,(29)至(32)四条,都是与第二组完全相同的文法,但都用"得"不用"的",是第二组的"例外"。

再看《儒林外史》的十六个例,也可分作三组:

第一组,(33)至(39)七条的"得"字,都是表示可能的助动词,与《石头记》的第一组例完全相同,也没有一个"例外"。

第二组,(40)至(44)五条用的"的"字,都是状语之前的介词,与《石头记》的第二组例也完全相同。

第三组,(45)至(48)四条,又是"例外"了。这些句子与第二组的句子文法上完全相同,如"说的是"与"说得有理"可有什么文法上的区别?

(第九卷第四号,一九二一年八月一日)